Allan & Ba

Warum Männer lügen
und Frauen immer Schuhe kaufen

Allan & Barbara Pease

Warum Männer lügen und Frauen immer Schuhe kaufen

*Ganz natürliche Erklärungen
für eigentlich unerklärliche Beziehungen*

Aus dem Englischen von
Ursula Pesch, Heike Schlatterer
und Karin Schuler

Ullstein

Die Originalausgabe erschien 2002 unter dem Titel
Why Men Lie and Women Cry
bei Orion, London
Copyright © 2002 by Allan & Barbara Pease

Der Ullstein Verlag ist ein Unternehmen der
Econ Ullstein List Verlag GmbH & Co. KG
ISBN 3-550-07535-9
Copyright der deutschsprachigen Ausgabe © 2002
by Econ Ullstein List Verlag GmbH & Co. KG, München

Printed in Germany
Layout und Herstellung: Helga Schörnig
Satz: Schaber Satz- und Datentechnik, Wels
Druck und Bindung: Clausen & Bosse, Leck
Gedruckt auf 90 g Werkdruck von Schleipen

I N H A L T

8 Sexappeal-Test für Frauen – Wie wirken Sie auf Männer?

9 Warum bekam Roger Rabbit Stielaugen? – Die Macht der sexuellen Anziehungskraft der Frau

E I N F Ü H R U N G

WIR WERDEN NACKT, NASS UND HUNGRIG GEBOREN.
UND DANN WIRD ALLES NOCH SCHLIMMER.
CHINESISCHES SPRICHWORT

Warum lügen Männer? Warum wollen sie immer Recht haben? Warum wollen sie keine engeren Bindungen eingehen? Und andersherum, warum weinen Frauen, um ihren Willen durchzusetzen? Warum reden sie immer alles tot? Warum ergreifen sie beim Sex nicht öfter die Initiative?

Die Kluft zwischen den Geschlechtern, die Missverständnisse und der Konflikt sind auch im 21. Jahrhundert in unserem Leben noch so alltäglich wie an dem Tag, als Adam sich zum ersten Mal mit Eva zankte. In den drei Jahrzehnten unserer Beschäftigung mit den Unterschieden zwischen Männern und Frauen, bei Experimenten und Filmanalysen, beim Bücherschreiben, bei Fernsehauftritten und beim Informationsaustausch auf Konferenzen sind wir mit zehntausenden Fragen konfrontiert worden, bei denen es immer darum ging, warum wir uns so und nicht anders verhalten. Die Briefe, Anrufe und E-Mails kommen alle von Menschen, die bestimmte Verhaltensweisen des anderen Geschlechts absolut verwirrend finden. Diese Menschen sind frustriert und hilflos, und sie wissen nicht mehr, wie sie mit dem anderen Geschlecht umgehen sollen. Deshalb haben wir *Warum Männer lügen und Frauen immer Schuhe kaufen* geschrieben. Hier haben wir die 40 häufigsten Fragen von Lesern und Zuhörern aus der ganzen Welt zusammengestellt und zu beantworten versucht, unter Zuhilfenahme unserer Erfahrungen und Forschungen, statistischer Erhebungen, neuester Untersuchungen, naturwissenschaftlicher Er-

15

kenntnisse und nicht zuletzt des gesunden Menschenverstandes. Dann haben wir praktikable Lösungen entwickelt, um Sie bei der Kommunikation mit dem anderen Geschlecht auf den richtigen Weg zu bringen.

Warum Männer lügen und Frauen immer Schuhe kaufen behandelt jene großen, lebenswichtigen »Warum«-Fragen, die sich Frauen sonntags nachts stellen. Fragen wie: »Warum schauen Männer anderen Frauen hinterher?« und »Warum sagen sie mir andauernd, was ich zu tun und zu denken habe?« Und dann sind da diese komplexen Probleme, mit denen Männer sich um 10 Uhr am Sonntagmorgen herumschlagen, wenn sie entweder allein aufwachen oder ihre Liebste plötzlich nicht mehr mit ihnen redet. Wir beschäftigen uns auch mit Fragen wie: »Warum verstehen Frauen nie, worum es eigentlich geht?«, »Warum nörgeln sie?« und »Warum muss ich meine Socken ausgerechnet um 10 Uhr am Sonntagmorgen aufheben?«

EINE FRAU MACHT SICH IMMER SORGEN UM DIE ZUKUNFT,
BIS SIE EINEN MANN HAT. EIN MANN MACHT SICH
NIEMALS SORGEN UM DIE ZUKUNFT, BIS ER EINE FRAU HAT.

Die Wissenschaft kann heute erklären, warum Frauen so viel reden, oft »auf den Busch klopfen«, die kleinsten Einzelheiten über jeden Bekannten wissen wollen und beim Sex selten die Initiative ergreifen. Wir kennen heute die evolutionären und biologischen Gründe dafür, dass Männer immer nur eine Sache nach der anderen machen können, nicht gern einkaufen gehen, nicht nach dem Weg fragen, es lieber haben, wenn das Toilettenpapier sich von der Wand weg abrollt statt zu ihr hin, und warum sie kaum etwas über die persönlichen Angelegenheiten ihrer Freunde wissen, obwohl sie gerade ein ganzes Wochenende mit ihnen geangelt haben.

In vieler Hinsicht erklärt *Warum Männer lügen und Frauen immer Schuhe kaufen* all jene Banalitäten, die von den meisten Menschen übersehen werden. Sie haben vielleicht schon einmal bemerkt, dass Frauen offensichtlich einen biologischen Drang verspüren, hübsche Kissen zu kaufen oder Möbel anders zu stellen, damit die Männer darüber stolpern, wenn sie sich spät nachts ins Haus schleichen. Oder dass wenige Frauen verstehen, wie spannend es ist, sich ein und dieselbe Sportsendung immer wieder anzusehen, während es selten Männer gibt, die in der Entdeckung eines Designerkleides im Ausverkauf einen der großen Höhepunkte ihres Lebens erblicken.

Warum es Männer und Frauen so schwer haben

Mann zu sein ist eine schwierige Sache geworden. Seit den Sechzigerjahren wurden die Feministinnen immer lauter und erfolgreicher. Die Selbstmordrate von Frauen ist in dieser Zeit um 34 Prozent zurückgegangen, die der Männer dagegen um 16 Prozent gestiegen. Und trotzdem wird immer noch unablässig das harte Los der Frauen beklagt.

Gegen Ende des 20. Jahrhunderts entdeckten die Frauen ihre Freiheiten und betrachteten die Männer oft als den Feind schlechthin. Seither waren Beziehungen und Familien einer enormen Belastung ausgesetzt. Die Frauen waren zornig; die Männer waren gelähmt und verwirrt. Ihre Rolle war bislang immer klar definiert gewesen: Der Mann war der Herr im Hause. Er war der Haupternährer seiner Familie, sein Wort war Gesetz, und die Bereiche, in denen er die Entscheidungen traf, waren fest umrissen. Er war der Beschützer und Versorger. Seine Frau war Mutter, Haushälterin, Privatsekretärin und Betreuerin. Er kannte seine Verantwortlichkeiten und seine Ehefrau die ihren. Das Leben war einfach.

Aber plötzlich wurde alles anders. In Sitcoms und Werbespots wurden die Männer plötzlich oft dumm und inkompetent dargestellt, die Frauen wirkten meist intelligenter und eindeutig überlegen. Immer mehr Frauen nahmen den Ruf nach Gleichheit auf.

Das Problem dabei war, dass die Frauen offenbar wussten, was sie wollten und worauf sie zusteuerten, während viele Männer sich abgehängt fühlten.

WENN EINE FRAU EINEN MANN IN DER ÖFFENTLICHKEIT OHRFEIGT, GLAUBEN ALLE, DASS ER IM UNRECHT IST.

Oft sah es so aus, als verstünden die Männer die Regeln einfach nicht. Eine Frau, die beispielsweise über Ungleichheiten sprach, fand Beifall; ein Mann, der seine Meinung sagte, wurde als Frauenfeind beschimpft. Abfällige Witze über Männer übertreffen heute die typischen Frauenwitze zahlenmäßig im Verhältnis zehn zu eins. Hier ein typisches Beispiel für das, was man jeden Tag in seinen E-Mails finden kann:

Wie nennt man einen Mann, der 90 Prozent seiner Denkfähigkeit verloren hat? – Witwer.
Was ist ein Mann im Salzsäurefass? – Ein gelöstes Problem.
Warum gibt es Männer? – Weil Vibratoren den Rasen nicht mähen können.
Was sagt ein Mann, der bis zur Gürtellinie im Wasser steht? – Das geht mir über den Verstand.

Und hier zwei neue Witze, die unter Frauen kursieren und von den meisten Männern als sehr demoralisierend und bedrohlich empfunden werden:

Was ist ein Mann? – Ein Überlebenssystem für einen Penis.
Was ist der unsensibelste Teil am Penis? – Der Mann.

Die in diesen Witzen ausgedrückte Haltung empfinden viele Männer als offene Feindseligkeit, und sie ist unleugbar ein Faktor für die Depressionen, die eine ganze Generation von Männern peinigen.

Die Selbstmordrate unter Männern, alten wie jungen, ist heute so hoch wie nie, und japanische Männer führen diese Statistik an. Männer wissen nicht mehr, was sie zu tun haben, und es gibt keine verbindlichen Rollenmodelle.

Aber auch die Frauen haben es nicht leicht. Der Feminismus kritisierte die ungleichen Chancen von Männern und Frauen und versprach den Frauen die Befreiung aus den Fesseln, die sie an der Spüle festketteten. Heute arbeiten etwa 50 Prozent der Frauen in westlich geprägten Gesellschaften – ob sie wollen oder nicht. In Großbritannien ist eine allein erziehende Frau bereits in einer von fünf Familien das Familienoberhaupt, doch nur in einer von 50 Familien ist das ein allein erziehender Mann. Diese Frauen sollen heute die Rolle der Mutter, des Vaters und des Versorgers übernehmen. Frauen bekommen heute Magengeschwüre, haben Herzanfälle und leiden unter stressbedingten Krankheiten – früher litten darunter fast ausschließlich Männer.

AN BULIMIE LEIDEN SCHÄTZUNGSWEISE 4 BIS 5 PROZENT ALLER AKADEMIKERINNEN, ABER NUR EINER VON 300 AKADEMIKERN.

Im Jahr 2020 werden voraussichtlich 25 Prozent aller Frauen in westlichen Ländern auf Dauer als Singles leben. Dies ist eine unnatürliche Situation, sie ist unseren grundlegenden menschlichen Bedürfnissen und unserer Biologie genau entgegengesetzt. Frauen sind heute überarbeitet, oft wütend und immer häufiger allein. Männer haben das Gefühl, dass Frauen von ihnen verlangen, dass sie wie Frauen denken und sich wie Frauen benehmen. Wir alle sind verwirrt. Dieses Buch gibt Ihnen eine Landkarte an die Hand, mit deren Hilfe Sie in dem entstandenen Beziehungslabyrinth Ihren Weg finden können und die Ihnen erlaubt, falsche Ausgangspunkte, komplizierte Kreuzungen und Sackgassen zu erkennen.

Warum Männer und Frauen so viel Ärger haben

Frauen sind von der Evolution her zum Kindergebären und Nestverteidigen bestimmt, und deshalb ist das weibliche Gehirn so organisiert, dass Frauen die Menschen in ihrem Leben besonders gut nähren und pflegen, sie lieben und für sie sorgen können. Männer entwickelten sich mit einer völlig anderen Arbeitsplatzbeschreibung – sie waren Jäger, Beschützer, Versorger und Problemlöser. Es ist durchaus sinnvoll, dass männliche und weibliche Gehirne auf verschiedene Funktionen und Prioritäten hin vernetzt sind. Wissenschaftliche Untersuchungen, besonders die neuen Techniken der Computertomographie des Gehirns, bestätigen dies.

Frauen schreiben die meisten Bücher über zwischenmenschliche Beziehungen, und mehr als 80 Prozent der Käufer sind weiblich. Die Bücher handeln vor allem von Männern, von ihren Fehlern und Mängeln sowie von möglichen Abhilfen. Die meisten Beziehungsberater und Therapeuten sind ebenfalls Frauen. Bei einem neutralen Beobachter könnte das den Eindruck erwecken, dass Frauen sich mehr um Beziehungen kümmern als Männer.

In vieler Hinsicht ist das richtig. Das Konzept der Konzentration auf eine Beziehung ist kein natürlicher Bestandteil der männlichen Psyche, des männlichen Denkens oder der männlichen Prioritätenskala. Deshalb versuchen es Männer entweder erst gar nicht mit Beziehungen oder sie geben bald auf, weil sie die Art, wie Frauen denken und handeln, zu kompliziert finden. Manchmal sieht das alles so schwierig aus, und es ist einfacher, schnell auszusteigen, als nachher als Versager dazustehen. In Wirklichkeit aber wollen Männer gute, gesunde und erfüllende Beziehungen ebenso sehr wie Frauen. Sie gehen nur davon aus, dass sie eines Tages noch die perfekte Beziehung finden werden, und zwar ohne zuvor dafür zu lernen oder sich vorzubereiten. Frauen begehen regelmäßig den Fehler, zu glauben, dass ein Mann, der sie liebt, sie auch verstehen müsse. Aber normalerweise tut er das nicht. Wir nennen einander aus gutem Grund das »andere« Geschlecht – wir sind anders.

> **EINE FRAU MUSS NUR EINEN MANN KENNEN, UM ALLE MÄNNER ZU VERSTEHEN; EIN MANN MAG DAGEGEN ALLE FRAUEN KENNEN, ABER ER WIRD NICHT EINE VON IHNEN VERSTEHEN.**
>
> HELEN ROWLAND

Wir sind die einzigen Lebewesen, die ständig Ärger mit dem Paarungsritual, mit Werbung und Beziehungen haben – andere Spezies haben eine Lösung für diese Probleme gefunden und kommen damit ganz gut zurecht. Selbst die Schwarze Witwe und die Gottesanbeterin, die ihre männlichen Partner sofort nach der Paarung töten, kennen die Regeln des Paarungsspiels und halten sich streng an sie. Nehmen wir zum Beispiel den Kraken. Dieses Tier hat nur ein winziges Gehirn. Aber Kraken streiten nie über Unterschiede zwischen Weibchen und Männchen, über Sex oder das ganze Drumherum. Das Weibchen wird zu einer bestimmten Zeit empfängnisbereit, und die Männchen scharen sich alle um sie und wedeln mit ihren Tentakeln; sie sucht sich den mit den Tentakeln, die sie am liebsten mag, aus und gewährt ihm ihre Gunst. Sie beschuldigt ihn nie, ihr nicht genügend Aufmerksamkeit zu schenken, und er macht sich keine Gedanken darüber, ob der Sex für sie so gut war wie für ihn. Es gibt keine Schwiegereltern, die sich mit klugen Ratschlägen einmischen, und die Krakin macht sich keine Sorgen darum, ob sie vielleicht zu fett wird, und die Krakin sehnt sich nie nach einem Partner mit einem »langsamen« Tentakel.

Menschen dagegen sind unendlich kompliziert. Frauen sagen, sie wollen sensible Männer, aber sie wollen auf keinen Fall, dass sie *zu* sensibel sind. Männer haben meist keine Ahnung, wo der feine Unterschied liegen soll. Männer verstehen nicht, dass sie sensibel auf die Gefühle einer Frau reagieren, in anderer Hinsicht aber hart und männlich auftreten sollen. Einen Weg durch diesen Irrgarten zu zeichnen ist jedoch durchaus erlernbar, was Männer in diesem Buch entdecken werden. Frauen werden unter anderem lernen, zu verstehen, was Männer wollen und wie sie es ihnen geben können. Tippen Sie die Worte »Beziehungen« und »Sex« in ihre Internet-Suchmaschine, und Sie bekommen weit über 60 000 Einträge allein auf Deutsch, und alle Menschen hinter diesen Internet-Adressen wollen Ihnen helfen, Ihr Leben zu verbessern. Für andere Tiere sind Beziehungen eine ziemlich unkomplizierte, zum Überleben der Spezies nun einmal notwendige Angelegenheit. Sie denken nicht darüber nach – sie tun es einfach. Wir dagegen haben uns so weit entwickelt, dass wir jetzt wissen müssen, wie man am besten mit dem anderen Geschlecht zurecht kommt, um auch nur die Chance auf ein glückliches Leben zu haben und einen Gutteil der Freude, Erregung und Bereicherung zu genießen, die harmonische Beziehungen mit sich bringen können.

Überall auf der Welt

Warum Männer lügen und Frauen immer Schuhe kaufen ist die nächste Sprosse auf der Beziehungsleiter nach *Warum Männer nicht zuhören und Frauen schlecht einparken* und deckt viele Bereiche des Lebens ab, über die die meisten Menschen selten nachdenken oder die sie vielleicht nicht einmal wahrnehmen. Um dieses Buch zu schreiben, haben wir mehr als 30 Länder bereist und überall Informationen und Untersuchungen über Beziehungen gesammelt und zusammengefügt.

Bei unserer Arbeit haben wir versucht, universelle Themen aufzugreifen und allgemeine Probleme zu definieren und dann, wie wir glauben, praktikable Lösungen zu liefern. Die Verhaltensweisen und Szenarien, die wir in diesem Buch beschreiben, gelten nicht für alle Menschen und in allen Lebenslagen. Die Geschichten sind alle wahr, und die Prinzipien gelten für die meisten Menschen für die längste Dauer in ihren Beziehungen zum anderen Geschlecht.

Wenn man es schafft, mit den meisten Repräsentanten des anderen Geschlechts überwiegend gut auszukommen, mit ihnen zu leben, für sie zu arbeiten, mit ihnen umzugehen und sie zu lieben, dann wird das eigene Leben sehr viel glücklicher.

Leider müssen wir feststellen, dass viele Menschen große Probleme damit haben.

In Großbritannien zum Beispiel liegt die Scheidungsrate heute bei über 50 Prozent innerhalb der ersten vier Ehejahre, und wenn man noch die Paare einbezieht, die sich nie zu einer Heirat durchringen, kann man wohl davon ausgehen, dass die tatsächliche Trennungsrate aller Paare zwischen 60 und 80 Prozent liegt.

100 PROZENT ALLER SCHEIDUNGEN BEGINNEN MIT EINER EHESCHLIESSUNG.

Warum Männer lügen und Frauen immer Schuhe kaufen bietet eine echte Chance, in Ihrem Leben zumindest einen Teil dieses Elends, dieser Angst und Verwirrung zu überwinden. Es macht alles einfacher. Es strotzt vor gesundem Menschenverstand und wissenschaftlichen Fakten, die unglaublich überzeugend sind, aber immer auf witzige, leicht verdauliche Art präsentiert werden. Es erklärt das Verhalten der »anderen Seite«, seien es Ihr Partner oder Ihre Partnerin, Sohn oder Tochter, Mutter, Vater, Schwiegereltern, Freunde oder Nachbarn.

Eine zweite Sprache lernen

Um beim anderen Geschlecht Erfolg zu haben, muss man zwei Sprachen beherrschen – »Männersprache« und »Frauensprache«. Wenn man als Deutscher nach Frankreich kommt, hat es wenig

Sinn, deutsch zu sprechen und ein Eisbein mit Sauerkraut zu bestellen. Franzosen verstehen beides nicht. Als Franzose in Deutschland dagegen ist es genauso unsinnig, auf Französisch Froschschenkel zu verlangen. Die Einheimischen können damit einfach nichts anfangen.

Wenn man sich aber einen einfachen Sprachführer kauft und die wichtigsten Wörter und Sätze einer anderen Sprache lernt, dann kommt man ganz gut durch. Die Einheimischen lieben einen dafür und wollen einem helfen, auch wenn man sich nicht besonders gut ausdrückt. Viele sind sogar beeindruckt, wenn sie merken, dass man versucht, sie zu verstehen und mit ihnen zu kommunizieren.

»Muss ich mein Geschlecht wechseln?«

Oft werden wir gefragt: »Meinen Sie damit, dass ich denken, reden und handeln sollte wie das andere Geschlecht?«

Ganz und gar nicht. Wenn Sie sich ein Handy kaufen, ist ein Bedienungshandbuch dabei. Wenn Sie lernen, wie Ihr Telefon funktioniert, und es so programmieren, dass es tut, was Sie wollen, wird es Ihnen viel Spaß und Nutzen bringen. Sicher würden Sie dem Hersteller nie vorwerfen, er wolle Sie zum Telefontechniker machen, nur weil er Ihnen ein Handbuch mitgeliefert hat. *Warum Männer lügen und Frauen immer Schuhe kaufen* ist ein Handbuch zum besseren Verständnis des anderen Geschlechts, und Sie lernen damit, welche Knöpfe Sie drücken müssen, um die besten Ergebnisse zu erzielen.

Wenn eine Frau sich klar macht, wie Männer von der Evolution her gepolt sind, fällt es ihr plötzlich leichter, auf Grund des männlichen Verhaltens und Denkens Zugeständnisse zu machen. Wenn ein Mann versteht, dass eine Frau von einer anderen Richtung her kommt, dann kann er auch von ihren Erfahrungen und ihrer Lebenseinstellung profitieren.

Erfahrungen aus erster Hand

Wir, die Autorin und der Autor, sind glücklich verheiratet, treue Liebende und die besten Freunde. Außerdem haben wir vier wunderbare Kinder. In *Warum Männer lügen und Frauen immer Schuhe kaufen* haben wir auch auf unsere persönlichen Erfahrungen zurückgegriffen. Wir sind überzeugt davon, dass wir Ihnen eine ausgeglichene Sicht auf männliche und weibliche Beziehungen aus vielen verschiedenen Blickwinkeln und hoffentlich ohne Vorurteile geben werden. Durch die Recherchen und das Schreiben dieses Buches hat sich bei uns ein größeres Verständnis füreinander, für unsere Eltern, Geschwister, Cousins und Cousinen, unsere Mitarbeiter und Nachbarn entwickelt. Wir machen nicht immer alles richtig, aber wir haben den Eindruck, dass wir meist und mit den meisten Menschen gut umgehen. Deshalb haben wir selten Streit mit jemandem, der uns nahe steht, und dafür liebt man uns. Es ist nicht immer alles hundertprozentig in Ordnung, aber im Allgemeinen läuft es gut.

Wie man dieses Buch verschenkt

Nach dem weltweiten Erfolg unseres letzten Buches *Warum Männer nicht zuhören und Frauen schlecht einparken* (über sechs Millionen verkaufte Exemplare und bisher 33 Übersetzungen in andere Sprachen) warfen uns einige Männer vor, wir würden ihnen das Leben schwer machen. Sie hatten den Eindruck, dass ihre Frauen unser Buch benutzten, um sie unter Druck zu setzen: »Allan sagt dies oder Barbara sagt das ...« *Warum Männer nicht zuhören und Frauen schlecht einparken* war überall ein Lieblingsbuch von Frauen, und wir sind uns bewusst, dass manche es den Männern in ihrem Leben mit dem Kommentar gegeben haben: »Du kannst es brauchen! Lies es von vorn bis hinten durch – ich habe schon mal die Teile angestrichen, die du unbedingt lesen musst.«

Wenn eine Frau einer anderen ein Buch schenkt, in dem es um die Entwicklung der Persönlichkeit geht, dann fühlt sich die Beschenkte geehrt und dankbar für eine Gabe, die sie vielleicht weiterbringen kann. Ein Mann dagegen ist eher beleidigt und denkt, die Frau wolle andeuten, dass er, so wie er ist, nicht gut genug ist. »So etwas brauche ich nicht!«, wird er abschätzig sagen und es ihr zurückgeben, was sie natürlich verletzt und peinlich berührt. Wenn Sie also ein Mann sind, der dies hier liest, dann gehören Sie zu einer Minderheit, die verstehen will, wie Frauen denken und sich verhalten – Glückwunsch! Wenn Sie eine Frau sind, wäre es vielleicht sinnvoller, Ihren Mann nach seiner Meinung zu den Ratschlägen in diesem Buch zu fragen, denn Männer sagen furchtbar gern ihre Meinung. Streichen Sie die Stellen an, die er lesen soll, und lassen Sie das Buch auf dem Kaffeetisch oder auf der Toilette liegen. Oder kaufen Sie ihm eine Karte für eines unserer Seminare über Geschäftsbeziehungen.

Und zuletzt ...

Sie sagen, es sei großartig, ein Mann zu sein, weil Automechaniker einem die Wahrheit sagen, Falten auf Charakter hinweisen, Unterwäsche nur 9,95 Euro im Sechserpack kostet und Schokolade ein Snack unter vielen ist. Die Menschen starren einem nie auf die Brust, wenn man mit ihnen redet, und man muss nicht den Raum verlassen, um sich frisch zu machen.

Sie sagen, es sei großartig, eine Frau zu sein, weil man mit Angehörigen des anderen Geschlechts reden kann, ohne sie sich nackt vorstellen zu müssen, weil Taxis für einen anhalten und man männliche Chefs mit mysteriösen Frauenkrankheiten ins Bockshorn jagen kann. Man sieht nicht aus wie ein Frosch im Mixer, wenn man tanzt, und wenn man einen 20 Jahre jüngeren Mann heiratet, ist man sich der Tatsache bewusst, dass man wie eine Frau wirkt, die sich an kleinen Jungen vergreift.

Vielleicht werden Männer und Frauen eines Tages *tatsächlich* gleich sein. Vielleicht werden Frauen begeistert zusehen, wenn Rennautos im Kreis herumfahren, Shopping wird als Aerobic-Aktivität gelten und Männer werden einen Monat im Jahr in einem Simulator verbringen, um ihr Leiden am Prämenstruellen Syndrom (PMS) zu lindern. Vielleicht werden alle Toilettensitze festgenagelt sein, Frauen werden nur während der Werbepausen reden und Männer werden den *Playboy* nur wegen der guten Texte lesen.

Wir haben da unsere Zweifel – zumindest was die nächsten paar tausend Jahre angeht. Inzwischen werden wir weiterhin versuchen, die Unterschiede zwischen uns zu verstehen, mit ihnen umzugehen und sie lieben zu lernen. Und deshalb werden auch wir geliebt und geschätzt werden.

Viel Spaß mit unserem Buch!

Barbara & Allan Pease

KAPITEL 1

NÖRGELN

WENN JEMAND EINFACH NICHT LOCKER LÄSST

Nörgeln, *Verb:* kritteln, nöckern, mäkeln, meckern, motzen, maulen, quän-
geln, auf die Nerven gehen, stänkern, piesacken, quälen, nerven;
Nörgler(in): *Substantiv* eine Person, die nörgelt.

Nörgeln ist ein Begriff, der fast ausschließlich von Männern benutzt wird, um Frauen zu beschreiben.

Die meisten Frauen sagen, dass sie nie nörgeln. Sie sehen es so, dass sie die Männer in ihrem Leben an die Dinge erinnern, die getan werden müssen: Haushaltspflichten, die Einnahme ihrer Medikamente, anstehende Reparaturen und das Aufräumen ihres Durcheinanders. Manchmal betrachten sie die Nörgelei als konstruktiv. Wo wären viele Männer ohne eine Frau in ihrem Leben, die ihnen gut zuredet, doch nicht zu viel Bier zu trinken und nicht zu viel Fastfood zu essen und, wenn sie es schon nicht lassen können, wenigstens darauf achtet, dass sie Sport treiben und regelmäßig zum Cholesterintest gehen? Es kann durchaus sein, dass die Nörgelei viele Männer im wahrsten Sinne des Wortes am Leben erhält.

Wenn Männer allerdings nörgeln, so ist das etwas ganz anderes. Männer sind keine Nörgler. Sie sind bestimmend, sie sind Führungspersönlichkeiten und sie geben eben ständig ihr Wissen weiter – und erinnern Frauen sanft daran, welchem Weg sie folgen sollen, wenn sie es vielleicht mal zwischendurch vergessen haben. Natürlich kritisieren sie, finden Fehler, klagen und beschweren sich, aber es ist immer zum Besten der Frau. Die Wiederholung ihrer Ratschläge wie etwa: »Schau auf die Karte, *bevor* du losfährst! Wie oft muss ich dir das noch sagen?« und »Kannst du dich nicht ein bisschen um dein Aussehen kümmern, wenn meine Freunde zu Besuch kommen?«, beweist bewundernswerte Beharrlichkeit und zeigt vor allem, dass ihre Frau ihnen am Herzen liegt.

Nach Meinung von Frauen zeigt Nörgeln ebenso, dass ihnen ihr Mann am Herzen liegt, aber Männer sehen das meist nicht so. Eine Frau schimpft mit einem Mann, weil er seine feuchten Handtücher aufs Bett wirft, seine Socken auszieht und überall im Haus liegen lässt und nicht daran denkt, den Müll rauszutragen. Sie weiß, dass sie nervt, glaubt aber, dass sie durch ständiges Wiederholen der immer und immer gleichen Anweisungen zu ihrem

Mann durchdringt, bis diese Regeln ihm eines Tages – hoffentlich – in Fleisch und Blut übergehen. Ihrer Meinung nach sind die Dinge, über die sie sich beschwert, wirklich wichtig, so dass sie sich im Recht fühlt, weiter zu machen, auch wenn sie weiß, dass sie ihm auf die Nerven geht.

Die Freundinnen einer Frau verstehen ihr Verhalten auch nicht als Nörgeln – in ihren Augen ist der Mann ein fauler oder schwieriger Mensch, und sie empfinden reine Sympathie für seine leidgeprüfte Partnerin.

Der *Man Song*, geschrieben von Sean Morley und in Tausenden Kopien im Internet zu finden, war sofort nach seinem Erscheinen ein Riesenhit. Frauen lieben ihn, weil er ausdrückt, dass Nörgeln manchmal Ergebnisse zeitigt, dass also Männer begreifen, wer eigentlich die Hosen anhat. Männer lieben ihn, weil er etwas sagt, das sie vielleicht insgeheim schon immer gewusst haben. Eine Strophe beginnt so:

Je schneller du lernst, wer hier der Boss ist, desto schneller
kannst du mir sagen, wo's langgeht, Liebes … Denn ich bin hier
der Obermacker, aber nur in meiner Fantasie …

Wenn aber eine Frau anfängt, ihre Aufträge zu wiederholen, hört das männliche Gehirn im Normalfall nur eines: Nörgelei. Wie ein tropfender Wasserhahn zerrt die Nörgelei an seinen Nerven und kann allmählich einen unterschwelligen Groll entstehen lassen. Männer überall auf der Welt setzen die Nörgelei ganz oben auf die Liste dessen, was sie besonders hassen. Allein in den Vereinigten Staaten gibt es mehr als 2000 Fälle pro Jahr, in denen Männer ihre Frauen umbringen und angeben, sie hätten die Nörgelei nicht mehr ausgehalten. In Hongkong bekam ein Mann, der seiner Frau mit dem Hammer auf den Kopf geschlagen und ihr einen Hirnschaden zugefügt hatte, eine mildere Haftstrafe, weil der Richter sagte, er sei durch Nörgelei zu der Gewalttat getrieben worden.

Weibliches Nörgeln und
männliches Jammern

Frauen nörgeln; Männer belehren.

Ein Mann, der sich selbst »Jeremy, der Pantoffelheld« nannte, schickte uns in seiner Verzweiflung folgende E-Mail, nachdem er *Warum Männer nicht zuhören und Frauen schlecht einparken* gelesen hatte:

> »Ich brauche Ihre Hilfe. Ich bin mit der Königin aller Nörglerinnen verheiratet, und ich kann ihre Korinthenkackerei, ihre Klagen und ihr Gezänk nicht eine Minute länger ertragen. Sobald ich zur Tür hereinkomme, beginnt sie zu nörgeln und lässt nicht locker, bis ich ins Bett gehe.
>
> Es ist schon so weit gekommen, dass die einzige Kommunikation zwischen uns beiden darin besteht, dass sie mir all die Dinge aufzählt, die ich nicht getan habe im Laufe des Tages, der Woche, des Monats oder seit unserem Hochzeitstag.
>
> Es ist so schlimm, dass ich meinen Chef sogar schon um Überstunden anbettle. Können Sie sich das vorstellen? Ich bleibe lieber im Büro, als nach Hause zu gehen. Der Stress, mir ihre Klagen anzuhören, ist so groß, dass ich auf der Fahrt von der Arbeit nach Hause Kopfschmerzen bekomme. So sollte es nicht sein – ich sollte mich freuen, die Arbeit hinter mir zu lassen und heim zu meiner Frau zu gehen.
>
> Mein Vater hat mir immer erklärt, dass alle Frauen klagen und nörgeln, und ich habe ihm nie geglaubt, bis ich geheiratet habe. Auch meine Freunde erzählen mir, dass ihre Frauen die ganze Zeit an ihnen herummeckern. Stimmt es, dass Frauen geborene Nörglerinnen sind? Bitte helfen Sie mir.«

Wir belauschten eine Gruppe von Frauen in einem Restaurant bei einer Diskussion über ihre Ehemänner.

BLONDE FRAU »Wisst ihr, er ist nie zufrieden. Er beklagt sich immer. Wenn ich nicht zur selben Zeit Sex will wie er, jammert er so nervtötend, dass ich manchmal mit ihm ins Bett gehe, nur damit er still ist, und dann genieße ich es nicht besonders. Vielleicht bin ich gerade nicht in der Stimmung. Aber er klagt und jammert immer weiter, bis es einfach viel leichter ist, mitzumachen, als dieses Gewinsel weiter anzuhören.«

BRÜNETTE FRAU »Bei Stephen ist es dasselbe. Er findet an allem, was ich tue, etwas auszusetzen. Wenn ich mich schick mache, um mit ihm und seinen Freunden am Abend auszugehen, beklagt er sich, dass ich mich für sie mehr ins Zeug lege als für ihn. Dann geht es weiter, dass ich seine Freunde ja vielleicht attraktiver finde als ihn. Und wenn ich mich nicht hübsch mache, dann quengelt er, dass ich wohl nicht genug für ihn empfinde, weil ich nicht auf mein Aussehen achte. Manchmal habe ich das Gefühl, ich kann einfach nichts richtig machen.«

DRITTE FRAU »Warum sagen dann die Männer immer, dass Frauen nörgeln?«

Gelächter in der Runde.

Das Nörgeln im Wandel der Zeiten

Historisch gesehen wurden fast immer Frauen als Nörglerinnen beschrieben. Das Verb »nörgeln« wird von den meisten Menschen eher mit Frauen als mit Männern in Verbindung gebracht. Bis ins 19. Jahrhundert erlaubten amerikanische und europäische Gesetze es einem Ehemann, sich bei den Behörden über das Nörgeln oder »Zanken« seiner Frau zu beschweren. In den angelsächsischen Ländern wurde seine Ehefrau meist zum »Ducking Stool« verurteilt, wenn sich seine Anschuldigung als wahr erwies. Dieses Gerät war das Mittel der Wahl, um Hexen, Prostituierte, kleinere Gesetzesbrecherinnen und zänkische Weiber zu bestrafen. Die Missetäterin wurde auf einem Sitz festgebunden, der vom Ende eines frei beweglichen Galgens herabhing, und für eine vorher festgelegte Zeitspanne in den nächsten Fluss oder See getaucht. Wie oft sie untergetaucht wurde, hing von der Schwere der Schuld oder von der Zahl der vorherigen Vergehen ab.

In einem englischen Gerichtsurteil aus dem Jahre 1592 heißt es: »Das Weib von Walter Hycocks und das Weib von Peter Phillips sind ganz schlimme, zänkische Weiber. Deshalb wird angeordnet, dass ihnen in der Kirche auferlegt werden soll, mit ihren Zänkereien aufzuhören. Wenn aber ihre Ehemänner oder Nachbarn sich noch einmal beschweren, dann sollen sie durch den Ducking Stool bestraft werden.« (Siehe Abbildung auf Seite 29).

In Deutschland gab es für zänkische Weiber vor allem die Halsgeige, ein gespaltenes Brett mit Löchern für Hals und beide Handgelenke, in das die Verurteilte eingeschlossen wurde wie in einen tragbaren Pranger.

Aber die hohen Richter hatten noch Schlimmeres in petto. Manche Frauen wurden als Warnung für andere Frauen mit einer eisernen »Schandmaske« durch die Stadt getrieben. Sie war mit einem Metallstift auf dem Kopf befestigt, der durch den Mund geführt wurde und die Zunge unten hielt. Die letzte Frau, die nach einer Verurteilung als »zänkisches Weib« untergetaucht wurde, war Jenny Pipes aus dem englischen Leominster im Jahr 1809.

Wie sich die Nörglerin fühlt

Nörglerinnen hoffen immer, dass sie ihr Opfer durch Schuldgefühle zum positiven Handeln bringen. Sie hoffen, ihn zum Handeln anzuspornen, wenn schon nicht durch die Einsicht, dass er Unrecht hat, so dann vielleicht einfach nur, damit sie ihre Tirade beenden. Frauen wissen, dass sie nörgeln, das heißt aber nicht, dass sie es auch genießen. Normalerweise tun sie es als Mittel zum Zweck.

Manche Frauen haben das Nörgeln zur Kunstform erhoben. Wir haben fünf grundlegende Typen des Nörgelns entdeckt:

DAS EIN-THEMA-NÖRGELN »Kurt, wie war das mit dem Müll-Rausbringen?« Eine Pause. »Kurt, du hast gesagt, du würdest den Müll rausbringen.« Wieder fünf Minuten später: »Was ist jetzt mit dem Müll, Kurt? Er steht immer noch da.«

DAS MULTI-NÖRGELN »Der Rasen vor dem Haus sieht aus, als wollten wir Heu machen, Nigel, der Türgriff fällt aus der Schlafzimmertür, und das Fenster nach hinten raus klemmt immer noch. Wann willst du eigentlich mal den Fernseher richtig einstellen und ... so weiter und so fort.«

DAS ICH-WILL-NUR-DEIN-BESTES-NÖRGELN »Hast du heute schon deine Tabletten genommen, Karl? Und lass die Pizza stehen – das ist schlecht für deine Cholesterinwerte und dein Gewicht ...«

DAS BEI-ANDERN-LÄUFT-ES-BESSER-NÖRGELN »Also, Moira sagt, dass Shane ihren Grill schon sauber hat und dass sie morgen eine Party geben. Bei deinem Tempo ist der Sommer vorbei, bis du so weit bist.«

DAS IM-VORAUS-NÖRGELN »Also, ich hoffe, dass du dich heute mit dem Trinken zurückhältst, Dale. Wir wollen nicht wieder so ein Fiasko erleben wie letztes Jahr.«

Die Frauen lachen bei diesen Beschreibungen immer am lautesten. Sie erkennen sich selbst und ihre Formulierungen wieder, sehen aber dennoch keine echte Alternative.

Wenn das Nörgeln außer Kontrolle gerät, kann die Beziehung der Nörglerin zu anderen ernsthaft leiden. Männer ignorieren Frauen mit diesem Verhalten einfach sehr oft, was wiederum deren Reizbarkeit oder gar Wut steigert. Das kann damit enden, dass sie sich allein gelassen, zornig und schlecht fühlen. Außer Kontrolle geratene Nörgelei kann Beziehungen unwiderruflich zerstören.

Wie das Opfer sich fühlt

Vom männlichen Standpunkt aus ist das Nörgeln eine ständige indirekte, negative Erinnerung an Dinge, die man nicht getan hat, und an Fähigkeiten, die man leider nicht hat. Es findet meist am Ende des Tages statt, wenn ein Mann Zeit braucht, um wie seine Vorfahren eine halbe Stunde ins Feuer zu starren.

Je mehr die Nörglerin nörgelt, desto weiter zieht sich das Opfer hinter jene Schutzbarrieren zurück, die die Nörglerin in den Wahnsinn treiben, als da wären Zeitungen, Computer, Arbeit, ein finsteres Gesicht, Amnesie, scheinbare Taubheit und Fernbedienung des Fernsehers. Niemand ist gern das Opfer von unterdrückter Wut, doppeldeutigen Botschaften, Selbstmitleid und Schimpftiraden, niemand lässt sich gern ständig die Schuld zuschieben. Alle gehen der Nörglerin aus dem Weg, bis sie allein und voller Groll ist. Wenn sie sich weiter in die Enge getrieben, missachtet und isoliert fühlt, hat das Opfer vielleicht noch mehr zu leiden.

**JE MEHR DIE NÖRGLERIN NÖRGELT,
DESTO MEHR ISOLIERT SIE SICH.**

Das einzige Ergebnis der Nörgelei ist die Zerstörung der Beziehung zwischen der Nörglerin und dem Opfer, weil das Opfer das Gefühl hat, es müsse sich ständig verteidigen.

Warum sind Frauen die besseren Nörgler?

Die meisten Frauen sind auf Grund ihrer Hirnorganisation in der Lage, jeden Mann dieses Planeten zu Tode zu reden und in den Wahnsinn zu nörgeln. Die Illustrationen unten sind das Ergebnis von Gehirn-Scans von 50 Männern und 50 Frauen und zeigen die aktiven Hirnregionen (schwarz), die man für Sprache und Wortschatz einsetzt. Es ist eine grafische Umsetzung dessen, wie Männer und Frauen miteinander reden und kommunizieren.

Die dunklen Gebiete werden für die Sprachfunktion aktiv. Man kann deutlich sehen, dass Frauen eine weitaus größere Sprachkompetenz haben als Männer. Dies erklärt, warum Männer aus Sicht der Frauen wenig sagen und Frauen aus Sicht der Männer nie den Mund halten können.

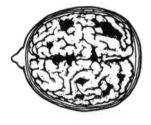 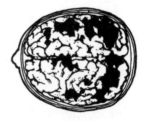

Männlich   *Weiblich*

Die für Sprache und Wortschatz zuständigen Hirnregionen.
Institute of Psychiatry, London 2001.

Ein weibliches Gehirn ist für die Mehrspurigkeit organisiert – eine Frau kann vier oder fünf Bälle gleichzeitig in der Luft halten. Sie kann einen Computer bedienen und gleichzeitig telefonieren, dabei einer zweiten Unterhaltung hinter ihr folgen und die ganze Zeit über Kaffee trinken. Sie kann über verschiedene, nicht miteinander zusammenhängende Themen in einer Unterhaltung sprechen und nützt fünf Tonlagen, um das Thema zu wechseln oder bestimmte Punkte hervorzuheben. Männer können nur drei dieser Tonlagen identifizieren. Deshalb verlieren sie oft den Faden, wenn sie einem Gespräch unter Frauen lauschen.

Diese Mehrspurigkeit kann sogar in einem einzigen Satz auftreten:

BILL   »Besucht uns Sue über Weihnachten?«
DEBBIE   »Sue hat gesagt, ob sie kommt, hängt davon ab, wie die Teppichbestellungen laufen, die nachgelassen haben wegen der

schlechten Wirtschaftslage, und Fiona kommt vielleicht nicht, weil Andrew zu einem Spezialisten muss, und Nathan hat auch seinen Job verloren, so dass er einen neuen suchen muss, und Jodi kann nicht von der Arbeit weg – ihr Boss kennt einfach keine Gnade! –, deshalb hat Sue gesagt, sie könnte früh zu uns kommen, und wir könnten noch Kleider für Emmas Hochzeit kaufen, und ich dachte, wenn wir sie und Len im Gästezimmer unterbringen, könnten wir Ray bitten, auch früh zu kommen, damit …«

BILL   »Heißt das jetzt ›ja‹ oder ›nein‹?«

DEBBIE   »Also das hängt davon ab, ob Dianas Chef Adrian ihr frei gibt, denn sein Auto ist kaputt, und sie muss … und so weiter und so fort …«

Bill meint, er habe eine einfache Frage gestellt, und er wäre mit einer einfachen Antwort wie »Ja« oder »Nein« zufrieden gewesen. Stattdessen hat er eine mehrspurige Antwort mit neun verschiedenen Themen und elf Personen bekommen. Frustriert geht er hinaus und sprengt den Rasen.

Männliche Gehirne sind einspurig organisiert. Sie können sich nur auf jeweils eine Sache konzentrieren. Wenn ein Mann eine Karte öffnet, macht er das Radio aus. Wenn sie mit ihm redet, während er in einen Kreisel fährt, verpasst er die richtige Ausfahrt und gibt ihr die Schuld, weil sie geredet hat. Wenn das Telefon klingelt, bittet er alle im Raum, leise zu sein, damit er rangehen kann. Manche Männer, oft solche in höchsten Positionen, haben schon Schwierigkeiten, gleichzeitig zu gehen und Kaugummi zu kauen.

DAS HIRN DES MANNES IST EINSPURIG. ER KANN NICHT MIT SEINER FRAU SCHLAFEN UND GLEICHZEITIG AUF DIE FRAGE ANTWORTEN, WARUM ER NICHT DEN MÜLL RAUSGETRAGEN HAT.

Besondere Probleme ergeben sich für den Mann, wenn Mehrspurigkeit und Nörgeln zusammenfallen. Dann wird ihm alles zu viel, und er schottet sich einfach ab. Das ist dann der Beginn eines Teufelskreises – die Nörglerin wird immer lauter, klagt immer schärfer oder fordert immer mehr Anerkennung, während sich das Opfer noch weiter hinter seine Barrieren zurückzieht, oft so weit, dass er auch wirklich Raum zwischen sich und der Nörglerin schafft. Aber wegzugehen ist vielleicht nicht immer möglich, und der Druck staut sich auf, bis das Opfer zurückschlägt und ein heftiger Streit entbrennt. Manchmal kann es dann auch zu Handgreiflichkeiten kommen.

Männer haben ein selektives Hörvermögen

Nörgeln funktioniert nie

Nörgeln funktioniert vor allem deshalb nicht, weil die Erwartungshaltung schon auf ein Scheitern ausgerichtet ist. Nörgler hoffen zwar, dass ihre Worte ihre Opfer zur Räson bringen, erwarten aber oft, dass diese ungehört verhallen, oder sie provozieren geradezu eine abweisende Antwort.

Sie gehen das Problem völlig falsch an. Statt zu sagen: »Ich habe ein Recht, dies oder jenes zu erwarten«, maulen sie: » ... du bringst nie den Müll raus, du weigerst dich, deine Klamotten aufzuheben ...«

Sie versuchen, ihr Problem in kleinen, trivialen pedantischen Etappen zu lösen. Sie formulieren schwache, indirekte Bitten, die zudem noch mit Schuldvorwürfen schwer belastet sind. Diese »Bitten« bringen sie meist in zufälligen Gruppen vor, umrahmt von indirekter Sprache, die männliche Hirne nur begrenzt entziffern können.

Für Männer ist das wie ein Moskitoschwarm, der plötzlich über sie herfällt. Überall am Körper fühlen sie kleine, juckende Stiche und schaffen es nicht, die Quälgeister loszuwerden. »Also weißt du, ich bitte dich ja selten, etwas im Haushalt zu tun ... weißt du, den Müll raustragen, das ist wirklich nicht zu viel verlangt ... und du weißt, der Arzt hat gesagt, ich darf keine schweren Lasten heben ... ich arbeite mich das ganze Wochenende ab, um es hier ein bisschen nett zu machen, und du sitzt den ganzen Tag vor dem Fernseher ... wenn du auch nur einen Funken Anstand im Leib hättest, würdest du die Heizung reparieren, denn diese Woche hat es Frost gehabt und ...«

Diese Art Nörgelei ist sinnlos, sie bewirkt genau das Gegenteil des gewünschten Verhaltens, und sie schafft eine Verlierer/Verlierer-Situation. Mit diesem Ansatz wird Nörgeln zu einer zersetzenden Angewohnheit, die großen Stress, Disharmonie, Groll und Zorn verursacht und durchaus auch in einer gewalttätigen Reaktion enden kann.

Wo ist das Nörgeln am schlimmsten?

In der Arbeitsumgebung wird selten genörgelt, es sei denn, die Nörglerin und ihr Opfer haben eine enge Beziehung zueinander. Wenn eine Sekretärin anfängt, ihrem Chef aufs Brot zu schmieren, was er alles nicht getan hat, dann ist das ein deutliches Zeichen für ein intimes Verhältnis zwischen den beiden.

Beim Nörgeln geht es zuerst und vor allem um die Machtbalance zwischen zwei Menschen. Wenn eine Sekretärin bemerkt, dass ihr Chef bestimmte Dinge nicht getan hat, wird sie ihn vorsichtig daran erinnern oder sie einfach für ihn tun. Schließlich ist das ein Gutteil ihres Jobs. Wenn sie sich in ihrer Position besonders sicher, mächtig oder sogar unersetzlich fühlt, dann kann es durchaus passieren, dass sie an ihrem Chef herumnörgelt, er solle doch seinen Job besser machen. Und es kann sogar so weit kommen, dass sie meint, seine Arbeit effizienter erledigen zu können als er selbst. Hier erreicht die Nörgelei dann ihren Höhepunkt. Die Sekretärin hat vielleicht nicht die Macht, den Job des Chefs zu übernehmen, aber sie betrachtet Nörgeln, vielleicht auch unbewusst, als einen Weg, ihn zu zermürben, ihn »auf ihre Ebene herabzuziehen« und ihm klar zu machen, wie dumm er ist.

Eine Karrierefrau, die glücklich und durch ihre Arbeit ausgefüllt ist, nörgelt zu Hause selten. Sie hat einfach nicht die Zeit oder die Energie dazu. Normalerweise ist sie zu sehr mit dem »großen Ganzen« ihres Arbeitslebens beschäftigt, wo sie Komplimente, anerkennende Worte und Anträge einheimsen kann. Wenn ihr männlicher Partner nicht seinen Teil der häuslichen Pflichten erledigt, bezahlt sie entweder jemand anderen für diese Arbeit, oder sie sucht sich einen anderen Partner, der sich stärker engagiert. Sie operiert aus einer Machtposition heraus.

Auch Sexbomben nörgeln nicht. Sie haben ebenfalls Macht, wenn sie auch anders aussieht. Sie setzen ihre sexuelle Macht ein, um bei Männern ihren Willen zu bekommen. Sie würden sich nie dazu herablassen, über schmutzige Klamotten auf dem Boden zu nörgeln

– auch sie lassen ihre Kleider auf den Boden fallen, noch dazu auf sehr sinnliche Weise. Wenn eine Beziehung allerdings dauerhaft wird, können Sexbomben die größten Nörglerinnen überhaupt werden.

SEXBOMBEN KÜMMERN SICH NICHT UM KLEIDER AUF DEM BODEN – SIE LASSEN IHRE EIGENEN AUCH ZU BODEN FALLEN.

Bis über beide Ohren verliebte Frauen neigen nicht zum Nörgeln. Sie sind so voller romantischer Vorstellungen von ihrem Partner oder so mit Plänen beschäftigt, in jeder Ecke des Hauses leidenschaftlichen Sex zu praktizieren, dass sie Klamotten auf dem Boden oder stehen gebliebene Frühstücksteller auf dem Tisch gar nicht bemerken. Ihre Partner, die ebenfalls am Anfang einer Beziehung stehen, bemühen sich, alles zu tun, um ihnen zu gefallen. Es muss also niemand nörgeln.

Nörgeln tritt zwischen Menschen auf, die eng miteinander verbunden sind – Ehefrauen, Ehemänner, Mütter, Söhne, Töchter und Lebenspartner. Deshalb ist die stereotype Nörglerin, die Nörglerin in den frauenfeindlichen Witzen, immer eine Ehefrau oder Mutter – eine Frau also, die mit häuslichen Verantwortlichkeiten belastet ist, die sich allgemein im Leben machtlos fühlt und keine Chancen sieht, dieses Leben durch entschiedenes, direktes Handeln zu ändern.

Die Karrierefrau strahlt materielle und mentale Macht aus. Die Sexbombe verströmt sexuelle Macht. Sie sind stark, unabhängig und frei. Die Frau, die auf Nörgeleien zurückgreift, ist dagegen meist jemand, der sich machtlos, frustriert und in der Falle fühlt. Irgendwann kann es so weit kommen, dass sie mit einem konfusen unterdrückten Groll durch die Gegend läuft. Sie weiß, dass es im Leben mehr gibt, als sie hat, aber sie fühlt sich zu schuldig, um zuzugeben, dass sie ihre Rolle nicht mag. Sie ist verwirrt, weil sie nicht weiß, was sie eigentlich denken soll.

Jahrhundertelange Berieselung mit Stereotypen, Meinungen aus ihrer Familie, aus Frauenzeitschriften, Filmen und Fernsehwerbespots haben sie zu der Überzeugung gebracht, dass die wirklich fraulichen Frau die Rolle der »Perfekten Ehefrau und Mutter« bevorzugt. Insgeheim weiß sie jedoch, dass sie etwas Besseres verdient hat, aber einer Gehirnwäsche zum Opfer gefallen ist und jetzt eine »Wahrheit« zu leben versucht, die vielleicht gar nicht mehr zeitgemäß ist. Sie will auf ihrem Grabstein nicht lesen: »Sie hat ihre Küche immer sauber gehalten«, aber sie weiß nicht, wie sie sich befreien und sich ein besseres Leben aufbauen kann. Oft ist ihr noch nicht einmal klar, dass ihre Gefühle weit verbreitet, normal und gesund sind.

Unsere Untersuchung zeigt, dass Frauen selten nörgeln, die ein Ziel vor Augen haben, mehr als 30 Stunden pro Woche arbeiten oder aber das monotone und sich ständig wiederholende Ritual des Lebens als Hausfrau und Mutter zufrieden akzeptieren.

Nörgeln kann ein Schrei nach Anerkennung sein

Nörgeln ist ein Zeichen, dass eine Frau mehr will: mehr Anerkennung von ihrer Familie als bisher und mehr Chancen, etwas Besseres aus sich zu machen.

»Aus allem, was meine Mutter tut, *muss* sie eine Staatsaffäre machen«, seufzt Adam, ein ständig herumkommandierter Teenager. »Immer, wenn sie abwäscht oder Staub saugt, lässt sie einen genervten kleinen Kommentar ab, um die Aufmerksamkeit auf sich zu lenken. Ich fände es fast besser, wenn sie einfach nichts tun würde. Warum muss sie wegen jeder Kleinigkeit so einen Aufstand machen?«

Sie macht einen Aufstand wegen »jeder Kleinigkeit«, weil ihr Leben eine Ansammlung von Kleinigkeiten geworden ist. Es ist schwer, sich selbstbewusst und mächtig zu fühlen, wenn alles, was man von morgens bis abends macht, trivial und vorhersagbar ist. Jeder kann Staubsaugen. Anders als der Soldat, dessen Andenken geehrt wird, weil er sein Leben für das Wohl seines Landes geopfert hat, wird niemand ihren Namen in Granit auf ein Denkmal meißeln, nur weil sie ihr Leben dem Wohl ihrer Familie geweiht hat. Es gibt keine Nobelpreise dafür, dass man den Frieden zu Hause hegt und pflegt. Adams Mutter nörgelt, weil ihre Aufgaben so wenig geschätzt werden und sie zu wenig Anerkennung bekommt.

ES GIBT KEINEN PULITZER-PREIS FÜR BRILLANTE EINKAUFSLISTEN.

Die »Perfekte Ehefrau und Mutter« wurde nicht gefoltert (wenigstens nicht im üblichen Sinn des Wortes) und nicht erschossen, sie hat nicht auf spektakuläre Weise gelitten. Ihre täglichen Aufgaben scheinen zu banal, um lautstarke Proteste oder Ansprüche auf Ehrungen und Orden zu rechtfertigen. Ihr Leiden ist unsichtbar. Es ist die Qual der Unterdrückten, der schweigenden, leidenden Mehrheit. Wenn Adam ihr die Anerkennung geben würde, nach der sie sich sehnt – und die sie verdient –, würde ihre Lebensqualität drastisch steigen.

Frauen, die ihre Nörgelei nicht mehr unter Kontrolle haben, sind meist frustrierte, einsame und enttäuschte Ehefrauen oder Mütter, die sich ungeliebt und nicht gewürdigt fühlen. Und hier liegt ein Schlüssel zur Lösung des Problems. Wenn man der Nörglerin Anerkennung für kleine Routineaufgaben zollt, verschwindet ein Großteil der Nörgelei.

Der Mutterkomplex

Viele Frauen beschleicht manchmal das Gefühl, sie seien der einzige vernünftige Erwachsene in der Familie. Sie haben den Eindruck, dass ihre Männer oder Freunde sich wie Kinder benehmen.

Natürlich kann ein Mann in seiner Arbeitsumgebung kommunizieren, Probleme lösen und Leistungen erbringen und wird ja auch
oft beträchtlich besser bezahlt als eine Frau, die den gleichen Job
macht. Seine Partnerin weiß, dass er diese Fähigkeiten besitzt, und
reagiert deshalb unglaublich frustriert, wenn er sie ganz offensichtlich zu Hause nicht einsetzt.

STUDIEN ZEIGEN, DASS VERHEIRATETE MÄNNER LÄNGER LEBEN ALS UNVERHEIRATETE. MANCHE MÄNNER MEINEN, DASS IHNEN DIE ZEIT NUR LÄNGER VORKOMMT.

Das Problem ist, dass die Frau dann in Versuchung gerät, ihren
Partner eher wie einen ungezogenen kleinen Jungen und nicht wie
einen vernünftigen Mann zu behandeln. Er reagiert darauf, indem
er sich wirklich wie ein ungezogener Junge benimmt. Diese Ver-
änderung in der Haltung zueinander ist der Anfang vom Ende der
Beziehung. Je stärker der Mann rebelliert, desto mehr nörgelt die
Frau. Je mehr Widerstand er leistet, desto mehr gleicht sie im Verhalten seiner Mutter. Schließlich erreichen beide einen Punkt, an
dem sie einander nicht mehr als Partner, Geliebte und beste Freunde sehen können. Und nichts kühlt die Leidenschaft eines Mannes
stärker ab als das Gefühl, mit seiner Mutter zusammen zu sein.
Gleichzeitig kühlt auch die Leidenschaft einer Frau schnell ab,
wenn sie den Eindruck hat, mit einem unreifen, selbstsüchtigen
und faulen kleinen Jungen zusammenzuleben.

Das Nörgeln besiegen: Sagen, was man meint

Ein Ehepaar hat einen heftigen Streit in einer Pizzeria. Das ganze
Lokal versinkt in Schweigen, während ihre Stimmen immer lauter
und lauter werden. Der Streit hatte sich daran entzündet, welche
Riesenpizza sie zusammen bestellen wollten. Er wollte Peperoni

und Kapern; sie wollte Hawaii. Der Streit fing damit an, dass sie ihm vorwarf, er höre nie auf das, was sie wolle, und sie *hasse* Kapern. Und es sei ja wohl totaler Quatsch, zu behaupten, dass eine ansonsten gute Pizza durch Ananasstücke verdorben werde. Außerdem, wenn er auch mal das Einkaufen und Kochen übernehmen würde, dann müssten sie nicht so oft außer Haus in einer Pizzeria essen. Denn überhaupt wolle sie nicht ständig Pizza essen, sondern eigentlich lieber gesündere Mahlzeiten zu sich nehmen. Und diese andauernde Pizza sei schuld an ihren Gewichtsproblemen. War es also wirklich zu viel verlangt, wenn sie jetzt ausnahmsweise einmal den Pizzabelag auswählen wollte?

Nach diesem letzten Satz herrschte Schweigen. Das ganze Restaurant wartete auf die Antwort des Mannes. Er nahm sich Zeit. Er nippte an seinem Wein, sah auf den Boden, auf die Speisekarte, dann schließlich wieder zu seiner Frau hinüber: »Es geht hier nicht um Pizza, oder?«, sagte er schließlich. »Es geht hier um die letzten fünfzehn Jahre.«

Nörgeln ist oft ein deutliches Signal für ein Kommunikationsproblem zwischen zwei Menschen. Statt dieses Problem anzusprechen, ist es allerdings normalerweise viel einfacher, an kleinen, trivialen Dingen herumzumäkeln und einander damit zu piesacken. Vor allem Frauen neigen zu diesem Verhalten.

Viele Mädchen wachsen noch immer in dem Glauben auf, dass sie nett und süß sein und ihre Bedürfnisse und Gefühle hintanstellen sollten. Sie wachsen zu Frauen heran, die ihre Aufgabe darin sehen, den Frieden zu wahren, Probleme unter den Teppich zu kehren, gemocht und geliebt zu werden.

Viele Frauen finden es überaus schwer, sich einfach hinzustellen und zu sagen: »Ich bin nicht glücklich mit der Art, wie ich lebe. Ich fühle mich ausgebrannt. Ich möchte zwei Wochen Auszeit von allem nehmen, allein verreisen und eine Pause einlegen. Wie wäre es, wenn ich die Kinder für eine Woche bei meiner Mutter lasse und du dir eine Woche frei nimmst und dich um sie kümmerst, damit ich ein bisschen Zeit für mich selbst habe? Ich glaube, ich würde viel zufriedener zurückkommen und wäre sicher viel umgänglicher als jetzt.« Es ist viel schwieriger, das zu sagen, als sich wegen einer Pizza zu streiten.

Frauen erwarten oft von ihren Männern, dass sie intuitiv erfassen, was sie denken, ohne dass sie es wirklich sagen. Wenn eine Frau gähnt und sagt:»Ich bin so müde, ich glaube, ich gehe jetzt ins Bett«, und Richtung Schlafzimmer marschiert, geht sie oft davon aus, dass ihr Mann sich die Zähne putzt, mit Mundwasser gurgelt, ein bisschen Deodorant auflegt und sich etwas Bequemeres anzieht, um dann zu ihr ins Bett zu schlüpfen und mit ihr zu schlafen. Stattdessen grunzen viele Männer, holen sich noch ein Bier aus dem Kühlschrank und machen es sich auf dem Sofa vor dem Fernseher bequem. Der Gedanke, dass die Frau in ihrem Leben in einem indirekten Code sprechen könnte, kommt ihnen gar nicht erst. Die Frau dagegen liegt allein im Bett, schläft endlich allein ein und fühlt sich ungeliebt und unattraktiv.

Ständiges Nörgeln verdeckt nur ein tiefer liegendes Kommunikationsproblem. Wenn Frauen lernen, direkt zu sagen, was sie meinen, reagieren Männer bereitwilliger. Frauen müssen verstehen, dass das männliche Hirn relativ simpel arbeitet und Männer selten erraten können, was ihre Ehefrauen und Partnerinnen jenseits dessen, was sie sagen, *wirklich* meinen. Sobald beide Geschlechter dies einmal begriffen haben, macht es die Kommunikation viel einfacher, und die Auslöser für viele Nörgeleien entfallen.

Das Nörgeln besiegen:
Sagen, wie man sich fühlt

Ein Mann wird Ihnen nicht sagen, dass er sich unmännlich fühlt, wenn Sie sein Verhalten korrigieren. Er wird nicht darauf hinweisen, dass er so genervt ist wie damals als Teenager bei den Nörgeleien seiner Mutter, wenn Sie ihn tadeln oder an ihm herummäkeln. Und er wird Ihnen auch nicht gestehen, dass er Sie deshalb sexuell so unattraktiv findet wie seine Mutter. Wenn Sie ihm vermitteln, dass er Ihrer Meinung nach nicht die richtigen Entscheidungen trifft, fühlt er sich als Versager, der Ihren Ansprüchen niemals genügen kann. Doch statt sich zu ändern, macht er sich aus dem Staub.

Sie beide reden vielleicht viel miteinander, aber das heißt nicht, dass Sie die Botschaft auch wirklich rüberbringen. Fast alle Probleme in einer Beziehung wie Untreue, Beschimpfungen, Langeweile, Depression oder Nörgeleien sind das Ergebnis mangelhafter Kommunikation. Selten fragen Frauen ihren Partner: »Warum redest du nicht mehr mit mir?« Und ein Mann mag vielleicht denken: »Meine Frau findet mich nicht mehr attraktiv«, aber er wird nicht mit ihr darüber reden.

Wenn die Frau in Ihrem Leben an Ihnen herumnörgelt, dann will sie Ihnen etwas mitteilen, und Sie hören nicht zu. Deshalb wird sie es so lange wiederholen, bis Sie es gehört haben. Sie wiederum hören nicht zu, weil sie nicht mit der richtigen Methode an Sie herantritt. Frauen nähern sich ihrem Mann gewöhnlich mit der falschen Methode, mit indirekten Aussagen.

Eines Abends kommt Daniel spät von der Arbeit nach Hause, wo seine Frau Sue mit einem Gesicht, das nichts Gutes ahnen lässt, auf ihn wartet. Bevor er auch nur die Chance hat, irgendetwas zu sagen, ist das Gewitter schon über ihm:

SUE »Du bist wirklich rücksichtslos! Warum kommst du wieder so spät nach Hause? Ich weiß nie, wo du bist! Das Essen ist kalt – du denkst wirklich nur an dich!«

DANIEL »Schrei mich nicht an. Du jammerst und übertreibst mal wieder, wie üblich! Ich arbeite so lange, um genug Geld zu verdienen, damit es uns gut geht … aber du bist nie zufrieden!«

SUE »Hah! Du bist so egoistisch! Wie wäre es denn, wenn du nur einmal an deine Familie denken würdest? Du tust hier nie etwas, alles bleibt an mir hängen!«

DANIEL (geht weg):   »Lass mich in Ruhe! Ich bin müde und will mich ein bisschen ausruhen. Und du nörgelst immer nur an mir herum.«

SUE (wütend):   »Ja, ja, so ist's richtig, geh nur einfach! Du benimmst dich wieder mal wie ein Kind. Weißt du, wo dein Problem liegt? Du läufst immer weg und willst nie über Probleme reden!«

Statt direkt auszudrücken, wie sie sich fühlt, vermittelt sie indirekt Feindseligkeit, was wiederum zu Daniels defensivem Verhalten führt.

Sobald Daniel in die Defensive geht, bricht die Kommunikation zusammen, das Problem kann nicht gelöst werden. Aber keiner von beiden hört richtig zu: Sue wiederholt immer nur dieselbe alte Botschaft, und Daniel geht immer weg und denkt, dass sie einfach eine große Nörglerin ist. Sie sagen beide nicht, wie sie sich wirklich fühlen. Und ihre Probleme werden dadurch sicher nicht kleiner.

Maßnahmen gegen das Nörgeln:
Die »Ich«-Technik

Um Daniels Aufmerksamkeit zu erringen, sollte Sue zunächst einmal vermeiden, ihm sofort an die Kehle zu gehen und ihn so in die Defensive zu drängen. Sie kann dies mit Hilfe der »Ich«-Technik tun, statt ständig das Wort »du« zu benutzen. Hier sind ein paar der »Du«-Sätze, die Sue ihrem Mann an den Kopf warf:

Du bist wirklich rücksichtslos!
Du bist so egoistisch!
Du benimmst dich wieder mal wie ein Kind.
Weißt du, wo dein Problem liegt?
Du läufst immer weg.

Die »Du«-Sprache provoziert Verteidigung. Mit einer »Du«-Aussage nimmt Sue die Position des Richters ein – eine Position, die Daniel nicht akzeptieren kann. Mit der »Ich«-Technik dagegen kann Sue vermitteln, wie sie Daniels Verhalten empfindet, ohne ein Urteil zu fällen. Diese Technik führt zu einem normalen Gespräch mit Ihrem Partner, ohne jeden Kampf. Und sie beendet den Streit – für immer.

Die »Ich«-Technik hat vier Teile. Sie beschreibt das Verhalten Ihres Partners, Ihre Deutung dieses Verhaltens, Ihre Gefühle und die Konsequenzen, die dieses Verhalten für Sie hat.

Und so hätte Sue mit Daniel reden können:

SUE Daniel, du bist die ganze Woche spät nach Hause gekommen, ohne mir auch nur einmal Bescheid zu sagen [Verhalten]. Versuchst du, mir aus dem Weg zu gehen, oder hast du eine Freundin? [Deutung] *Ich* fühle mich allmählich vernachlässigt und unattraktiv. Das tut *mir* wirklich weh. [Gefühle]. Wenn das so weitergeht, werde *ich* noch ganz verrückt vor Sorge um dich. [Konsequenz].

DANIEL Oh Sue, das tut *mir* so Leid. *Ich* habe gar nicht daran gedacht, dass du das so auffassen könntest. *Ich* gehe dir nicht aus dem Weg. *Ich* schätze dich wirklich. Und nein, Liebling, *ich* habe ganz sicher keine Freundin. *Ich* bin in letzter Zeit in der Arbeit nur so eingespannt, dass *ich* Überstunden machen musste, und der Stress frisst *mich* wirklich auf. Wenn *ich* nach Hause komme, bin *ich* einfach so kaputt, dass *ich* ein bisschen Zeit für mich brauche. *Ich* möchte nicht, dass du dich so fühlst, und *ich* verspreche dir, dass *ich* dich von jetzt an immer anrufen werde, wenn es später wird.

Die »Ich«-Technik ist so wirksam, weil sie die Verteidigungshaltung aufhebt, ehrlicher ist und die Gefühle aller Beteiligten klären hilft. Es ist praktisch unmöglich, jemanden mit dieser Technik zu verärgern.

Im Beispiel oben kamen die Botschaften der Ehepartner deutlich beim anderen an, und das löste das Problem. Gute »Ich«-Aussagen funktionieren am besten, wenn sie auch richtig übermittelt werden, in der richtigen Tonlage und zur richtigen Zeit, also warten Sie ein paar Minuten, bevor Sie beginnen, um sicherzustellen, dass Ihr Gegenüber zuhört.

Maßnahmen gegen das Nörgeln:
Geben Sie einem Mann eine
halbe Stunde Zeit, ins Feuer zu starren

Am Ende eines langen Arbeitstages muss ein Mann etwa eine halbe Stunde lang »ins Feuer starren«, um Energie zu tanken, bevor er wieder reden kann. Die meisten Frauen dagegen wollen sofort reden. So können Sie die »Ich«-Technik anwenden:

SUE   »Schatz, ich muss mit dir über die Dinge reden, die heute passiert sind. Wann können wir darüber sprechen?«
DANIEL   »Liebling, ich hatte einen wirklich langen, harten Tag – kannst du mir etwa eine halbe Stunde geben, um zu mir zu kommen und zu entspannen? Ich verspreche dir, danach reden wir dann.«

Wenn Daniel einer Zeitfestlegung zustimmt (und sie einhält) und Sue ihm Zeit gibt, ins Feuer zu starren, gibt es keinen Streit, keine Spannungen und beide fühlen sich nicht in die Enge getrieben.

Maßnahmen gegen das Nörgeln:
Wie man Kinder dazu bringt,
das zu tun, was sie tun sollen

Verantwortliche Eltern müssen ihre Kinder daran erinnern, sie davon überzeugen und sogar von ihnen fordern, dass sie sich im Interesse ihrer eigenen Sicherheit, ihres Wohlergehens und ihres

Lebenserfolges nach bestimmten Regeln richten. Aber wann wird unsere Fürsorge zur Nörgelei? Und wer hat Schuld, wenn ein Elternteil zu Hause ständig nörgelt? Das ungehorsame Kind oder der nörgelnde Elternteil? Unsere Meinung ist: Schuld haben die Eltern.

Die Mutter oder der Vater hat das Kind darauf konditioniert, automatisch so zu reagieren, wie es das jetzt tut. Dem Kind wurde beigebracht, dass es nicht notwendig ist, auf die erste Bitte zu reagieren und dass es Ihre Gewohnheit ist, mehrmals zu erinnern, zu überzeugen und zu fordern, bevor Sie von ihm erwarten, dass es gehorcht. Das Kind hat Sie darauf trainiert, Ihre Forderungen ständig zu wiederholen, und glaubt, dass Sie im Grunde nicht wollen, dass es sofort reagiert.

Für den Elternteil ist dies ein Teufelskreis. Je häufiger man sich wiederholt und klagt, desto länger leistet das Kind hinhaltenden Widerstand. Je mehr man vom Ungehorsam des Kindes enttäuscht ist, desto zorniger und lauter wird man. Das Kind beginnt nun, sich über diesen Zorn aufzuregen, denn seiner Meinung nach hat es nichts Falsches getan. Jetzt reagiert das Kind verwirrt und enttäuscht. Was als eine einfache Bitte begann, wie etwa: »Komm zum Abendessen!«, hat zu einem Streit geführt.

Die Situation »Nörgelnder Elternteil/Ungehorsames Kind« kann man leicht korrigieren; man braucht dazu nur Disziplin und Härte, und zwar gegen sich selbst, nicht gegen das Kind.

SEIEN SIE HART ZU SICH, NICHT ZU IHREN KINDERN.

Sie müssen darauf vorbereitet sein, alle einzelnen Probleme 30 Tage lang durchzustehen, ohne je nachzugeben. Erklären Sie Ihrem Kind, dass Sie wissen, dass es nur einmal um Kooperation gebeten werden muss, und es ihm freisteht, zu reagieren oder eben nicht. Dann weisen Sie auf die Konsequenzen einer ausbleibenden Reaktion hin. Zum Beispiel: »Jade, ich möchte, dass du die schmutzigen Klamotten in deinem Zimmer einsammelst und in den Wäschekorb tust. Wenn du das nicht machst, wasche ich sie nicht.«

Und hier kommen Selbstdisziplin und Entschlossenheit ins Spiel. Wer wird als Erster klein beigeben? Wenn Sie nachgeben und die Sachen aufsammeln, sind Sie wieder zurück am Ausgangspunkt. Sie müssen die Selbstdisziplin aufbringen, die schmutzigen Sachen liegen zu lassen und sich bei allen Klagen des Kindes, es habe nichts mehr anzuziehen, einfach taub zu stellen. Dies mag hart erscheinen, aber Sie werden dem Kind verantwortliches Verhalten beibringen und ein glücklicheres Heim schaffen. Und die zukünftigen Partner Ihrer Kinder werden Ihnen nicht deren schlechte Angewohnheiten vorwerfen können.

Das Verhalten eines Kindes ist ein direktes Ergebnis der elterlichen Erziehung, im Guten wie im Bösen.

Nörgeln Sie nicht an ihnen herum – erziehen Sie sie

Wenn Sie feststellen, dass Sie ständig an jemandem herumnörgeln, dann zeigt das, dass dieser Mensch *Sie* erzogen hat, das zu tun, was er will. Mit anderen Worten: Er macht die Regeln, und Sie folgen ihnen. Sagen wir zum Beispiel, Sie bitten diese Person ständig, nicht immer die feuchten Badetücher im Badezimmer auf den Boden zu werfen. Aber egal, wie oft Sie sich beklagen, dieser Mensch macht es einfach weiterhin. Und so heben schließlich Sie die benutzten Tücher auf, weil Sie kein unordentliches Badezimmer mögen und weil Sie glauben, dass es ja doch niemand anders tun wird und bald keine trockenen Badetücher mehr da sein werden, wenn Sie sich nicht darum kümmern. Hier geht es darum, dass der andere weiß, dass Sie die Handtücher sowieso irgendwann aufheben – und er nur ein bisschen Genörgel von Ihnen aushalten muss, was ihm wahrscheinlich nicht so viel ausmacht. Sie sind also von ihm erzogen worden.

Und so können Sie die Situation umkehren: Hängen Sie ein sauberes Badetuch für jedes Kind und/oder jeden Erwachsenen im Hause auf und erklären Sie allen, dass dies hier sein/ihr persönliches Tuch ist und sie für dessen Zustand allein verantwortlich sind. Erklären Sie ihnen, dass Sie auf dem Boden liegende, feuchte oder schmutzige Tücher wegnehmen werden, weil Sie kein unordentliches Bad haben möchten und weil das Ihr Bedürfnis nach einem sauberen Heim beeinträchtigt. Erklären Sie ihnen, dass Sie dieses störende Tuch draußen auf den Hof, über den Zaun, in den Hundezwinger oder sogar unter ihr Kissen stecken werden. Ihnen ist das egal – es liegt ganz bei den einzelnen Mitgliedern Ihrer Familie. Wenn Sie diese Strategie zum ersten Mal anwenden, wird sie Gelächter, Verwirrung und Proteste von Seiten der Missetäter auslösen, aber Sie müssen durchhalten, oder Sie bleiben die Person, die erzogen wird.

Sagen wir zum Beispiel, Sie werfen das feuchte Tuch beim nächsten Mal außer Sichtweite unten in den Besenschrank. Wenn der Missetäter wieder duschen will, wird er Sie fragen, wo es ist, und Sie werden die groben Lagekoordinaten angeben. Dann wird er merken, wie unangenehm es ist, sich mit einem feuchten, stinkenden Tuch abzutrocknen. Nach ein oder zwei Mal wird er gelernt haben, sein Badetuch aufzuhängen. Die gleiche Technik funktioniert auch bei stinkenden Socken, Unterwäsche oder anderen Dingen, die Sie nicht herumliegen haben möchten. So werden Sie zum Erzieher statt zum Erzogenen, und das Nörgeln fällt ersatzlos weg. Wenn Sie aber weiter hinter allen herräumen, haben Sie sich für ein weiteres Dasein als Erzogener entschieden und damit das Recht verwirkt, an irgendjemandem herumzunörgeln, weil er den Boden zugemüllt hat.

Fallbeispiel: Das Nörgeln besiegen

Cameron, 13 Jahre alt, hatte die Aufgabe übertragen bekommen, jeden Mittwochabend den Müll rauszutragen. Meist sagte er, er würde es nach dem Abendessen machen oder wenn der Film zu Ende sei oder gleich nach dem Duschen, aber schließlich vergaß er es dann doch. Jede Woche zog der Geruch verrottender Abfälle durchs Haus, der Müllberg wuchs und wuchs. Seine Mutter hatte das Bitten aufgegeben und sich aufs Nörgeln verlegt. Der ganze Haushalt hatte genug vom Thema Müll und dem Gestank, aber das war Cameron egal, er dachte einfach nicht daran, und die Nörgeleien glitten an ihm ab.

Schließlich wurde Camerons Mutter klar, dass er sie zum Nörgeln erzogen hatte, und sie beschloss, die Autorität zurückzugewinnen. Sie erklärte ihm, dass es seine Sache sei, den Müll rauszutragen, dass aber die Familie unter dem Gestank von verrottendem Abfall leide, weil er seiner Aufgabe nicht nachkomme. Die Konsequenzen seines Verhaltens wurden ihm vor Augen gestellt. Wenn er den Müll nicht raustrug, dann würde dieser in seinem Zimmer landen. Wenn ihn der Geruch von verrottenden Lebensmitteln nicht störe, dann mache es ihm ja wohl auch nichts aus, in dem Gestank zu schlafen. Diese Argumentation wurde in einem freundschaftlichen, entspannten, nicht aggressiven, aber direkten Ton vorgebracht.

Die ganze Familie konnte es kaum abwarten, bis wieder Mittwochabend war und Cameron natürlich wie üblich vergaß, den Müll rauszutragen. Als er am nächsten Abend zu Bett ging, zog er die Decke zurück und fand darunter den gammligen Abfall. Sein Zimmer stank! Diese Lektion kostete eine Garnitur schmutzige, übel riechende Bettwäsche (die Cameron waschen musste, er kannte die Konsequenzen). Er vergaß nie wieder, den Müll rauszubringen.

Wie man eine Nörglerin versteht

Wer als Opfer von Nörgelei ehrlich zu sich selbst ist und sich eingesteht, dass die Nörgelei triftige Gründe hat, und wer akzeptiert, dass Nörgeln gewöhnlich ein Schrei nach Anerkennung ist, der kann leicht eine Gewinner/Gewinner-Situation herstellen. Der

Mensch hat vor allem das Bedürfnis, sich wichtig zu fühlen. Untersuchungen zeigen immer wieder, dass Menschen, die Vollzeit arbeiten, weniger nörgeln als jene, die lange Zeitspannen isoliert von anderen Erwachsenen zu Hause verbringen. Berufstätige betrachten ihren Beitrag zum großen Ganzen als wichtig und haben das Gefühl, dass ihre Anstrengungen gewürdigt werden. Ähnlich neigen auch Hausfrauen oder Hausmänner, die es wirklich genießen, zu Hause zu sein, und stolz darauf sind, ein sauberes, gemütliches Heim, gute, gesunde Mahlzeiten und eine zufriedene Familie zu haben, weniger zur Nörgelei – vorausgesetzt, sie erfahren ausreichend Dank und Anerkennung.

Aufs Nörgeln verlegen sich also vor allem Menschen mit langweiliger, sich wiederholender Arbeit oder jene, die nur widerwillig zu Hause bleiben. Manche Frauen sind fest davon überzeugt, dass ihr Leben völlig ereignislos ist. Immer nur waschen, Staub saugen, die Küche putzen, die Betten machen und Lebensmittel kaufen, das kann nach ein paar Jahren furchtbar auf den Geist gehen. Wenn man dazu noch Kinder hat, die sich übel aufführen und in zehn Minuten die ganze Arbeit des Tages zunichte machen, ist permanentes Nörgeln das beste Mittel, damit sich alle anderen ebenso mies fühlen wie der Nörgler.

Weil das Nörgeln meist einen triftigen Grund hat, muss auch das Opfer seine Verantwortung für dieses Verhalten übernehmen. Nörgeln ist das Ergebnis mangelhafter Kommunikation.

Die Herausforderung für ein Opfer

Um eine Gewinner/Gewinner-Situation zu schaffen, müssen beide Parteien bereit sein, sich zu ändern und die Verantwortung zu teilen. Das Opfer muss seinen Beitrag zum Problem erkennen und die Verantwortung dafür übernehmen.

Opfer entwickeln Vermeidungsstrategien, die die Sache noch schlimmer machen. Vielleicht ignorieren sie die Nörglerin, versuchen, sie niederzuschreien, verlassen das Zimmer oder das Haus oder erfinden Entschuldigungen dafür, dass sie den Bitten der Nörglerin nicht nachkommen. Opfer haben es leicht, weil sie immer der Nörglerin die Schuld geben können. Aber der einzige Weg aus diesem Teufelskreis liegt für das Opfer darin, anzuhalten, sich selbst zu hinterfragen und seinen Beitrag zum Problem zu überdenken. Sie sollten das Nörgeln als einen Hilfeschrei sehen. Als Opfer sollte man sich fragen:

Hören Sie dem anderen zu?

Verstehen Sie die Frustration des anderen?

Vermitteln Sie ein Gefühl der Überlegenheit, so dass der andere sich gedemütigt fühlt?

Erkennen Sie die Leistungen des anderen an?

Weigern Sie sich, Aufgaben im Haushalt zu übernehmen, weil Sie sich als Verdiener betrachten und deshalb zu Hause nichts tun müssen?

Sind Sie schlicht und einfach faul und gedankenlos?

Gibt es einen tief sitzenden Zorn, der Ihre mangelnde Bereitschaft, die Probleme des anderen zu verstehen, begründet?

Wollen Sie glücklich sein?

Wenn Sie glücklich sein wollen, sind Sie bereit, sich mit dem anderen zusammenzusetzen und mit ihm zu reden?

Die Herausforderung für einen Nörgler

Wenn Sie zum Nörgeln neigen, haben Sie je daran gedacht, dass Ihr Partner unfähig sein könnte, Ihren Bitten nachzukommen? Benehmen Sie sich ihm gegenüber wie ein Vater oder eine Mutter? Bestehen Sie auf sofortiger Reaktion, ungeachtet der momentanen Bedürfnisse Ihres Partners? Wiederholen Sie Ihre Forderungen ständig?

Wenn Sie eine dieser Fragen mit Ja beantworten, setzen Sie sich zusammen und bereiten Sie sich darauf vor, in der »Ich«-Sprache zu kommunizieren.

Erklären Sie dem anderen, was Sie so frustriert.
Stimmen Sie einem Zeitrahmen zur Erfüllung Ihrer Bitten zu.
Hören Sie auf, sich zu wiederholen.
Konstatieren Sie Ihre Bedürfnisse, hören Sie dann auf zu reden und hören Sie auf die Antwort des anderen.
Bitten Sie den anderen um Anregungen. Vielleicht hat er eine bessere Idee.
Vermeiden Sie »Du«-Aussagen, die Widerstand beim anderen hervorrufen könnten.
Wie sieht die Lösung oder Konsequenz aus, wenn der andere seine gedankenlosen Verhaltensweisen nicht noch einmal überdenkt?
Belohnen Sie sich mit kleinen Dingen, wenn Sie Ihre täglich neu gesteckten Ziele erreichen?
Wollen Sie glücklich sein?

Nörgeln kann für viele Menschen ein Lebensstil werden, die Art, wie sie letztendlich immer kommunizieren, was sie dann wütend, verdrießlich und übellaunig macht gegenüber der einen Person in ihrem Leben, die wirklich eine tägliche Quelle großer Freude, Wärme und Unterstützung sein sollte. Aber das muss nicht so sein. Folgen Sie unseren einfachen Strategien, und Sie beide werden eine viel glücklichere und erfülltere Zukunft aufbauen.

KAPITEL 2

SIEBEN MÄNNER-TICKS, DIE FRAUEN IN DEN WAHNSINN TREIBEN

Drei Weise aus dem Morgenland folgten dem Stern im Osten bis Bethlehem und fanden das Jesuskind. Sie schenkten ihm Gold, Weihrauch und Myrrhe. Aber was wäre passiert, wenn nicht drei weise Männer, sondern drei weise Frauen gekommen wären?

Die Geschichte der Heiligen Drei Könige und der Geburt Jesu ist eine der berühmtesten Erzählungen der Welt. Frauen entdecken in der Erzählung jedoch bestimmte männliche Eigenarten, die sie nicht ausstehen können. So nahmen die drei Weisen einfach an, die Welt drehe sich nur um sie – der Stern im Osten stehe nur am Himmel, damit sie ihm folgen könnten. Außerdem kamen sie erst zwei Monate nach Jesu Geburt am Stall an, wahrscheinlich wollten sie unterwegs nicht anhalten und nach dem Weg fragen. Und was sollen ein Neugeborenes und seine erschöpfte Mutter bitte mit Gold, Weihrauch und Myrrhe (ein stark duftendes Pflanzenöl, mit dem man Tote einbalsamiert) anfangen? Und auch noch *drei* weise Männer auf einmal? Das ist doch vollkommen unwahrscheinlich.

Angenommen, in der Geschichte kämen drei weise Frauen vor. Sie hätten nach dem Weg gefragt, wären rechtzeitig angekommen, um bei der Geburt zu helfen, und hätten praktische Geschenke wie Windeln, Fläschchen, Spielzeug und einen Blumenstrauß mitgebracht. Dann hätten sie die Tiere aus dem Stall verbannt, alles geputzt und einen Eintopf gekocht. Später wären sie in Kontakt geblieben, und es hätte Friede auf Erden geherrscht immerdar.

MOSES WANDERTE 40 JAHRE LANG DURCH DIE WÜSTE. AUCH ER FRAGTE NICHT NACH DEM WEG.

Die Zahl der ärgerlichen Eigenschaften, die Frauen den Männern zuschreiben, lässt sich nur schwer eingrenzen. Doch aus über 5000 Briefen unserer Leserinnen ergaben sich sieben Fragen, die Frauen am häufigsten stellen:

1. Warum geben Männer ständig kluge Tipps und gute Ratschläge?
2. Warum zappen Männer dauernd beim Fernsehen?
3. Warum halten Männer nicht an und fragen nach dem Weg?
4. Warum lassen Männer immer die Klobrille oben?

5. Warum kaufen Männer nicht gern ein?
6. Warum haben Männer so eklige Angewohnheiten?
7. Warum mögen Männer schmutzige Witze?

Diese »schlechten Angewohnheiten« der Männer lassen sich in zwei Kategorien unterteilen: die Eigenschaften, die ein Mann durch seine Erziehung mitbekommen hat, und die Eigenschaften, die auf die Verknüpfungen des männlichen Gehirns zurückzuführen sind. All diese Eigenarten sind veränderbar. Jeder Mann lässt sich umerziehen, man muss nur wissen wie.

1. Warum geben Männer ständig kluge Tipps und gute Ratschläge?

»Mein Mann geht mir mit seinem ständigen Problemlösungsgetue furchtbar auf die Nerven. Er gibt mir zu allem in meinem Leben Ratschläge – ob ich es will oder nicht! Wenn ich einfach nur über den Tag oder meine Gefühle reden will, schneidet er mir dauernd das Wort ab und sagt mir, was ich tun, denken und sagen soll. Er ist ein Schatz, wenn etwas repariert werden muss – tropfende Wasserhähne, defekte Lampen, das Auto springt nicht an oder der Computer spielt verrückt –, aber er kann einfach nicht zuhören. Und wenn ich seine ›Ratschläge‹ nicht annehme, wird er sauer.
Am Rande des Wahnsinns, Karen«

Um zu verstehen, warum ein Mann seine Ratschläge nicht für sich behalten kann, muss man sich vor allem mit der Funktionsweise des männlichen Gehirns beschäftigen.
Der Mann ist von Natur aus ein Jäger, und sein Hauptbeitrag zum Überleben der Menschheit bestand in erster Linie darin, ein bewegliches Ziel zu treffen und so alle mit Nahrung zu versorgen. Er musste Beute machen oder Feinde abwehren, die das Essen stehlen wollten oder die Familie bedrohten. Daher entwickelte sich in

seinem Gehirn ein Bereich für das Erkennen und Anvisieren von Zielen, das so genannte visuell-räumliche Denken. Von ihm leitet er seine Daseinsberechtigung ab: Er muss Ziele treffen und Probleme lösen. Männer sind daher ergebnisorientiert und messen ihren eigenen Erfolg an ihren Leistungen. Folglich bezieht ein Mann nach wie vor sein Selbstwertgefühl aus seinen Fähigkeiten zur Lösung von Problemen.

> DAS SELBSTWERTGEFÜHL DES MANNES BASIERT
> AUF DEN ERGEBNISSEN, DIE ER ERZIELT, ODER DARAUF,
> WIE GENAU ER EIN RENNENDES ZEBRA TRIFFT.

Aus diesem Grund lieben Männer auch Uniformen und tragen gern Mützen mit Rangabzeichen, denn sie spiegeln ihre Kompetenz und ihre Befähigung zur Problemlösung wider. Ein Mann glaubt, er selbst sei am besten geeignet, seine Probleme zu lösen, und sieht keinen Grund, darüber mit jemand anderem zu reden. Er fragt bei einem Problem nur um Rat, wenn er meint, er brauche die Meinung eines Experten, oder wenn er dies für einen intelligenten, strategisch klugen Schachzug hält.

Umgekehrt fühlt sich ein Mann geehrt, wenn er um seine Meinung gebeten wird.

> WENN EIN MANN EINEN ANDEREN MANN UM RAT FRAGT,
> BETRACHTET DER BEFRAGTE DAS ALS KOMPLIMENT.

Wenn nun eine Frau einem Mann unerbetene Ratschläge erteilt, sieht er darin einen Hinweis, dass sie ihn für unfähig hält, seine Probleme selbst zu lösen. Für einen Mann ist es eine Schwäche, Rat einzuholen, denn er glaubt, er müsse mit allem allein fertig werden. Daher spricht er auch nur selten über Dinge, die ihn belasten. Er bietet gerne anderen Ratschläge und gute Tipps an, will aber nicht ungebeten Ratschläge bekommen, vor allem nicht von einer Frau.

Warum ärgern sich Frauen über die Ratschläge von Männern?

Das Gehirn der Frau ist auf Kommunikation ausgelegt, und der Hauptzweck des Redens ist nun einmal das Reden. Meistens erwartet sie keine Antworten, und Lösungen sind nicht erforderlich. Genau darin besteht das Problem der meisten Paare. Abends will sie über die Ereignisse des Tages und ihre Gefühle sprechen, er dagegen glaubt, sie erzählt ihm von ihren Problemen, damit er sie behebt, und erteilt ihr Ratschläge. Sie wird sauer, weil er ihr nicht zuhören will, und er ist verärgert, weil sie seinen guten Rat nicht annimmt. »Warum bist du nicht einfach still und hörst zu?«, schreit sie und marschiert zur Tür. »Wenn du meine Meinung nicht hören willst, dann frag auch nicht danach!«, brüllt er ihr hinterher, und sie knallt die Tür hinter sich zu. Beide haben das Gefühl, dass der andere nicht schätzt, was sie einander zu sagen haben.

WENN SIE VON IHM EINFÜHLUNGSVERMÖGEN ERWARTET, GLAUBT ER, SIE WILL EINEN GUTEN RAT.

Er denkt, er sei einfühlsam und liebevoll, weil er ihr bei ihren Problemen helfen möchte. Sie dagegen glaubt, ihm seien ihre Gefühle gleichgültig oder er bagatellisiere sie, weil er nicht richtig zuhört.

Fallbeispiel: Sarah und Andy

Sarah hatte einen harten Tag hinter sich: Ihr Chef saß ihr ständig im Nacken, ihr wurde die Schuld an einem Fehler gegeben, den sie nicht gemacht hatte, sie hatte ihr Portemonnaie verloren und sich einen Nagel abgebrochen. Ihr kommt es vor, als ob sich die ganze Welt gegen sie verschworen hätte, und sie will mit Andy darüber reden, sobald sie daheim ist.

Sie ruft Andy an und fragt ihn, wann er nach Hause kommen wird. Dann kocht sie etwas Leckeres zum Abendessen, denn sie malt sich aus, dass sie dabei lange und ausführlich miteinander reden werden. Er wird liebevoll und mitfühlend sein. Sie wird jemandem ihr Herz ausschütten können, von dem sie weiß, dass sie ihm etwas bedeutet, und danach wird sie sich viel besser fühlen. Sie möchte, dass er zuhört, ihr das Gefühl gibt, geliebt und verstanden zu werden, und ihr bestätigt, dass ihre Probleme lösbar sind.

Aber Andy hatte ebenfalls einen harten Tag. Ihm gehen nach der Arbeit noch verschiedene Probleme durch den Kopf, die er bis zum anderen Morgen lösen muss. Auf der Heimfahrt ist er mit den Gedanken noch bei der Arbeit. Er weiß nach Sarahs Anruf, dass sie einen schlechten Tag hatte, aber er braucht erst einmal Zeit für sich selbst.

Daheim angekommen, begrüßt er kurz Sarah und setzt sich dann vor den Fernseher, um sich die Nachrichten anzusehen. Sie sieht nach dem Essen und verkündet, es sei in 15 Minuten fertig. Er denkt: ›Gut! Fünfzehn Minuten Ruhe vor dem Essen.‹ Sarah denkt: ›Prima! Fünfzehn Minuten, in denen wir uns noch ein bisschen unterhalten können.‹

SARAH   »Wie war dein Tag, Schatz?«

ANDY   »Gut.«

SARAH   »Ich habe den grässlichsten Tag meines Lebens hinter mir, ich habe die Nase voll!«

ANDY (den Blick noch halb auf den Nachrichten)   »Was ist mit deiner Nase?«

SARAH   »Mein Chef macht mir das Leben schwer. Als ich heute Morgen zur Arbeit kam, hat er mir gleich vorgeworfen, meine Arbeit sei nicht gut, und er wollte wissen, wann ich endlich mit der neuen Werbekampagne fertig werde. Dann sagte er, er wolle sie bis Ende der Woche, der Kunde komme am Montag, um unsere Fortschritte zu beurteilen. Ich wollte ihm erklären, dass ich nicht dazu gekommen bin, weil ich immer noch an dem Seinfeld-Projekt arbeite. Er hat selbst gesagt, das Projekt sei besonders dringend. Ich wollte ihm klar machen, dass ich keine Zeit hatte, beide Projekte so schnell fertig zu stellen, aber er schnitt mir einfach das Wort ab und sagte, er will jetzt keine Ausreden mehr hören, die Unterlagen müssten auf seinem Schreibtisch liegen, bevor ich am Freitag nach Hause gehe. Das ist doch nicht zu fassen? Er hörte mir einfach nicht zu … (sie regt sich immer mehr auf). Dann wechselte er das Thema und meinte, ich solle am Freitag um 18 Uhr bei ihm vorbeikommen, damit wir letzte Änderungen durchsprechen könnten. Ich würde am liebsten kündigen. Ich kann bald nicht mehr …«

ANDY »Aber Sarah, das ist doch nicht so schwer. Du musst dich behaupten und ihm klar machen, dass du nicht beide Projekte gleichzeitig durchziehen kannst. Frag ihn einfach, welches er zuerst haben will. Geh morgen einfach zu ihm und sag ihm, dass der Termin unmöglich zu halten ist, er müsse ihn ändern oder dir eine Hilfskraft geben, die dir bei beiden Projekten hilft.«

SARAH (erregt) »Das glaube ich einfach nicht! Ich erzähle dir von meinem Chef, der mich dauernd herumkommandiert und nie zuhört, und dann sagst du mir, was ich tun soll. Warum kannst du nicht einfach still sein und mich reden lassen? Ich habe genug von Männern, die immer alles besser wissen.«

ANDY »Ach komm, Sarah. Wenn du meine Meinung nicht hören willst, dann erzähl mir nichts von deinen Problemen. Klär sie für dich selbst und lass mich mit deinem Gejammer zufrieden! Ich habe genug eigene Probleme, die ich, ganz nebenbei bemerkt, immer alleine auf die Reihe kriege!«

SARAH (den Tränen nahe): »Du kannst mich mal! Ich finde auch einen anderen, der mir zuhört und mir nicht dauernd sagt, was ich falsch mache. Du kannst sehen, wo du dein Abendessen herkriegst! Ich gehe und ich weiß nicht, wann ich wiederkomme!«

Dieses Szenario ist Männern und Frauen auf der ganzen Welt nur zu gut bekannt. Am Ende fühlt sich Sarah im Stich gelassen, ungeliebt und verletzt. Andy meint, dass Sarah ihn nicht schätzt, und ist verwirrt, weil Sarah seine wichtigste Fähigkeit kritisiert hat: Probleme zu lösen.

Was hätte Andy besser machen können?

Gehen wir an den Anfang der Szene zurück und überlegen, wie Andy das Misslingen des Abends hätte verhindern können.

SARAH »Wie war dein Tag, Schatz?«

ANDY »In Ordnung. Ich muss mir bis morgen noch ein paar Probleme durch den Kopf gehen lassen, aber es wird sicher alles besser, wenn ich erst einmal darüber geschlafen habe.«

SARAH »Ich habe den grässlichsten Tag meines Lebens hinter mir, ich habe die Nase voll!«

ANDY »Oh nein, mein armer Liebling! Du musst mir alles erzählen, aber ich bräuchte zuerst eine Viertelstunde für mich, in der ich meine Probleme bei der Arbeit noch einmal durchgehen kann. Dann kann ich mich beim Abendessen voll und ganz dir widmen.«

SARAH »Gut, in Ordnung. Ich decke den Tisch und rufe dich dann. Möchtest du zuvor ein Glas Wein?«

ANDY »Danke, Liebling, gerne.«

Weil Andy um eine Pause bat und Sarah sie ihm gewährte, hat er Zeit für sich und kann über seine eigenen Probleme nachdenken. Sarah fühlt sich bestätigt und ist zufrieden, dass er beim Abendessen für sie da sein wird. Dann kann sie sich ihre Probleme von der Seele reden und wird sich danach besser fühlen.

Und so verlief das Abendessen:

SARAH »Mein Chef macht mir das Leben schwer. Als ich heute Morgen zur Arbeit kam, hat er mir gleich vorgeworfen, meine Arbeit sei nicht gut, und er wollte wissen, wann ich endlich mit der neuen Werbekampagne fertig werde. Dann sagte er, er wolle sie bis Ende der Woche, der Kunde komme am Montag, um unsere Fortschritte zu beurteilen. Ich wollte ihm erklären, dass ich nicht dazu gekommen bin, weil ich immer noch an dem Seinfeld-Projekt arbeite. Er hat selbst gesagt, das Projekt sei besonders dringend.

ANDY (sieht sie aufmerksam an) »Liebling ... das ist ja schrecklich. Weiß er denn nicht, wie hart du arbeitest? Du siehst so gestresst aus ...«

SARAH »Du kannst dir nicht vorstellen, wie gestresst ich bin! Auf jeden Fall wollte ich ihm klar machen, dass ich keine Zeit hatte, das Projekt fertig zu stellen, weil das Seinfeld-Projekt so aufwändig ist. Aber er schnitt mir mitten im Satz einfach das Wort ab und sagte, er wolle keine weiteren Ausreden mehr hören, die Unterlagen müssten auf seinem Schreibtisch liegen, bevor ich am Freitag nach Hause gehe. Das ist doch nicht zu fassen?«

ANDY (macht ein betroffenes Gesicht und widersteht der Versuchung, ihr Ratschläge zu erteilen) »Das hört sich an, als ob er dir das Leben zur Hölle macht ...«

SARAH »Er wollte mir einfach nicht zuhören ... dann wechselte er das Thema und meinte, ich solle am Freitag um 18 Uhr bei ihm vorbeikommen, damit wir letzte Änderungen durchsprechen könnten. Ich bin so gestresst, ich würde am liebsten kündigen ...«

ANDY (legt den Arm um sie) »Du hattest wirklich einen harten Tag, Schatz. Was wirst du jetzt unternehmen?«

SARAH »Ich werde die Nacht darüber schlafen und morgen früh aufstehen. Wenn ich mich dann noch nicht beruhigt habe, können wir ja noch einmal darüber reden, was ich tun soll. Ich bin jetzt einfach zu müde und zu gestresst, um heute Abend darüber zu reden. Danke, dass du mir zugehört hast, Schatz. Ich fühle mich jetzt viel besser ...«

Andy hat einen Streit vermieden, weil er nicht sofort seinen Rat anbot. Dafür hat er ein Glas Wein bekommen und musste nicht allein auf der Couch schlafen. Sarah wiederum gab Andy Zeit für sich, umging damit ebenfalls die übliche Auseinandersetzung und war mit sich und ihrem Leben zufrieden.

Geschäfte mit dem anderen Geschlecht

Männer und Frauen verhalten sich auch im Geschäftsleben unterschiedlich. Wenn man das nicht weiß, können für beide Seiten finanzielle Nachteile entstehen.

Frauen möchten zuerst eine persönliche Beziehung aufbauen, bevor sie zum Geschäftlichen übergehen. Sie plaudern über verschiedene Themen, oft auch auf persönlicher Ebene, und wollen so feststellen, mit wem sie es zu tun haben und ob ihr Gegenüber vertrauenswürdig ist.

Männer verstehen diesen Ansatz oft völlig falsch. Im schlimmsten Fall denken sie, die Frau mache Annäherungsversuche, im besten Fall nehmen fast alle an, die Frau suche Rat für ihre Probleme. Sie bieten dann gern gute Ratschläge an und sagen ihr, was sie tun, denken oder sagen soll.

Der Frau missfällt dieses Verhalten sehr. Sie wird ihren Gesprächspartner aller Wahrscheinlichkeit nach als einen Mann abhaken, der nicht zuhören will und bei gemeinsamen Geschäften kaum auf ihre Belange Rücksicht nehmen wird. Sie zögert daher, mit ihm Geschäfte zu machen, woraufhin sich der Mann verwirrt fragt, warum die Geschäftsbeziehung nicht zu Stande kommt.

Ein Mann muss wissen, dass der Umgang mit einer Frau selbst im Geschäftsleben leichter ist, wenn sie zuerst eine persönliche Beziehung herstellen kann.

Eine Frau muss wissen, dass einem Mann bei einem Gespräch über persönliche Angelegenheiten unbehaglich zu Mute wird und er lieber direkt zum Geschäftlichen kommt. Wenn jede Seite das versteht, sind beide viel eher zu Kompromissen bereit, und das führt langfristig gesehen zu einer wesentlich stabileren Geschäftsbeziehung.

Wie vermeidet man Streit mit dem anderen Geschlecht?

Wenn eine Frau wütend oder gestresst ist und darüber reden möchte, kann sie einfach zu ihrem Mann sagen: »Ich möchte etwas mit dir besprechen. Ich will keine Ratschläge, du sollst nur zuhören.« Ein Mann ist froh über diese klare Anweisung, weil er dann genau weiß, was von ihm erwartet wird.

Lösung

Wenn eine Frau redet und ein Mann nicht weiß, ob sie ihn um Rat bittet oder nur reden will, kann er einfach fragen: »Soll ich dir als Mann oder als Frau zuhören?« Als Frau muss er nur zuhören, als Mann kann er Ratschläge anbieten. Diese Lösung ist für beide befriedigend, denn jeder weiß, was der andere von ihm erwartet.

EINE FRAU WILL NICHT BERATEN, SONDERN AKZEPTIERT WERDEN.

Zusammenfassend kann man sagen, dass Ratschläge von Männern und Frauen unterschiedlich aufgefasst werden. Wenn ein Mann einen Rat erteilt, handelt er aus seiner Sicht fürsorglich und liebevoll. Eine Frau wird ihn jedoch oft so interpretieren, dass er nicht bereit ist, ihr zuzuhören.

Die Lehre, die wir daraus ziehen, ist einfach, aber wirkungsvoll. Für den Mann gilt: Er sollte mit Einfühlungsvermögen zuhören, vor allem, wenn die Frau aufgebracht ist. Wenn er nicht sicher ist, was sie von ihm erwartet, kann er einfach fragen.

Die Frau sollte dem Mann, bei dem sie sich ihren Kummer von der Seele redet, klar machen, was sie von ihm erwartet.

2. Warum zappen Männer dauernd beim Fernsehen?

Fernbedienung, *Substantiv, weiblich*: Gerät, um von einem Programm ins andere zu schalten.
männlich: Gerät, um alle 2,5 Minuten durch alle 55 Programme zu zappen.

Jahrtausendelang kehrten Männer abends von der Jagd nach Hause zurück und starrten den ganzen Abend ins flackernde Feuer. Zusammen mit seinen Freunden konnte ein Mann stundenlang in diesem tranceartigen Zustand verharren, ohne mit ihnen zu reden, und die anderen Männer verlangten von ihm auch gar nicht, dass er sich am Gespräch beteiligte. Für die Männer war dies eine wichtige Möglichkeit, Stress abzubauen und ihre Batterien für die Anstrengungen des nächsten Tages wieder aufzuladen.

Auch der moderne Mann kennt noch dieses Starren ins Feuer, allerdings gehören heute Hilfsmittel wie die Zeitung, Bücher oder die Fernbedienung dazu. Auf einer Afrikareise kamen wir einmal ins Okawango-Becken nördlich der Kalahari-Wüste in Botswana. Auf einem Pfosten neben einer Hütte im Dorf bemerkten wir eine Satellitenschüssel, die von Solarzellen betrieben wurde. Wir gingen in die Hütte und trafen auf eine Gruppe Kalahari-Buschmänner im Lendenschurz vor einem Fernseher. Sie wechselten sich ab, wer mit der Fernbedienung durch die Kanäle springen durfte.

IM HIMMEL HAT JEDER MANN DREI FERNBEDIENUNGEN, UND ALLE KLOBRILLEN SIND HOCHGEKLAPPT.

Das Zappen der Männer ist weltweit ein Lieblingshassobjekt der Frauen. Gern wird gescherzt, dass viele Frauen ihre Ehemänner am liebsten mit der Hand um die Fernbedienung gekrallt beerdigen würden.

Am Ende eines langen Tages entspannen sich auch Frauen gern vor dem Fernseher, am liebsten bei einer Serie, in der es um Zwischenmenschliches und Gefühle geht. Das Gehirn der Frau ist darauf ausgerichtet, die Worte und Körpersprache der Schauspieler zu interpretieren, außerdem nimmt sie gern Anteil an den Beziehungsdramen und spekuliert über deren Ausgang. Auch die Werbung gefällt ihr. Für Männer ist das Fernsehen dagegen ein völlig anderer Vorgang, der im Wesentlichen zwei Bedürfnisse befriedigen soll. Mit seinem ergebnisorientierten, auf Problemlösungen ausgerichteten Gehirn will der Mann so schnell wie möglich zum Wesentlichen kommen. Wenn er von Programm zu Programm wechselt, kann er die Probleme in jeder Sendung analysieren und die erforderlichen Lösungen in Betracht ziehen. Männer vergessen außerdem gern ihre eigenen Probleme, indem sie sich auf die anderer konzentrieren. Das erklärt, warum sechsmal so viele Männer wie Frauen sich die Tagesschau ansehen. Da der Mann nicht mehrere Dinge gleichzeitig tun kann, vergisst er seine eigenen Sorgen, wenn er die Probleme anderer Menschen betrachtet, für die er sich nicht verantwortlich fühlen muss. Ähnlich wie Gartenarbeit, Sport im Fitnessstudio, das Surfen im Internet, Basteln am Auto oder Sex (besonders beliebt) ist Fernsehen eine Form des Stressabbaus. Solange ein Mann sich auf eine Sache konzentriert, kann er seine Probleme vergessen, und er fühlt sich gut.

MÄNNER WOLLEN NICHT WISSEN, WAS IM FERNSEHEN KOMMT, SONDERN WAS SONST NOCH IM FERNSEHEN KOMMT.

Wenn eine Frau sich Gedanken wegen eines Problems macht, spielt es keine Rolle, womit sie sich beschäftigt – das Problem bleibt in ihrem mehrspurig denkenden Gehirn präsent, sie muss darüber reden, wenn sie Stress abbauen will.

Dieser grundlegende Unterschied zwischen den Geschlechtern führt häufig zu Problemen. Eine Frau versucht oft, mit einem Mann zu reden, während er die Zeitung liest oder durch die Programme zappt. Wenn er nicht reagiert, fordert sie ihn heraus. »Was habe ich gerade gesagt?«, will sie wissen. Zu ihrer Enttäuschung kann er es ihr meistens sogar sagen. Er hörte sie reden, aber weil sein Gehirn in erster Linie vom Zeitungslesen beansprucht war, analysierte er nicht, was sie sagte, sondern nahm nur die Worte wahr.

Frauen werfen Männern oft vor, mit den Gedanken meilenweit weg zu sein, wenn sie mit ihnen sprechen. Das verwirrt die Männer, sie meinen, ihre körperliche Anwesenheit würde genügen. Frauen aber wollen, dass ein Mann auch emotional anwesend ist. Wenn ein Mann unaufmerksam ist, glaubt die Frau, er ignoriere sie, und nimmt ihm das übel. Männer wiederum ärgert es, wenn sie keine Auszeit bekommen, vor allem, wenn sie zuvor Lösungen angeboten haben und widerlegt worden sind. Je mehr eine Frau drängt, desto mehr sträubt sich der Mann. Je mehr er sich sträubt, desto grantiger wird sie.

Eine Frau sollte verstehen, dass das Starren ins Feuer die Methode des Mannes ist, Stress abzubauen, und dass sie das nicht persönlich nehmen darf. Wenn er redet, konzentriert er sich auf ein Thema. Ihr Gehirn ermöglicht es ihr, über verschiedene Themen, über Vergangenes und Zukünftiges gleichzeitig zu sprechen.

**DAS SCHWEIGEN EINES MANNES BEDEUTET NICHT,
DASS ER SIE NICHT LIEBT. ES BEDEUTET,
DASS ER SEINE RUHE HABEN WILL.**

Ein Mann sollte wissen, dass eine Frau über Probleme reden muss, ohne Lösungen zu erwarten. So baut sie Stress ab.

Lösung

Eine Frau sollte mit dem Mann ruhig darüber sprechen, dass sein ständiges Umschalten sie wahnsinnig macht, und ihn bitten, nicht zu zappen, wenn sie sich eine Sendung ansieht. Sträubt er sich, kann sie die Fernbedienung irgendwo verstecken, wo er niemals nachsehen würde. Wenn beides nicht funktioniert, sollte sie überlegen, sich selbst einen Fernseher zu kaufen – oder eine Fernbedienung.

3. Warum halten Männer nicht an und fragen nach dem Weg?

Seit Jahrtausenden nutzen Männer ihr räumliches Vorstellungsvermögen, um Beute aufzuspüren und Ziele zu treffen. In dieser Zeit lernten die Männer, sich zu orientieren und ihre Schritte aus dem Gedächtnis zurückzuverfolgen, so dass sie auch in weit entfernten Gebieten jagen konnten und trotzdem wieder nach Hause fanden. Wenn Männer zum ersten Mal ein fensterloses Zimmer betreten, kann jeder Dritte Norden mit einer Abweichung von maximal 90 Grad anzeigen, bei den Frauen ist es dagegen nur eine von fünf. Leider kann man diese Fähigkeit nicht lernen: Entweder weiß man, wo Norden ist, oder man weiß es nicht. Die plausibelste Erklärung für diesen Orientierungssinn ist, dass Männer in der rechten Gehirnhälfte eine höhere Konzentration an Eisen haben, dank der sie den magnetischen Nordpol spüren können. Die gleiche Fähigkeit nutzt ein Mann auch, um seinen Sitz im Fußballstadion wieder zu finden, sein Auto in einem mehrstöckigen Parkhaus aufzuspüren oder an einen Ort zurückzukehren, an dem er erst einmal zuvor war.

Frauen hüteten das Nest und zogen nicht zu fernen Horizonten, daher lernten sie, sich anhand von Wahrzeichen zu orientieren – eine Richtung zu ahnen war nie notwendig und gehörte nicht zu ihrem Aufgabenbereich. Wenn eine Frau einen Baum, einen See oder einen Hügel sah, orientierte sie sich daran und fand den Weg nach Hause. Entsprechend sollte ein Mann einer Frau den Weg beschreiben. Wenn er ihr sagt, sie soll zu der Straße mit der riesigen Eiche und dann das rosa Gebäude neben der Volksbank gegenüber vom See ansteuern, wird sie aller Wahrscheinlichkeit nach das Ziel finden. Wenn er ihr aber erklärt, sie soll die dritte Abzweigung an der westlichen Abfahrt von der Bundesstraße 23 nehmen und dann fünf Kilometer nach Norden fahren, wird sie vermutlich spurlos verschwinden.

MÄNNER VERIRREN SICH NICHT – SIE ENTDECKEN NUR NEUE ZIELE.

Wenn ein Mann zugeben muss, dass er sich verirrt hat, gesteht er ein, dass er bei einer seiner wichtigsten Fähigkeiten versagt hat – den Weg zu finden. Lieber würde er sich auf dem Scheiterhaufen verbrennen lassen, als seinen Irrtum gegenüber einer Frau zuzugeben. Wenn Sie als Frau auf dem Beifahrersitz gerade zum dritten Mal an derselben Garage vorbeigefahren sind, ist es wichtig, dass Sie ihn nicht kritisieren oder Ihre Hilfe anbieten – vor allem, wenn Sie nicht heimlaufen wollen.

Lösung

Kaufen Sie eine Straßenkarte oder einen Atlas und lassen Sie die kleinen Helfer für ihn im Auto. Wenn er etwas für Computer übrig hat, gibt es CD-ROMs für fast alle größeren Städte. Damit findet man die perfekte Route, die man dann ausdrucken und mitnehmen kann. Für relativ wenig Geld kann man auch den Königsweg wählen und ihm zum Geburtstag oder zu Weihnachten ein Satellitennavigationssystem schenken. Das ist das perfekte Spielzeug für das Kind im Manne, mit dem er immer Recht haben, sich nie verirren und Sie immer lieben wird.

WARUM BRAUCHT MAN VIER MILLIONEN SPERMIEN, UM EIN EI ZU FINDEN UND ZU BEFRUCHTEN? WEIL KEIN EINZIGES NACH DEM WEG FRAGEN WILL.

Im Notfall hilft es, wenn Sie ihm sagen, Sie müssten dringend auf die Toilette. Dann muss er anhalten – bevorzugt an einer Tankstelle. Während Sie auf der Toilette sind, hat er Zeit, so zu tun, als ob er etwas kaufen würde, und kann dabei nach dem Weg fragen.

4. Warum lassen Männer immer die Klobrille oben?

Noch Mitte des 20. Jahrhunderts waren Toiletten kleine Häuschen im Hinterhof. Wenn eine Frau auf die Toilette ging, nahm sie zu ihrer eigenen Sicherheit eine andere Frau mit. Von Männern dagegen erwartete man, dass sie allein gingen und sich wenn nötig selbst verteidigten. Männer pinkelten nie auf der Toilette – das erledigten sie an einem Busch oder Baum oder einer Mauer, eine Gewohnheit, die moderne Männer von ihren Vorvätern geerbt haben. Deswegen sieht man auch selten einen Mann auf offenem Feld pinkeln, er pinkelt immer gegen eine Mauer oder einen Baum. Wie bei anderen Tieren ist damit auch der Aspekt verbunden, dass der Mann sein Revier markiert. Als Ende des 19. Jahrhunderts die Toilette mit Wasserspülung erfunden wurde (unter anderem von dem Installateur Thomas Crapper), erhielt das Klo seinen eigenen Raum im Haus. Dennoch halten Frauen nach wie vor an der Praxis fest, nur in Gruppen auf die Toilette zu gehen. Von einem Mann wird man nie hören: »He, Fred, ich muss aufs Klo … kommst du mit?«

WENN MÄNNER AUF DIE TOILETTE GEHEN, BRAUCHEN SIE KEINE VERSTÄRKUNG.

Heutzutage sind öffentliche Toiletten überall nach dem Geschlecht getrennt. Bei den Frauen gibt es Sitztoiletten, bei den Männern Urinale. Frauen setzen sich immer hin, aber nur 10 bis 20 Prozent der Männer. Moderne Häuser sind eigentlich dafür entworfen und gebaut, Männer und Frauen bequem unterzubringen, doch die

Männer sind im Nachteil, weil die Toiletten nur den weiblichen Bedürfnissen entsprechen. Zu Hause klappt ein Mann die Klobrille hoch, damit sie nicht nass wird, wenn die Frau später darauf sitzen will. Wenn er aber versäumt, sie danach wieder herunterzuklappen, wird er sofort kritisiert. Viele Männer ärgern sich sehr darüber. Warum klappen die Frauen nicht auch einmal die Brille für die Männer hoch? In einigen Ländern wie zum Beispiel in Schweden ist der Mann sogar gesetzlich verpflichtet, in öffentlichen Toiletten im Sitzen zu pinkeln, weil das politisch korrekt ist.

Nachdem Gott die Welt erschaffen hatte, merkte er, dass er noch zwei Dinge zwischen Adam und Eva aufteilen musste.
Das eine, so erklärte er, erlaube es seinem Besitzer, im Stehen zu pinkeln. Adam war entzückt und bettelte inständig um das Ding.
Eva lächelte gütig und sagte Gott, wenn Adam diese Gabe so gerne wolle, solle er sie haben. Also verlieh Gott Adam die Gabe, und dieser ging sofort los, pinkelte aufgeregt gegen einen Baum und dann ein Muster in den Sand. Und Gott sah, dass es gut war.
Dann wandte sich Gott an Eva: »Nun, hier ist das andere«, sagte Er. »Du kannst es haben.«
»Danke«, antwortete Eva. »Wie nennt man es?«
Gott lächelte zurück und antwortete: »Multipler Orgasmus.«

Vor einigen Jahren forderte eine feministische Gruppe in Schweden, dass Urinale verboten werden müssten, weil Männer, die im Stehen pinkeln, »in ihrer Männlichkeit triumphieren« und damit die Frauen erniedrigen würden. Sie erhielten nicht allzu viel Unterstützung. Gelegentlich, meist in schicken Werbeagenturen in den USA, werden Urinale zu Gunsten von Unisex-Toiletten abgeschafft, die alle individuelle Kabinen haben. Allerdings geschieht das mehr wegen der Kostenersparnis und optimalen Raumnutzung als aus Gründen der Gleichberechtigung. Eine holländische Firma gab im Jahr 2000 bekannt, das weltweit erste »weibliche Urinal« auf den Markt zu bringen. Bis jetzt hat sie damit jedoch keinen globalen Erfolg erzielt.

Einer unserer Leser schilderte uns, wie er und seine Frau mit dem ständigen Streit um die Klobrille umgehen:

»Frauen sollten verstehen, dass der Penis eines Mannes manchmal ein Eigenleben führt. Ein Mann kann in eine Toilettenkabine gehen (weil alle Urinale besetzt sind) und die Toilette genau anvisieren, und sein Penis wird es dennoch irgendwie schaffen, über das Klopapier an der Wand, das linke Hosenbein und auf den Schuh zu spritzen. Ich sage Ihnen, seinem Johannes darf man nicht trauen.

Nach 28 Jahren Ehe hat meine Frau mich erzogen. Ich darf nicht mehr wie ein Mann aufrecht stehend pinkeln. Ich muss mich setzen. Sie hat mich überzeugt, dass dies nur ein geringes Opfer ist. Sonst wird sie mich, wenn sie noch einmal nachts auf die Toilette geht und entweder auf einer Urin bespritzten Klobrille sitzt oder in die Toilette fällt, weil ich die Brille nicht runtergeklappt habe, im Schlaf ermorden.«

Erschwerend kommt das Problem der Morgenerektion hinzu, mit der das Zielen noch schwieriger ist. Damit wäre auch geklärt, warum manchmal die Wand nass wird. Selbst beim Sitzen, berichtet unser Briefschreiber, gebe es mechanische Probleme, die nur Männer verstehen. Er hat mittlerweile die Kunst perfektioniert, bäuchlings über der Toilettenschüssel in einer Art »Fliegender Supermann«- Position zu liegen, damit ja nichts danebengeht.

»Frauen müssen einsehen, dass man den Männern nicht allein die Schuld geben darf. Wir können ihre Sorge um Hygiene und Sauberkeit im Badezimmer nachvollziehen, aber es gibt Zeiten, in denen wir einfach die Kontrolle über die Dinge verlieren. Das ist nicht unsere Schuld, sondern die Schuld von Mutter Natur. Wenn es Vater Natur wäre ... gäbe es kein Problem ...«

In Wirklichkeit kümmert es Männer nicht, ob die Klobrille oben oder unten ist, sie ärgern sich jedoch über Frauen, die verlangen, dass sie die Brille runterklappen, anstatt sie höflich zu bitten, oder noch besser – es selbst zu machen.

Lösung

Einen Mann zu bitten, sich beim Pinkeln zu setzen, ist normalerweise kein Problem. Wenn sich der Mann weigert, sollte er ruhig, aber bestimmt darauf hingewiesen werden, dass Hunderttausende Männer in der muslimischen Welt jeden Tag im Sitzen pinkeln, ohne dass dadurch ihre Männlichkeit in irgendeiner Form beeinträchtigt wird. Vom Propheten Mohammed heißt es, er habe nur einmal im Stehen uriniert, und zwar in einem Garten, in dem man sich unmöglich setzen konnte. Wenn das einen Mann nicht überzeugt, sollten Sie einfach eine neue Hausordnung aufstellen. Von nun an ist das Putzen der Toilette seine Aufgabe, und das heißt, dass er jeden Tag den Boden aufwischen muss, um die verirrten Tröpfchen zu beseitigen. Das kann schon sehr bald ein ganz neues, positives Licht auf das Pinkeln im Sitzen werfen …
Wenn Sie es sich leisten können, lautet die Ideallösung, sich ein Haus oder eine Wohnung mit zwei Toiletten zu kaufen – eine für ihn und eine für Sie, oder zu renovieren und eine zusätzliche Toilette einzubauen. Auf diese Weise hat jeder die Sauberkeits- und Hygienestandards seiner Wahl, ohne sich über den anderen ärgern zu müssen.

5. *Warum kaufen Männer nicht gern ein?*

Das Dasein als Mann hat den Vorteil, dass man sich zwei Anzüge, drei Hemden, einen Gürtel, drei Krawatten und zwei Paar Schuhe in weniger als acht Minuten kaufen kann. Und noch besser: Damit ist ein Mann bis zu neun Jahre lang versorgt. Er kann die Weihnachtsgeschenke für die ganze Familie eine Stunde vor Ladenschluss am 24. Dezember in weniger als 40 Minuten kaufen, und das auch noch ganz allein.

EINEM MANN REICHEN EIN PAAR SCHUHE, EIN ANZUG UND EINIGE HEMDEN JAHRELANG. AUCH DER HAARSCHNITT HÄLT JAHRE, WENN NICHT JAHRZEHNTE. FOLGLICH MACHT AUCH SEINE BRIEFTASCHE VIEL LÄNGER MIT.

Die meisten Männer halten Einkaufen für ebenso vergnüglich wie eine Prostatauntersuchung von einem Arzt mit eiskalten Händen. Der britische Psychologe Dr. David Lewis kam zu dem Schluss, dass der Stress, den Männer bei den Weihnachtseinkäufen empfinden, mit der Belastung vergleichbar ist, der ein Polizist ausgesetzt ist, wenn er bei Unruhen mit einem wütenden Mob zu kämpfen hat. Für die meisten Frauen ist Einkaufen dagegen eine beliebte Form, Stress abzubauen.

Die Gründe sind offensichtlich, wenn man sich mit der unterschiedlichen Entwicklungsgeschichte von Mann und Frau und der damit verbundenen unterschiedlichen Vernetzung ihrer Gehirne beschäftigt. Das Dasein als Jäger ließ bei den Männern eine Art Tunnelblick entstehen, mit dem sie sich auf schnellstem Weg direkt von A nach B bewegen können. Die zahlreichen Zickzackbewegungen zwischen anderen Kauflustigen und von Laden zu Laden, zu denen man bei einer Einkaufstour gezwungen ist, sind dem Mann unangenehm, weil eine Richtungsänderung bei ihm eine bewusste Entscheidung verlangt. Frauen mit ihrer breiteren, peripheren Wahrnehmung kreuzen dagegen mit Leichtigkeit durch ein überfülltes Einkaufszentrum.

Männer haben sich evolutionsbedingt zu Geschöpfen entwickelt, die rasch Beute machen und dann wieder zurück in ihre Höhle wollen. Auch heute noch möchten Männer so einkaufen. Frauen kaufen ein, wie ihre weiblichen Urahnen sammelten: Sie zogen einen Tag lang mit einer Gruppe anderer Frauen zu einem Ort, an dem laut Aussage einer Frau schmackhafte Dinge wuchsen. Ein bestimmtes Ziel oder eine vorgegebene Richtung waren nicht erforderlich, und auch zeitliche Begrenzungen waren ohne Bedeutung. Die Frauen zogen den ganzen Tag lang durch die Gegend und drückten, schnüffelten, betasteten und probierten all die interessanten Dinge, die sie fanden. Gleichzeitig redeten sie miteinander über verschiedene, scheinbar unzusammenhängende Themen. Wenn sie nichts fanden oder die Früchte noch nicht reif waren und sie abends mit leeren Händen zurückkehrten, waren sie trotzdem froh und munter, weil sie einen schönen Tag gehabt hatten.

Für Männer ist dieses Konzept unfassbar. Wenn ein Mann mit anderen Männern einen ganzen Tag ohne klare Richtung, ohne Ziel oder Zeitvorgabe durch die Gegend gestreift und heimgekehrt wäre, ohne etwas vorweisen zu können, wäre er als Versager dagestanden. Deswegen kommt ein Mann heute, wenn man ihn bittet, auf dem Weg von der Arbeit Milch, Brot und Eier mitzubringen, manchmal mit Sardinen und Gummibärchen heim. Er hat vergessen, was er kaufen sollte, und bringt stattdessen ein paar »Sonderangebote« mit – seine eigene schnelle Beute.

EINE FRAU ORIENTIERT SICH BEI IHRER KLEIDUNG AM WETTER, AN DER JAHRESZEIT, AN DER MODE, DARAN, WELCHE FARBEN IHR STEHEN, WOHIN SIE GEHT, WIE SIE SICH AN DEM TAG FÜHLT, WEN SIE TREFFEN UND WAS SIE MACHEN WIRD. EIN MANN SCHNÜFFELT EINFACH AN EINEM KLEIDUNGSSTÜCK, DAS ER ÜBER EINEM STUHL HAT HÄNGEN LASSEN.

Die Forschung hat gezeigt, dass Männer nicht nur eine Abneigung gegen das Einkaufen von Lebensmitteln und Kleidern haben, sondern dass es aufgrund des Stresses sogar gesundheitsschädlich für sie ist. Dennoch gibt es Möglichkeiten, wie Sie einem Mann ein positives Einkaufserlebnis vermitteln können.

Lebensmittel kaufen

Der Mann muss immer den Einkaufswagen schieben. Männer haben gern alles unter Kontrolle und »fahren« gern den Wagen. Dabei können sie ihr räumliches Denken einsetzen: um Ecken steuern, den richtigen Anfahrtswinkel zum Regal wählen, die Geschwindigkeit bestimmen und so weiter. Männer mögen sogar den Einkaufswagen mit dem blockierenden Rad, weil dieser eine noch größere Herausforderung an ihre Fähigkeiten stellt. Viele Männer machen dabei im Stillen *Brrrrummmm Brrrrummmm*, als ob sie noch kleine Jungs wären.

Fragen Sie ihn, wie die Lebensmittel seiner Meinung nach am besten im Wagen zu verstauen sind, denn dabei kann er wieder sein räumliches Vorstellungsvermögen einsetzen.

Frauen gehen beim Einkaufen gerne kreuz und quer durch den Supermarkt und haken eine Liste ab, Männer bevorzugen dagegen einen geraden Kurs, kaufen nach dem Gedächtnis ein und untersuchen jeden Gegenstand, der gut aussieht. Folglich bringt er immer die gleichen Sachen nach Hause.

So stehen zum Beispiel im Vorratsschrank eines Mannes 26 Dosen Ravioli und 9 Gläser Tomatensauce, aber kaum etwas anderes.

Während Sie zwischen den Regalreihen kreuzen, sollten Sie Ihrem Mann klare Anweisungen geben: Nennen Sie stets Marke, Geschmacksrichtung und Größe der gesuchten Artikel und spornen Sie ihn an, den günstigsten Preis zu finden. Loben Sie ihn, wenn er etwas findet und bringt. Fragen Sie ihn stets, was er gerne essen möchte, geben Sie ihm viele Streicheleinheiten und kaufen Sie ihm ein Leckerli wie zum Beispiel Schokolade.

Als Frau tippen Sie sich jetzt vielleicht mit dem Finger an den Kopf und fragen: »Und das alles nur, um Lebensmittel zu kaufen?!« Aber Sie müssen bedenken, dass das männliche Gehirn nicht aufs Einkaufen ausgelegt ist, und deshalb braucht Ihr Mann Anreize.

Kleidung kaufen

Viele Frauen haben den Eindruck, dass Männer biologisch vorprogrammiert sind, sich hässliche Klamotten zu kaufen. Das ist gar nicht so abwegig. Mindestens 100 000 Jahre lang hatte Kleidung für Frauen die Funktion, Männer anzulocken, Männer dagegen schreckten mit ihrer Kleidung Feinde ab. Männer bemalten sich Gesicht und Körper, steckten sich Knochen durch die Nase, trugen einen Büffelschädel auf dem Kopf oder banden sich einen Stein an den Penis. Es würde uns nicht überraschen, wenn Wissenschaftler entdecken würden, dass Männer, vor allem heterosexuelle Männer, ein Gen für schlechte Kleidung haben.

WIR HALTEN STETS HÄNDCHEN.
WENN ICH SIE LOSLASSE, KAUFT SIE EIN.
ALLAN PEASE

Für den Kauf von Kleidung gelten die gleichen Motivationsprinzipien wie für den Lebensmitteleinkauf – nennen Sie einem Mann die Größe, Farbe, den Stoff und den Preis und schicken Sie ihn auf die Jagd. Das männliche Gehirn ist darauf ausgelegt, sich auf eine einzige Aufgabe zu konzentrieren.

WELCHEN SCHLUSS LEGT JEDER GUT GEKLEIDETE MANN NAHE?
SEINE FRAU SUCHT DIE KLEIDER FÜR IHN AUS.

Ein Hinweis darauf, wie Männer einkaufen, ergab sich aus einer Untersuchung mit Hühnern. Den Hühnern wurden männliche Hormone ins Futter gemischt. Anschließend wurden sie mit gefärbten Körnern gefüttert. Alle pickten zuerst nach den roten Körnern, bis keine mehr da waren, und fraßen dann die gelben Körner. Die anderen Hühner, die nicht mit Hormonen behandelt worden waren, fraßen die verschiedenfarbigen Körner ohne bestimmte Reihenfolge.

Lösung

Geben Sie einem Mann nicht mehrere Aufgaben gleichzeitig und versuchen Sie ihn nicht davon zu überzeugen, dass Sie viel Geld sparen, wenn Sie noch mehr kaufen. Fragen Sie ihn nie: »Steht mir das blaue Kleid besser als das goldene?« Ein Mann wird bei einer solchen Frage nervös, weil er weiß, dass er auf keinen Fall das Richtige sagen kann und sich blamieren wird. Die meisten Männer besitzen nur zwei Paar Schuhe. Das männliche Gehirn ist nur in begrenztem Maße dazu fähig, Muster und Schnitte miteinander zu kombinieren, außerdem ist einer von acht Männern farbenblind und erkennt weder Rot noch Blau oder Grün. Wenn eine Frau einen Mann bittet, etwas für sie zu kaufen oder ihr ein Kleidungsstück in die Kabine zu bringen, muss sie ihm die genaue Größe nennen. Wenn er es eine Nummer zu groß bringt, wirft sie ihm vor, er wolle andeuten, sie sei zu dick. Bringt er das Kleidungsstück eine Nummer zu klein, denkt sie, sie habe zugenommen. Wenn sie einem Mann Kleider vorführt, muss sie ihm nur sagen, er solle jedes Kleidungsstück mit einer Zahl zwischen eins und zehn bewerten. Nie darf sie vergleichende Fragen stellen wie: »Ist das grüne besser als das gelbe?« Wenn eine Frau den Mann draußen vor der Kabine in dem Stuhl »für gelangweilte Ehemänner« zurücklässt, sollte sie stets für eine Vesper sorgen.

Selbst mit diesen Strategien sind die meisten Männer beim Einkaufen nur 30 Minuten aufnahmefähig. Wenn Sie dennoch darauf bestehen, ihn zum Einkaufen mitzunehmen, sollten Sie in der Nähe eines großen Baumarktes bummeln, so dass er im schlimmsten Fall den neuesten Black & Decker Akku-Schwingbohrhammer ausprobieren darf, mit dem man vollkommen runde, winzige Löcher kopfüber ohne Leiter in eine Gipsdecke bohren kann, wenn das Schicksal das von einem verlangt.

6. Warum haben Männer so eklige Angewohnheiten?

Frauen beklagen immer wieder, dass Männer viele üblere Angewohnheiten haben als Frauen, doch die Forschung belegt diese These nicht. Männer akzeptieren die in ihren Augen schlechten Angewohnheiten der Frauen eher und achten weniger auf Details als Frauen. Daher fällt ihnen oft gar nicht auf, wenn eine Frau sich schlecht benimmt.

> ES IST SCHÖN EIN MANN ZU SEIN, DENN MAN MUSS
> NICHT DEN RAUM VERLASSEN, WENN MAN
> SEIN BESTES STÜCK ZURECHTRÜCKT.

Auf der Liste der Gewohnheiten, die Frauen ärgern, stehen Rülpsen, in der Nase bohren, Körpergeruch, das Tragen alter Unterwäsche und das Kratzen im Schritt. Doch an allererster Stelle steht das Furzen.

Flatulenz, *Substantiv, weiblich:* Ein peinliches Nebenprodukt der Verdauung
männlich: Ein unerschöpflicher Quell der Unterhaltung, Selbstdarstellung
und männlichen Kameradschaft

Furzen ist für Frauen generell nicht akzeptabel, obwohl es im wahrsten Sinne des Wortes Ausdruck eines gesunden Körpers und einer guten Ernährung ist.

Männer entdecken das Furzen als unterhaltsamen Zeitvertreib etwa im Alter von zehn Jahren, wenn sich ein Junge bei seinen Kameraden dank seiner Fähigkeiten im Furzen profilieren kann, wie etwa Stimmen zu imitieren oder mit Hilfe eines Feuerzeugs eine bläuliche Flamme durch den Raum zu schicken. Diese Glanzleistungen halten Jungen für größere Errungenschaften als die Entdeckung eines Mittels gegen Kinderlähmung. Fast ebenso beliebt ist Wetttrülpsen.

Der berühmteste Furzer der Welt war Joseph Pujol, der 1892 als Star im Moulin Rouge in Paris unter dem Namen »Le Pétomane« auftrat. Er begann seine Darbietung mit einer bemerkenswerten Bandbreite von Fürzen für die Stimmen verschiedener Charaktere. Pujol konnte mit Hilfe einer Röhre, die an seinem Hintern angebracht war, eine Zigarette rauchen, außerdem spielte er die französische Nationalhymne auf einer Flöte, die ebenfalls von seinem Hintern geblasen wurde.

Angeblich lachten Frauen über seinen Auftritt wesentlich mehr als Männer, einige wurden sogar ohnmächtig vor Lachen und mussten ins Krankenhaus gebracht werden.

Fakten zur Flatulenz

Während 96,3 Prozent der Männer zugeben, dass sie furzen, bekennen sich nur 2,1 Prozent der Frauen dazu. Männer setzen im Durchschnitt 1,5 bis 2,5 Liter Gas am Tag frei, das sind etwa 12 Fürze – genug, um einen kleinen Ballon zu füllen.

Frauen furzen durchschnittlich nur siebenmal am Tag und sondern 1 bis 1,5 Liter Gas ab. Der Hauptgrund für starke Blähungen ist, dass man beim Essen oder generell zu viel redet, denn dadurch gelangt Luft in das Verdauungssystem. Obwohl viel davon durch Rülpsen wieder ausgestoßen wird, bleibt ein Teil im Körper und gelangt in den Dünndarm. Dort vermischt sich die Luft mit anderen Gasen und wartet nur darauf, in die nichts ahnende Welt hinauszuknattern.

1956 schaffte es Bernard Clemmens aus London, einen Furz von 2 Minuten und 42 Sekunden Dauer zu lassen. Die Zeit wurde auf Band mitgeschnitten.

WARUM FURZEN MÄNNER MEHR ALS FRAUEN?
FRAUEN HÖREN NICHT LANGE GENUG AUF ZU REDEN,
UM DRUCK AUFZUBAUEN.

Die Gase bei einem Furz bestehen zu 50 bis 60 Prozent aus Stickstoff und zu 30 bis 40 Prozent aus Kohlendioxyd. Die verbleibenden 5 bis 10 Prozent sind Methan, das als Grubengas Explosionen in Bergwerken auslöst, und Wasserstoff, der als Bombe ganze Städte zerstören kann. Ähnlich stinkende Gase entstehen übrigens auch in faulen Eiern.

Blähende Lebensmittel

Blähungen verursachen unter anderem Blumenkohl, Zwiebeln, Knoblauch, Weißkohl, Brokkoli, Kleie, Brot, Bohnen, Bier, neuer Wein sowie Obst und Gemüse im Allgemeinen. Daher furzen Vegetarier mehr, stinken aber deutlich weniger.

Produkte wie Kohletabletten, »Antigas-Präparate«, Pfefferminz und Ingwer verringern die produzierte Menge an Gas. Es gibt auch ein Polster auf Kohlebasis, das eine Verringerung des Geruchs um 90 Prozent verspricht, wenn man darauf sitzt.

Rinder und Schafe sondern etwa 35 Prozent des Methangases in der Atmosphäre ab und tragen so zur globalen Erwärmung und zum Ozonloch bei. Nicht Terroristen sind die größte Bedrohung für die Welt, sondern furzende Kühe!

Lösung

Abhilfe verspricht eine gesunde Ernährung mit weniger blähenden Lebensmitteln. Nach dem Essen sollte der Mann Pfefferminztee statt Kaffee trinken. Auch Trennkost, bei der eine Mahlzeit nicht Kohlenhydrate und Eiweiß zugleich enthalten darf, hat sich als hilfreich erwiesen.

ZWEI STUNDEN VOR DEM SCHLAFENGEHEN SOLLTEN MÄNNER KEINE BLÄHENDEN NAHRUNGSMITTEL MEHR ZU SICH NEHMEN.

Bringen Sie einen Mann davon ab, beim Essen Wasser zu trinken. Vor dem Essen ist es kein Problem, doch beim Essen werden die Verdauungssäfte durch das Wasser verdünnt, wodurch die Wahrscheinlichkeit für Blähungen steigt. Gehen Sie mit gutem Beispiel voran. Kauen Sie jeden Bissen gut, essen Sie langsam und sehen Sie nicht dabei fern. Wenn er darauf besteht, weiterhin schnell zu essen und häufig zu furzen, brauchen Sie allerdings ein dramatischeres Mittel. Betrachten wir das Beispiel einer unserer Leserinnen:

Wenn Nigel mit Sharon unterwegs war, hatte er einen Riesenspaß daran, in aller Öffentlichkeit, zum Beispiel in einem Kaufhaus, zu furzen. Danach verzog er keine Miene, so dass niemand ihn verdächtigte. Wenn sich Umstehende nach dem Paar umsahen, schien Sharon eindeutig die Übeltäterin zu sein, denn sie wurde knallrot und war ganz verlegen. Nigel hielt das alles für einen Riesenspaß, mal abgesehen von dem Krach, den er danach regelmäßig mit Sharon hatte. Daheim furzte er im Bett und bezeichnete das als »Test für wahre Liebe«.

Sharon beschloss, »furzfreie Zonen« im Schlafzimmer und in der Küche einzurichten. In der Öffentlichkeit musste er ihr mindestens zwei Minuten vor der Gaseruption sagen, dass er Blähungen hatte. Wenn er sich nicht daran hielt, zog sie eine Rolle Klopapier aus der Handtasche und rief: »Vielleicht hilft das?«

Auch Haustiere können helfen. Beim Geräusch oder Geruch eines Furzes kann man sich leicht dem Hund oder der Katze zuwenden und das Tier laut tadeln.

Ein besonders überzeugendes Argument ist bei jedem Mann das Angebot sexueller Belohnung, wenn er sich gut benimmt. Eine Frau kann dem Mann klar machen, wie sehr er ihr die Lust durch sein Furzen im Schlafzimmer verdirbt. Wenn er seine Ernährung umstellt, um weniger Blähungen zu haben, hat er vielleicht zum Trost ein erfüllteres Sexualleben.

7. Warum mögen Männer schmutzige Witze?

Humor und Witze haben bei Männern drei Zwecke: Mit einem guten Repertoire von Witzen imponieren sie anderen Männern, sie bewältigen mit Witzen tragische Ereignisse oder deren Folgen, und Witze helfen ihnen, die Wahrheit bei einem akuten Problem einzugestehen. Deshalb haben viele Witze eine Katastrophe als Pointe. In der Frühzeit der Menschheit diente das Lachen als Warnsignal, mit dem anderen mitgeteilt wurde, dass Gefahr drohte. Affen setzen es auch heute noch so ein. Wenn zum Beispiel ein Schimpanse knapp einem Löwen entkommt, klettert er rasch einen Baum hinauf, legt den Kopf zurück und macht »Huu-Huu-Huu-Ha-Ha-Ha«-Geräusche, die ähnlich wie das menschliche Lachen klingen. Damit werden die anderen Schimpansen vor der Gefahr gewarnt. Lachen ist eine Erweiterung des Weinens, und Weinen ist eine Reaktion auf Erschrecken und Angst, die Kinder von Geburt an zeigen. Wenn man ein Kind beim »Guck-Guck-Spielen« erschreckt, weint es zunächst vor Angst. Erkennt das Kind dann, dass die Situation nicht lebensbedrohlich ist, lacht es und zeigt damit, dass es zwar Angst hatte, nun aber das Spiel durchschaut hat.

Computertomographien zeigen, dass Männer mehr über Dinge lachen, die die rechte Gehirnhälfte stimulieren, bei Frauen ist es dagegen genau umgekehrt. In Amerika brüstet sich die Rochester University damit, ihre Wissenschaftler hätten herausgefunden, wo der männliche Sinn für Humor steckt: angeblich im Stirnlappen über dem rechten Auge. Männer mögen Humor oder Witze, die einen logischen Ansatz haben, Schritt für Schritt vorgehen und deren Schlussfolgerung jedoch trotzdem schwer vorherzusagen ist. Hier sind einige, relativ zahme Witze, die das männliche Gehirn stimulieren:

1. Was ist der Unterschied zwischen einer Nutte und einem Flittchen?

Eine Nutte schläft mit jedem.
Ein Flittchen schläft mit jedem außer mit dir.
2. Was ist der Unterschied zwischen einer Frau mit prämenstruellem Syndrom und einem Terroristen?
Mit dem Terroristen kann man verhandeln.
3. Warum geben Männer ihrem Penis einen Namen?
Weil sie nicht wollen, dass ein völlig Fremder die wichtigsten Entscheidungen für sie trifft.

Ein wichtiger Unterschied zwischen den Geschlechtern besteht darin, dass Männer gerne Witze über Tragödien, schreckliche Ereignisse und die männlichen Genitalien reißen. Die Sexualorgane der Frau vollbringen bei der menschlichen Fortpflanzung erstaunliche Leistungen, sind sicher verstaut und würden sich, wenn man sie auseinander ziehen würde, über eine Länge von vier Kilometern erstrecken. Dennoch machen Frauen nie Witze darüber, geben ihnen keine Kosenamen und behandeln sie auch nicht als Quell der Heiterkeit.

Die Sexualorgane des Mannes hängen an seiner Vorderfront in einer verletzlichen und gefährdeten Position (ein weiterer Beweis, dass Gott eine Frau ist) und geben Männern ständig Anlass zu Heiterkeitsausbrüchen. Weiblicher Humor bezieht sich auf Menschen, Beziehungen und Männer. Einige Beispiele:

1. Was kann man einem Mann sagen, der gerade Sex hatte?
Alles, was man will – er schläft.
2. Wie muss der perfekte Liebhaber beschaffen sein?
Er schläft mit dir bis 2 Uhr morgens und verwandelt sich dann in Schokolade.
3. Warum täuschen Männer keinen Orgasmus vor?
Weil kein Mann freiwillig solche Grimassen schneiden würde.

Das männliche Gehirn kann sich erstaunlich viele Witze merken. Manche Männer erzählen Witze, die sie in der vierten Klasse hörten, kennen aber nicht die Namen der besten Freunde ihrer Kinder. Männer halten es für wahnsinnig komisch, einer Gruppe älterer Damen und vor allem Nonnen aus dem vorbeifahrenden Auto ihren nackten Hintern entgegenzustrecken, Sekundenkleber oder Frischhaltefolie auf Klobrillen anzubringen, einen Furzwettbewerb zu veranstalten oder einen angehenden Bräutigam nackt und betrunken an einen Laternenmast im Stadtzentrum zu fesseln. Die wenigsten Frauen amüsieren derlei Scherze.

Witze sind für Männer ein so wichtiges Kommunikationsmittel, dass die E-Mail-Netzwerke und Faxgeräte weltweit nach jeder Katastrophe mit entsprechenden Witzen förmlich überschwemmt werden. Ob Prinzessin Diana bei einem Unfall stirbt, ob am 11. September die Twin Towers zerstört werden oder ob die Jagd auf Osama bin Laden misslingt, das männliche Gehirn wird sofort aktiv.

OSAMA BIN LADEN HAT 53 GESCHWISTER, 13 FRAUEN, 28 KINDER UND BESITZT EIN VERMÖGEN VON ÜBER 300 MILLIONEN DOLLAR. ABER ER HASST DIE AMERIKANER WEGEN IHRES AUFWÄNDIGEN LEBENSSTILS ...

Der Unterschied zwischen Männern und Frauen zeigt sich darin, wie sie mit starken Gefühlen umgehen. Frauen werden mit Katastrophen oder Tragödien fertig, indem sie ihre Gefühle anderen gegenüber ausdrücken, Männer dagegen behalten ihre Gefühle für sich. Mit Hilfe von Witzen »sprechen« Männer auf ihre Art über ein Ereignis, ohne starke Gefühle zu zeigen, denn diese könnten als Schwäche gedeutet werden.

Wie Witze und Humor den Schmerz lindern

Lachen und Weinen veranlassen das Gehirn, Endorphine auszuschütten. Endorphine sind chemische Stoffe, die ähnlich wie Morphium und Heroin zusammengesetzt sind. Sie haben eine beruhigende Wirkung und stärken das Immunsystem. Deswegen werden glückliche Menschen selten krank, unglückliche Leute, die sich viel beklagen, werden anscheinend häufiger krank.

Aus psychologischer und physiologischer Sicht sind Lachen und Weinen eng miteinander verbunden. Denken Sie an das letzte Mal, als Ihnen jemand einen Witz erzählt hat, über den Sie lauthals lachten. Wie fühlten Sie sich danach? Das prickelnde Gefühl kam von Ihrem Gehirn, das Endorphine ausschüttete und Sie so auf natürliche Weise »high« machte. Im Prinzip waren Sie »stoned«. Wer Schwierigkeiten hat, das Leben von der heiteren Seite zu sehen, versucht oft mit Drogen, Alkohol oder Sex das gleiche Gefühl zu erreichen. Alkohol wirkt enthemmend, angeheitert lachen die Menschen mehr und Endorphine werden ausgeschüttet. Die meisten angepassten Menschen lachen mehr, wenn sie Alkohol trinken, unglückliche Menschen werden dagegen noch trauriger oder sogar gewalttätig.

Nach einem heftigen Lachanfall sagt man oft: »Ich habe gelacht, bis mir die Tränen kamen!« Tränen enthalten Enkephalin, ein weiteres körpereigenes Beruhigungsmittel, das den Schmerz lindert. Wir weinen, wenn wir Schmerz empfinden, und Endorphine und Enkephalin helfen, ihn zu betäuben.

Ein Witz basiert oft darauf, dass jemandem etwas Furchtbares oder Schmerzhaftes zugestoßen ist. Weil wir wissen, dass das Ereignis nicht *wirklich* ist, lachen wir und setzen dabei zur Selbstbetäubung Endorphine frei. Wenn das Ereignis wirklich wäre, würden wir weinen, und der Körper würde Enkephalin ausschütten. Daher lacht man manchmal, bis einem die Tränen kommen. Viele Menschen weinen in einer schweren emotionalen Krise, zum Beispiel bei einem Todesfall, es kommt aber immer wieder vor, dass jemand lacht, weil er den Tod mental nicht akzeptieren kann. Wenn er dann das Unabänderliche begreift, wird aus dem Lachen Weinen.

Lachen betäubt den Körper, stärkt das Immunsystem, schützt vor Krankheit und Leiden, unterstützt das Gedächtnis, trägt zum effizienten Lernen bei und verlängert das Leben. Humor ist tatsächlich die beste Medizin. Forschungen in vielen Ländern belegen, wie die positiven Effekte des Lachens dank der Ausschüttung körpereigener Schmerzmittel das Immunsystem stärken. Nach dem Lachen beruhigt sich der Puls, die Atmung wird intensiver, die Arterien weiten sich und die Muskeln entspannen sich.

Männer benutzen das Lachen, um mit Gefühlen und Schmerzen umzugehen. Je schwieriger es für einen Mann ist, über bestimmte Gefühle zu sprechen, desto herzhafter wird er lachen, wenn jemand einen Witz darüber reißt, so herz- und gefühllos er Frauen auch erscheinen mag. Männer reden mit anderen Männern selten über ihr Sexualleben, daher reißen sie Witze darüber und tauschen sich auf diese Weise aus. Frauen dagegen besprechen ihr Sexualleben mit ihren Freundinnen bis ins kleinste Detail, ohne jemals auf Witze zurückzugreifen.

Seien Sie nicht gekränkt

Solange es Ostfriesen gibt, wird es auch Ostfriesenwitze geben. Oder Witze über Asiaten oder Australier oder Blondinen. Auch jede Tragödie wird unweigerlich Witze als Reaktionen hervorbringen.

Sich kränken zu lassen ist eine Entscheidung. Andere können einen nicht kränken – Sie selbst entscheiden, ob Sie sich kränken lassen. Und eine gekränkte Miene zeigt den anderen, dass man mit dem Problem, das der Witz anspricht, nicht umgehen kann. Wir sind Australier und leben in England, und die Engländer erzählen uns ständig Witze über Australier: »Was ist der Unterschied zwischen Australien und Jogurt? Tja, Jogurt hat zumindest ein bisschen Kultur!« »Warum sind Australier so ausgeglichen? Weil sie auf jeder Seite eine Macke haben.« Und: »Was ist der Unterschied zwischen einem überfahrenen Australier und einem überfahrenen Känguru? Vor dem Känguru sind Bremsspuren.«

Von solchen Witzen sollten sich Australier nicht kränken lassen. Wenn der Witz gut ist, lachen sie so fröhlich wie die Engländer. Später verändern sie ihn vielleicht sogar, damit er auf Neuseeländer oder Amerikaner passt. Sich für die Kränkung zu entscheiden, ist eine negative Entscheidung wie Scham, Verlegenheit oder Schmerz. Diese Entscheidungen können anderen zeigen, dass man ein geringes Selbstwertgefühl hat, seine Gefühle nicht kontrollieren oder nicht spontan auf eine Situation reagieren kann.

Man kann verlegen auf einen Witz reagieren, in dem behauptet wird, jemand aus dem eigenen Land sei dumm. Doch das bedeutet nicht, dass die Leute dort tatsächlich dumm sind (und selbst wenn man der gleichen Ansicht ist, werden die Leute dort auch nicht klüger, wenn man den Erzähler des Witzes beschimpft). Man kann wütend werden, weil man im Stau steckt, doch davon löst sich der Stau nicht auf. Wenn man ruhig analysiert, warum der Verkehr ins Stocken geriet, kommt man vielleicht auf eine Lösung, die das Problem behebt. Wut führt zu nichts.

Wenn ein Mann unpassende Witze zur falschen Zeit oder am falschen Ort erzählt, sagen Sie ihm einfach, dass Ihnen das nicht gefällt und er aufhören soll. Wenn er trotzdem weitermacht, gehen Sie einfach weg und machen Sie etwas anderes.

Bei einem Abendessen ist das natürlich schwierig, vor allem, wenn Sie die Gastgeberin sind. Der Mann, dem Sie gesagt haben, er solle aufhören, solche Witze zu erzählen, fühlt sich dadurch vielleicht vor den anderen gedemütigt und erzählt noch grässlichere Witze. In solchen Fällen sollten Sie besser auf die Taktik zurückgreifen, ein Gespräch über seine Witze in Gang zu bringen, beispielsweise mit der Bemerkung: »Kennen Sie auch Witze, die nicht so unanständig sind, oder sind etwa alle Witze unanständig?« So kann sich aus dem Tischgespräch eine allgemeine Diskussion über Humor entwickeln. Und Sie können Ihre Gäste natürlich mit Ihrem umfangreichen Wissen beeindrucken, warum Männer und Frauen über unterschiedliche Witze lachen!

Erlerntes Verhalten – seine Mutter ist schuld!

Manche Frauen betrachten Männer als ungezogene kleine Jungen, die nie erwachsen werden. Sie behaupten, dass Männer einfach ihre Kleider auf den Boden werfen, nicht im Haushalt helfen, ihre Sachen nicht finden, ständig bedient werden wollen und nie zugeben, einen Fehler gemacht zu haben. Das Gehirn der Frau ist darauf ausgelegt, andere zu hätscheln und zu bemuttern, vor allem ihre Söhne. Frauen räumen hinter ihrem Sohn her, kochen ihm sein Lieblingsessen, bügeln seine Wäsche, geben ihm Geld und schützen ihn vor den Unbilden des Lebens. Folglich werden viele Jungen erwachsen und besitzen nur geringe Fertigkeiten im Haushalt. Auch darüber, wie eine Beziehung zu einer Frau funktioniert, wissen sie nur wenig. Die Söhne fühlen sich von Frauen angezogen, die sie wie ihre Mutter hätscheln und verwöhnen. Am Anfang einer neuen Beziehung lassen sich viele Frauen darauf ein, einen Mann zu bemuttern. Wenn sie aber erkennen, dass daraus eine dauerhafte Rolle wird, werden sie sauer. Eine Frau muss wissen, dass ein Mann sie als Mutterfigur betrachtet, wenn sie ihn ständig hätschelt, und darauf mit Geschrei, Wutanfällen und Weglaufen reagiert. Denn kein Mann findet seine Mutter sexuell attraktiv.

Wie erzieht man einen Mann um?

Jemanden dazu zu erziehen, das zu tun, was man will, funktioniert bei Kindern und Erwachsenen gleich. Man belohnt das Verhalten, das man möchte, und ignoriert das Verhalten, das man nicht möchte. Wenn ein Mann also beispielsweise Kleidung oder nasse Handtücher auf dem Boden liegen lässt, anstatt sie in den Wäschekorb zu werfen, sollten Sie ihm sanft erklären, dass Sie die Sachen gerne im Wäschekorb hätten, damit sie gewaschen werden können. Wenn er sich nicht bessert, dürfen Sie die Sachen nicht aufheben. Wenn die Unordnung Sie stört, verkünden Sie ihm ruhig, dass Sie die Sachen in eine Plastiktüte stecken und in seinem Schrank, unter dem Bett oder in seiner Werkstatt verstauen werden. So weiß er zumindest, wo die Sachen sind, wenn er sie braucht (allerdings sind sie dann nicht gewaschen!). Der Trick besteht darin, dass Sie Ihre Absichten vorher bekannt geben und es vermeiden, sarkastisch, wertend oder aggressiv aufzutreten, denn das bewirkt bei einem Mann normalerweise genau das Gegenteil. Wenn er schließlich saubere Unterwäsche, Hemden oder Handtücher braucht, ist das einzig sein Problem. Entsprechend verfahren Sie, wenn er Werkzeug oder anderen Kram im Haus herumliegen lässt. Sagen Sie ihm, dass Sie alles in einen Schrank oder eine Schublade stopfen werden. Bringen Sie die Sachen nicht in seine Werkstatt oder an einen Ort, der ihm angenehm ist, denn sonst wird er in seinem asozialen Verhalten noch bestärkt. Wenn Sie Ihren Mann umerziehen wollen, müssen Sie dem Drang widerstehen, hinter ihm herzuräumen. Wenn er seine Sachen aufräumt, belohnen Sie ihn mit einem Lächeln oder einem Dankeschön. Einige Frauen stößt die Vorstellung ab, dass sie sich bei einem Mann für so etwas Selbstverständliches wie Aufräumen bedanken. Sie müssen jedoch wissen, dass Männer von ihrer Entwicklungsgeschichte her nicht die Hüter des Hauses sind. Ordnung und Sauberkeit sind ihnen nicht von Natur aus mitgegeben. Wenn eine Mutter ihren Sohn nicht dazu erzogen hat, bleibt es Ihnen überlassen. Wenn Sie andererseits weiter hinter einem Mann (oder Jungen) herräumen, müssen Sie sich damit abfinden, dass Sie als Mutterersatz für ihn fungieren. Vielleicht sind Sie ja mit dieser Rolle glücklich.

Wenn man erst einmal verstanden hat, wie das männliche Gehirn funktioniert, wird man feststellen, dass man mit Männern viel Spaß haben kann. Männer sind überall gleich – sie haben vielleicht eine andere Hautfarbe, eine andere Kultur oder unterschiedliche Glaubensvorstellungen, aber ihr Gehirn arbeitet auf die gleiche Weise, ob sie nun in Triest oder Timbuktu leben.

Der Trick besteht darin, Männer zu managen, anstatt mit ihnen zu streiten, sich über sie zu ärgern oder frustriert zu sein. Auf diese Weise können beide Geschlechter glücklich und zufrieden miteinander leben. Man weiß ja nie, vielleicht fallen den Frauen, wenn sie das nächste Mal nach den sieben Eigenarten von Männern gefragt werden, die sie wahnsinnig machen, nur noch drei ein. Vielleicht.

KAPITEL 3

WARUM FRAUEN WEINEN

DIE GEFAHREN EMOTIONALER ERPRESSUNG

Bisher haben wir einen ernsthaften, aber auch humorvollen Blick auf die Unterschiede zwischen den Geschlechtern geworfen und darauf, wie wir mit diesen Unterschieden umgehen. Nun wollen wir uns der Frage zuwenden, wie Gefühle benutzt werden, um andere unseren Wünschen gefügig zu machen. Alle folgenden Geschichten sind wahr, aber die Namen wurden geändert, um die Übeltäter nicht bloßzustellen.

Manchmal weint man aus einem inneren Bedürfnis heraus, oft jedoch, um die Gefühle anderer zu manipulieren. Männer tun dies relativ selten, doch Frauen benützen häufiger dieses Mittel der emotionalen Erpressung. Manchmal ist ihnen selbst nicht klar, was sie tun. Sie weinen als Reaktion auf eine Konfliktsituation und wissen, dass ihr Gegenüber ein schlechtes Gewissen bekommt und sich – hoffentlich – von ihnen manipulieren lässt. Es ist ein bewusster oder unbewusster Kontrollmechanismus, mit dem andere Menschen – Ehemänner, Geliebte, Kinder, Eltern oder Freunde – zu einer bestimmten Handlungsweise gezwungen werden sollen. Manchmal weinen Frauen auch, um Mitleid zu heischen, weil sie hoffen, für Fehlverhalten wie eine erotische Affäre oder einen Ladendiebstahl milder bestraft zu werden. Dieses Kapitel wird Ihnen helfen, Menschen in Ihrem Leben zu identifizieren, die diese Taktik anwenden, um Sie dazu zu bringen, sich ihren Wünschen zu fügen.

Warum wir weinen

Weinen, *Verb:* schreien, flennen, schluchzen, brüllen, Tränen vergießen, klagen, jammern, weinen, wimmern, heulen

Weinen ist etwas, das wir von Geburt an mit anderen Tieren gemein haben, doch sind Menschen die einzigen Lebewesen, die ihrer Gefühle wegen weinen. Tränen haben beim Menschen dreierlei Funktionen: Sie reinigen die Hornhaut der Augen, sie scheiden

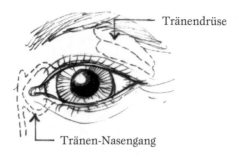

Tränendrüse

Tränen-Nasengang

Die Tränendrüse ist der Hahn, der Tränen-Nasengang das Abflussrohr.

Stressstoffe aus dem Körper aus, und sie sind in einer emotional angespannten Situation ein sichtbares Notsignal.

Tränen werden von einer Drüse oberhalb des Auges gebildet und durch zwei Gänge im inneren Augenwinkel transportiert, die in die Nasenhöhle führen. In Augenblicken starker Gemütsbewegung laufen die fließenden Tränen, die von den Tränen-Nasengängen nicht schnell genug abgesaugt werden, die Wangen hinab.

Warum Frauen häufiger weinen als Männer

Weinen beginnt mit der Geburt und sein Hauptzweck ist es, an die Liebe und den Beschützerinstinkt der Erwachsenen zu appellieren. Für Babys ist Weinen ein Mittel, das zu bekommen, was sie brauchen, und einige Frauen greifen auch als Erwachsene auf dieses Verhalten zurück. Die Tränendrüsen der Frauen sind aktiver als die der Männer, was den stärkeren emotionalen Reaktionen des weiblichen Gehirns entspricht.

Die meisten Frauen erkennen sieben unterschiedliche Bedeutungen im Weinen von Säuglingen und schätzen damit deren Bedürfnisse ein. Männer weinen nur selten in der Öffentlichkeit, vielleicht, weil es für sie aus evolutionärer Sicht gefährlich wäre, Gefühle zu zeigen, vor allem in Gegenwart anderer Männer. Der Mann würde schwach wirken und somit andere ermutigen, ihn anzugreifen. Wenn Frauen hingegen anderen, vor allem Frauen, ihre Gefühle zeigen, wird dies als Zeichen des Vertrauens gewertet, denn die Weinende wird zum Kleinkind und schreibt ihrer Freundin die Rolle der beschützenden Mutter zu.

Es gibt drei nachgewiesene Gründe dafür, weshalb wir weinen:

1. Um die Augen zu reinigen

Viele Zoologen halten dies für ein Relikt aus der aquatischen Ära, in der unsere urzeitlichen Vorfahren im Wasser lebten und Hände und Füße mit Schwimmhäuten sowie nach unten gerichtete Nasenlöcher entwickelten. Die Tränendrüse sondert Flüssigkeit ins Auge ab, und die Tränen-Nasengänge führen sie durch die Nasenhöhle ab.

Weinen dient dazu, Salz und andere Unreinheiten aus dem Auge zu entfernen – eine bei anderen Primaten nicht bekannte Funktion.

Tränen enthalten auch ein Lysozym genanntes Enzym, das Bakterien tötet und Augenentzündungen vorbeugt.

2. Um Stress abzubauen

Die chemische Analyse der Tränen zeigt, dass Stresstränen, also die, die die Wangen hinablaufen, andere Proteine enthalten als Tränen, die der Reinigung der Augen dienen. Der Körper scheidet mit dieser Art von Tränen vermutlich Stressstoffe aus. Das könnte erklären, warum Frauen sich besser fühlen, nachdem sie sich »so richtig ausgeheult haben«, selbst wenn es keinen echten Grund zum Weinen zu geben schien. Tränen enthalten auch Endorphine, die zu den natürlichen Schmerzmitteln des Körpers gehören und emotionalen Schmerz lindern.

3. Um ein emotionales Signal zu setzen

Seehunde und Seeotter weinen, wenn sie emotional leiden, beispielsweise wenn sie ihre Jungen verloren haben. Menschen sind die einzigen Landtiere, die nicht nur aus Herzeleid weinen, sondern auch, um andere zu manipulieren. Tränen sind ein visuelles Signal, mit dem wir andere auffordern, uns zu umarmen und zu trösten. Außerdem fördern sie die Produktion des Hormons Oxytozin, das in uns das Bedürfnis weckt, von anderen berührt und in den Arm genommen zu werden.

SEEHUNDE UND SEEOTTER MANIPULIEREN EINANDER NICHT
MIT TRÄNEN. DAS TUN NUR WIR MENSCHEN.

Sind die Gefühle des Menschen sehr intensiv, dann glänzen oder funkeln die Augen, doch die Tränenproduktion ist noch nicht so groß, dass die Tränen über die Wangen rollen. Dieses Phänomen sieht man bei stolzen Eltern oder Liebenden, deren Augen glänzen oder funkeln, weil Licht die produzierten Tränen widerspiegelt.

Weinen und emotionale Erpressung

Nachdem Sie nun den Zweck des Weines verstehen, wollen wir uns den Mechanismen zuwenden, mit denen ein Mensch einen anderen manipuliert.

Fallbeispiel: Georginas Geschichte

Georgina war eine attraktive, intelligente Frau. Sie besuchte eine Sekretärinnenschule und arbeitete dann als Chefsekretärin. Sie liebte das schnelle Leben: Partys, eine teure Wohnung, Designerklamotten und einen Sportwagen. Georgina verdiente genug Geld, um ihren Lebensunterhalt zu bestreiten, doch für ihr extravagantes gesellschaftliches Leben zahlten gewöhnlich ihre männlichen Begleiter.

Es widerstrebte ihr jedoch, für ihren Lebensunterhalt zu arbeiten. Nach einer langen Nacht war es einfach zu anstrengend, morgens aufzustehen und um 9 Uhr im Büro zu sein. Ihr gesellschaftliches Leben und ihr Beruf ließen sich nicht miteinander vereinbaren.

Eines Abends erzählte sie auf einer Party einem neuen Bekannten ihre Probleme. Der Mann war schon älter und allem Anschein nach wohlhabend, er hatte einen Porsche und eine Jacht, er reiste viel und arbeitete anscheinend nicht. Der Mann fragte Georgina, ob sie nicht Lust habe, Callgirl in den besseren Kreisen zu werden. Für einen bestimmten Prozentsatz ihres Honorars könne er sie einem größeren Kundenkreis vorstellen.

Georgina dachte einige Tage lang über den Vorschlag nach, nahm ihn dann an und genoss das Leben, das sie gewählt hatte. Aber nicht lange. Schuldgefühle, ein schlechtes Gewissen und ein gewalttätiger Kunde führten ihr schon bald vor Augen, dass ihr früheres Leben doch nicht so schlecht gewesen war. Sie zog in eine andere Stadt, nannte sich Pamela und fand einen Job bei einer großen Firma für Wirtschaftsprüfung. Schon bald ging Georgina, nun als Pamela bekannt, mit einem Inhaber der Firma aus, und zwar mit ihrem Chef. Sie und Graeme heirateten schließlich und bekamen nach drei glücklichen Jahren ein Kind. Das Leben war schön für Pamela alias Georgina. Sie hatte einen liebevollen Ehemann, ein entzückendes Kind, ein schönes Haus, finanzielle Sicherheit und viele Freunde.

Eines Morgens rief sie Frank an. Frank war regelmäßig ihr Kunde gewesen, als sie noch als Callgirl gearbeitet hatte. Er wollte sie wieder sehen und schlug ein Mittagessen vor. Pamela lehnte ab. Solche Treffen gehörten der Vergangenheit an. Frank erklärte, dass es in ihrem Interesse sei, sich mit ihm zu treffen, sie wolle doch sicher nicht, dass ihr Mann und ihre Freunde von ihrem Vorleben erführen.

Pamela war am Boden zerstört. Sie konnte alles verlieren: ihren Mann, ihr Heim, ihr Kind, ihre Sicherheit.

Frank verlangte beim ersten Treffen 10 000 Dollar Schweigegeld. Pamela hatte ein wenig Geld gespart und glaubte, sie habe keine andere Wahl, als zu bezahlen. Drei Monate später stellte Frank neue Forderungen. Doch diesmal wollte er nicht nur Geld, sondern auch Sex. Pamela ging zur Polizei. Frank wurde wegen Erpressung verurteilt und musste für ein Jahr ins Gefängnis. Ihr Mann Graeme trennte sich nicht von ihr, als er von ihrem Vorleben erfuhr, doch Pamela wusste, dass ihr Leben nie wieder so sein würde wie zuvor.

Dieses klassische Beispiel einer Erpressung zeigt die Strategien, die auf alle Situationen zutreffen, in denen eine Person eine andere im Interesse ihres persönlichen Vorteils manipuliert. Hier sind die wesentlichen Komponenten und die Akteure:

DAS OPFER   Eine Person, die sich schuldig oder jemandem verpflichtet fühlt

DER ERPRESSER   Jemand, der die Schwäche des Opfers kennt

DIE FORDERUNG   Bezahlung für Stillschweigen oder Kooperation

DIE DROHUNG   Die Drohung bloßgestellt oder bestraft zu werden; die Gefahr, etwas sehr Wertvolles zu verlieren oder Schuldgefühle

DER WIDERSTAND   Die ursprüngliche Weigerung des Opfers zu kooperieren

DIE EINWILLIGUNG   Das Erfüllen der Forderungen des Erpressers

DIE FOLGE   Die nächsten Forderungen des Erpressers

Die meisten Menschen kämen nie auf die Idee, dass ihnen nahe stehende Menschen solch manipulative Strategien verwenden könnten. Sie halten sie einfach für »niederträchtig«. Dieses Kapitel wird Ihnen helfen zu erkennen, welche Rolle diese Menschen in Ihrem Leben spielen, und Ihnen zeigen, wie Sie sich wehren können.

Frauen und emotionale Erpressung

Emotionale Erpressung findet dort statt, wo Menschen, die Ihnen nahe stehen, plötzlich drohen, Sie zu bestrafen, oder Ihnen zu verstehen geben, dass Sie leiden werden, wenn Sie ihre Forderungen nicht erfüllen. Diese Menschen kennen Ihre tiefsten Geheimnisse und wunden Punkte und benutzen dieses Insider-Wissen, um Sie gefügig zu machen. Egal, welche Stärken oder Schwächen Sie haben, der Erpresser wird beide gegen Sie verwenden.

Fallbeispiel: Rosemarys Geschichte

Rosemarys Mann Greg und ihre Mutter hatten einander nie gemocht. Die Mutter glaubte, Greg sei nicht gut genug für ihre Tochter, und versuchte stets, Unfrieden zwischen dem Paar zu stiften. Eines Tages erzählte sie Rosemary, eine Freundin habe Greg mit einer anderen Frau in einer Bar gesehen. »Es war wahrscheinlich nur eine Kollegin«, meinte Rosemary. »Wir *besitzen* einander nicht.«
Rosemary brachte die Sache zur Sprache. Greg war wütend und beschuldigte sie, ihm nachzuspionieren. »Wenn du mir nicht vertraust, sollten wir vielleicht unsere Beziehung überdenken«, sagte er. Rosemary ließ nicht locker, und schließlich musste Greg zugeben, dass die Frau die Besitzerin der Bar war, in der er eine Überraschungsparty für Rosemarys bevorstehenden Geburtstag geplant hatte. Er bestand dann darauf, Rosemary zu der Bar zu schleppen und die beiden Frauen bekannt zu machen.

Zwei Jahre später stürzte Rosemarys Mutter schwer und verbrachte vier Monate im Krankenhaus. Nach ihrer Entlassung fühlte sie sich schwach und hatte ihr Selbstvertrauen verloren. Rosemary wusste, dass sie ihre Mutter wohl würde bitten müssen, bei ihnen zu leben. Doch sie konnte sich Gregs Reaktion auf diesen Vorschlag vorstellen. Vorsichtig wählte sie den Zeitpunkt aus, zu dem sie das Thema anschnitt.

An jenem Abend zog sie sich besonders hübsch an, machte sich zurecht und kochte Gregs Lieblingsessen. Als er nach Hause kam, brachte sie ihm ein Glas Wein und fragte, wie es ihm an diesem Tag ergangen sei. Schließlich setzten sich die beiden an den gedeckten Tisch, und Rosemary wusste, dass Greg ruhig und entspannt war. Nach dem Dessert stützte Rosemary den Kopf in beide Hände. Beunruhigt fragte Greg, was los sei. »Ich weiß nicht, wie ich es dir sagen soll«, antwortete sie. »Ich fühle mich einfach schrecklich.« Greg legte seine Hand auf ihre. »Rosie, was ist denn?«, fragte er. »Hab ich etwas falsch gemacht?« Traurig schüttelte sie den Kopf. »Nein, Greg, du hast nichts falsch gemacht. Ich, äh …« Dann brach sie in Tränen aus.

Greg legte ihr den Arm um die Schulter und bat sie, ihm von ihrem Problem zu erzählen. Schluchzend schüttelte sie den Kopf. »Nein, ist schon o.k., Greg. Ich werd schon damit fertig. Tut mir Leid. Mach dir keine Sorgen.«

»Aber Rosie«, bettelte er. »Erzähl mir, was passiert ist. So schlimm kann es doch nicht sein.« Durch ihren Tränenschleier blickte sie ihn flehend an. »Nein, Greg, du wirst bestimmt böse mit mir sein, und das könnte ich nicht ertragen«, sagte sie mit leiser, gebrochener Stimme. »Du wirst es nicht verstehen.« Greg fühlte sich langsam unbehaglich. »Bitte, erzähl es mir«, bat er. »Ehrlich – ich werde versuchen, dich zu verstehen.« Er befürchtete schon das Schlimmste. Wahrscheinlich hatte Rosemary eine Affäre.

Rosemary zitterte, tupfte sich die Augen und holte tief Luft. »Es geht um Mutter«, sagte sie. »Sie ist so schwach, und ich mache mir solche Sorgen. Ich will für sie sorgen, aber ich weiß, was du davon hältst, sie bei uns aufzunehmen. Ich habe versucht, es zu verdrängen, aber es bringt mich um – der Gedanke, dass sie alleine in diesem Haus lebt und keiner da ist, der ihr hilft, wenn sie wieder einmal stürzt. Oh Greg, ich weiß nicht, was ich tun soll ... wenn es um deine Mutter ginge, wäre das für mich keine Frage, aber ...« Ihr versagte die Stimme, und sie schluchzte herzerweichend.

Zuerst lehnte Greg es rundweg ab, auch nur einen Gedanken daran zu verschwenden, seine Schwiegermutter bei sich aufzunehmen. Doch Rosemary gab nicht auf, und nachdem sie ihm zwei Tage lang etwas vorgeheult hatte, bekam er allmählich Schuldgefühle. Wenn er Rosemary wirklich liebte, musste er dann nicht auch Opfer bringen? Machte das nicht die wahre Liebe aus? Ging es in der Ehe nicht um Kompromisse? Er fühlte sich egoistisch und gemein, und darauf hatte Rosemary spekuliert. Schließlich stimmte Greg einer einmonatigen Probezeit zu. Aber Rosemary und ihrer Mutter war völlig klar: Wenn sie erst einmal eingezogen war, dann war es nahezu unmöglich, sie wieder wegzuschicken. Und Greg wusste, dass es jedes Mal, wenn er auch nur aufmuckte, Tränen und Schuldzuweisungen geben und er sich elend fühlen würde. Das Muster war festgelegt.

Die Geschichte von Rosemary und Greg ist typisch für jene Art von Erpressung, bei der Menschen versuchen, die Gefühle anderer zu ihrem eigenen Vorteil zu manipulieren.

DAS OPFER Greg war schwach und fühlte sich schuldig, wenn seine Frau emotional zu leiden schien.

DER ERPRESSER Rosemary kannte Gregs Schwäche

DIE FORDERUNG Der Einzug von Rosemarys Mutter

DIE DROHUNG Der implizierte Liebesentzug, sollte Rosemary ihren Willen nicht bekommen

DIE EINWILLIGUNG Greg gibt Rosemarys Forderung nach

DIE FOLGE Die ewigen Streitereien und Tränen

Wir alle kennen mindestens eine Person, die Strategien emotionaler Erpressung benützt hat, um uns zu etwas zu zwingen, was wir ursprünglich abgelehnt haben. Vielleicht in einer Situation, wie sie eben beschreiben wurde. Möglicherweise werden wir aber auch regelmäßig mit solchen Taktiken konfrontiert, beispielsweise von einer passiv-aggressiven Person, die nie genau zu sagen scheint, was sie möchte, und schließlich ihre Spielchen spielt, um ihr Ziel zu erreichen. Es ist wichtig, dass Sie alle Personen in Ihrem Leben identifizieren, die diese Methoden anwenden, um Sie dazu zu bringen, sich ihrem Willen zu beugen. Den meisten Leuten wird nie bewusst, dass ihre Freunde oder Familienangehörigen bewusst eine solch gut durchdachte Strategie verwenden könnten. Sie empfinden sie einfach als anmaßend und aggressiv. Emotionale Erpressung ist jedoch immer destruktiv.

Die meisten emotionalen Erpresser sind Familienmitglieder und Freunde.

Sie stimmen plötzlich einer Sache zu, die Sie niemals wollten oder unter den gegebenen Umständen für unklug halten. Während des Einwilligungsprozesses ist es dem Erpresser gelungen, Ihnen Schuldgefühle einzuflößen, weil Sie sich ihm widersetzt haben. In diese Situation zu geraten wird Ihnen natürlich nicht behagen. Ob Sie es wahrhaben wollen oder nicht, langfristig wird Ihre Beziehung mit dem Erpresser nie wieder die gleiche sein.

Männer und emotionale Erpressung

Männer sind viel häufiger die Opfer emotionaler Erpressung als Frauen. Männer fragen lieber direkt nach dem, was sie haben wollen. Frauen scheuen aufgrund ihrer anerzogenen Rolle als Friedenswächterinnen hingegen davor zurück, rundheraus zu sagen, was sie möchten. Vielen Frauen fehlt das Selbstwertgefühl, zu erkennen, dass ihnen das auch zusteht, was sie fordern. Als Hüterinnen des Nests geht es ihnen vor allem darum, von anderen *gemocht* zu werden. Seit jeher sehen sie es als ihre Aufgabe, Beziehungen zu hegen und zu pflegen – mit Partnern, Kindern und anderen Familienangehörigen oder in sozialen Gruppen. Ihr Gehirn ist darauf programmiert, Beziehungen positiv zu gestalten. Deswegen greifen sie, um ihren Willen durchzusetzen, oft auf emotionale Erpressung zurück, statt direkt zu sagen, was sie möchten, und damit Ablehnung zu riskieren.

ERPRESSUNG SCHEINT DER EINFACHE WEG ZU SEIN,
WEIL MAN SO KONFRONTATIONEN VERMEIDEN KANN.

Auch Männer greifen – allerdings viel seltener – zum Mittel der emotionalen Erpressung. Das männliche Gehirn funktioniert einfacher, wenn es um Gefühle geht. Als Männer noch Jäger waren, bevorzugten sie eine direkte Vorgehensweise, und ihr Gehirn hat sich in diese Richtung weiterentwickelt.

Wollte ein Mann seine Mutter bei sich aufnehmen, würde er seiner Partnerin wahrscheinlich einen Blumenstrauß kaufen, bevor er mit ihr darüber spricht, aber weiter würde die Beeinflussung auch nicht gehen. Dann würde er das Thema sachlich diskutieren und die Vor- und Nachteile abwägen. Vielleicht hat er bereits einen Plan parat: wie man das Haus vergrößern, eine Hauspflege für seine Mutter und Wochenendreisen ohne die Mutter organisieren kann und so weiter. Männer verlangen oft oder gehen wie selbstverständlich davon aus, dass alle anderen sich ihnen anpassen, und viele Frauen tun das.

MÄNNER WÄHLEN EINE GUT GEPLANTE, DIREKTE
HERANGEHENSWEISE, UM IHREN WILLEN DURCHZUSETZEN.
FRAUEN ZIEHEN DIE EMOTIONALE ERPRESSUNG VOR.

Historisch gesehen waren Männer in viel einflussreicheren Positionen als Frauen und hatten viel eher die Macht. Frauen saßen nur selten am längeren Hebel und mussten sich jahrhundertelang auf ihren Charme und ihre List verlassen, um ihren Willen durchzusetzen.

In manchen Situationen praktizieren jedoch auch Männer emotionale Erpressung. Will ein junger Mann zum Beispiel seine Freundin zum Sex überreden, scheint emotionale Erpressung das probate Mittel zu sein.

Fallbeispiel: Damians Geschichte

Damian hatte zwei Verabredungen mit Erika, die beide mit einem langen, intensiven Kuss endeten, bevor Erika sich aus der Umarmung löste, aus dem Wagen stieg und zum Haus ihrer Eltern eilte. Damian wurde ungeduldig. Er mochte Erika und wollte mit ihr schlafen, aber sie schien sich dagegen zu wehren. Damian verstand das nicht. Erika sagte, sie habe ihn gern, und er fand es nur natürlich, dass sie ebenso gerne mit ihm schlafen wollte wie er mit ihr.

Nachdem die beiden bei ihrer dritten Verabredung im Kino gewesen waren und Damian sie zu einem Essen eingeladen hatte, das für seine Verhältnisse zu teuer gewesen war, hielt er in einem schwach beleuchteten Park an und schaltete den Motor aus. Dann begann er, Erika zu küssen, und fummelte an ihrem Oberteil herum. Sie half ihm, die Knöpfe zu öffnen, und sie streichelten einander. Nach fünf Minuten versuchte er, ihren Rock hochzustreifen, doch sie schob seine Hand weg. Das passierte ein zweites Mal. Und ein drittes Mal. Schließlich hielt Damian abrupt inne und wollte wissen, was los sei.

»Hör mal, ich mag dich wirklich«, sagte er. »Ich möchte einfach mit dir schlafen. Wir kommen doch so gut miteinander aus, und ich will dir zeigen, wie viel du mir bedeutest.« Erika wirkte nicht gerade überzeugt. »Tut mir Leid, Damian, ich mag dich auch, ehrlich«, sagte sie. »Aber es ist zu früh. Ich bin noch nicht so weit. Wir haben uns erst dreimal getroffen. Irgendwann wird der richtige Zeitpunkt da sein. Bitte hab Geduld mit mir.«

Damian liebkoste ihr Ohr. »Komm schon, Baby«, sagte er. »Du willst es doch auch. Ich mag dich wirklich. Ich finde, es ist der richtige Zeitpunkt. Ich will dich einfach noch besser kennen lernen. Ich habe noch nie so für jemanden empfunden.«

Erika rückte jedoch von ihm weg. »Nein, Damian ... Tut mir Leid ... aber ich will nicht«, sagte sie. »Ich mag dich auch, ehrlich, aber ich bin nicht bereit.«

Damian blickte niedergeschlagen drein. »Aber ... Ich dachte, du empfindest das Gleiche für mich wie ich für dich«, meinte er. »Erika, es tut mir so Leid ... Ich hab dich völlig falsch verstanden ...« Er sah so bestürzt aus, dass Erika nicht anders konnte, als Mitleid mit ihm zu haben. »Nein, Damian, ich mag dich wirklich«, wiederholte sie noch einmal. »Ich brauche einfach noch ein bisschen Zeit ...«

Damian schüttelte traurig den Kopf. »Nein, offensichtlich empfindest du für mich nicht das Gleiche wie ich für dich. Tut mir Leid, Erika, ich habe wirklich gedacht, das wäre eine prima Sache mit uns. Aber ich hab mich zum Narren gemacht. Tut mir Leid. Lass uns die ganze Sache einfach vergessen.« Er griff nach dem Zündschlüssel, um den Motor zu starten. Erika merkte, dass ihr die Situation zunehmend entglitt. »Nein, Damian«, sagte sie. »Hör mal, ich finde, du bist ein toller Typ, und ich möchte mehr Zeit mit dir verbringen.«

»Aber Erika«, antwortete Damian. »Ich mag dich, und für einen Mann ist es nur normal, dass er seine Gefühle körperlich ausdrücken will. Aber wenn du nicht das Gleiche empfindest, ist es wohl besser, Schluss zu machen, bevor ich *zu* tief in der Sache drinstecke. Man hat mir schon einmal wehgetan ...«

Erika schlief in dieser Nacht mit Damian, doch zwei Wochen später trennten sie sich.

In diesem Fall war Damian der Erpresser, Erika das Opfer und Sex die Forderung. Damian kannte Erikas Schwachstellen genau und nutzte sie erbarmungslos aus. Frauen können es nicht ertragen, wenn Männer emotional verletzt sind. Sofort sind ihre Mutterinstinkte geweckt, und sie wollen den Schmerz lindern. Daran gewöhnt, Männer als starke, unfehlbare Wesen zu sehen, sind Frauen zutiefst betroffen, wenn dieses Bild ins Wanken gerät. Als Damian Erika subtil beschuldigte, ihn nicht zu mögen, nachdem sie ihm ganz deutlich ihre Zuneigung erklärt hatte, hatte er sie schließlich davon überzeugt, Sex sei die einzige Möglichkeit, ihm ihre Zuneigung zu zeigen.

Außerdem hatte Damian andeutungsweise damit gedroht, die Beziehung zu beenden, falls er seinen Willen nicht bekommen sollte. Hätte er es unverblümt gesagt, hätte Erika anders reagiert. Weil er seine Drohung jedoch geschickt verpackte und sagte, es nicht ertragen zu können, noch einmal verletzt zu werden, gab Erika nach und ließ sich emotional erpressen. Danach forderte Damian bei jedem Treffen Sex von Erika.

Eine Beziehung, bei der von Anfang an Manipulation im Spiel ist, muss einfach scheitern. Wie sollen zwei Menschen einander vertrauen und sich respektieren, wenn schon der Beginn ihrer Beziehung durch Manipulation gekennzeichnet war? Emotionale Erpressung ist destruktiv, wenn sie nicht sofort abgewehrt wird.

Die Taktiken emotionaler Erpressung

Emotionale Erpresser können Geliebte, Ehemänner oder Ehefrauen, Kinder, Schwiegermütter, Eltern oder Freunde sein, manchmal auch Arbeitgeber. Erpressung wird in der Familie erlernt und ist eine Taktik, die von Generation zu Generation weitergegeben wird.

Im Folgenden sind einige der typischen Drohungen oder Bestrafungen aufgeführt, zu denen emotionale Erpresser greifen. Einige mögen Ihnen bekannt vorkommen.

ELTERN »Nach allem, was ich für dich getan habe.«

»Ich streiche dich aus meinem Testament.«

»Warum tust du das? Du bist mein Fleisch und Blut.«

EHEMÄNNER/EHEFRAUEN »Ich kann nicht glauben, dass du so egoistisch bist.«

»Ich bedeute dir nicht wirklich etwas.«

»Wenn du mich liebtest, würdest du es tun.«

EX-PARTNER »Ich schleife dich vor Gericht. Du siehst die Kinder nie wieder.«

»Ich werde dir jeden Cent aus der Tasche ziehen.«

»Ich fand es immer furchtbar, wenn wir miteinander geschlafen haben.«

LIEBESPAARE »Alle anderen tun es auch. Was ist los mit dir?«

»Das ist doch das, was Liebende füreinander tun sollten.«

»Du liebst mich offensichtlich nicht. Vielleicht sollten wir uns besser trennen.«

KINDER »Alle Eltern tun das für ihre Kinder. Offensichtlich lieben sie ihre Kinder mehr als ihr.«

»Ich werde abhauen – ich muss adoptiert sein.«

»Du liebst meine Schwester mehr als mich.«

SCHWIEGERELTERN »Ich hinterlasse alles karitativen Organisationen.«

»Wenn du nicht für mich sorgst, werde ich krank und lande im Krankenhaus.«

»Mach dir keine Sorgen um mich – ich bin alt und werde sowieso bald sterben.«

FREUNDE »Im umgekehrten Fall würde ich es für dich tun.«

»Du sagst, ich bin dein bester Freund. Na, vielleicht solltest du dir einen anderen suchen.«

»Ich bin immer für dich da. Und wie behandelst du mich, wenn ich dich brauche?«

ARBEITGEBER »Sie machen die Sache für Ihre Kollegen nur noch schwieriger. An denen bleibt das Ganze dann hängen.«

»Ich werde dafür sorgen, dass Sie nie wieder für eine Beförderung vorgeschlagen werden.«

»Sie schulden mir und der Firma eine gewisse Loyalität.«

ARBEITNEHMER »Wenn Sie mich entlassen, nehmen Sie sich einen guten Anwalt!«

»Ich wette, die Medien würden sich sehr für den Fall interessieren.«

»Auch Arbeitnehmer haben ihre Möglichkeiten.«

Der Erpresser sagt: »Wenn du dich nicht so verhältst, wie ich es mir vorstelle, wirst du leiden.«

Kinder lernen früh, dass emotionale Erpressung eine Möglichkeit ist, ihren Willen durchzusetzen – vor allem wenn sie wissen, dass auch ihre Eltern zu diesem Mittel greifen. Kinder fühlen sich auf Grund ihres Alters und ihrer Größe relativ ohnmächtig. Deswegen scheint Erpressung die einfachste und effektivste Möglichkeit zu sein, das zu bekommen, was sie wollen.

Fallbeispiel: Julias Geschichte

Als Julias Kinder größer wurden, ließ deren Bereitschaft nach, Zeit mit ihrem bettlägerigen Onkel John zu verbringen. Julia hatte deswegen ein schlechtes Gewissen. Wann immer sie den Onkel besuchte, fragte er nach den Kindern. Julia glaubte, jedes Mal lügen zu müssen, und erzählte ihm, die Kinder seien mit der Schule unterwegs oder mit ihren Schularbeiten oder besonderen Aufgaben beschäftigt.

»Hört mal, er ist alt und ich weiß nicht, wie lange er noch lebt«, sagte sie den Kindern. »Er ist einsam und freut sich darauf, euch zu sehen. Wisst ihr nicht mehr, was er alles für euch getan hat, als ihr noch klein wart? Er war immer euer Babysitter und hat euch total verwöhnt. Er hatte nie viel Geld, aber er hat immer alles für euch ausgegeben.«

Julias Kinder aber waren oft völlig taub für die Worte ihrer Mutter und reagierten selbst mit emotionaler Erpressung. »Mensch nun, er hört sowieso nicht, was wir sagen. Er ist so schwerhörig«, sagte der fünfzehnjährige Bernard. »Und es ist so langweilig bei ihm. Da kann man einfach nichts machen. Und ich sehe meine Freunde sowieso nicht so oft. Ich darf doch auch ein bisschen Spaß haben? Du willst doch nicht, dass ich trübsinnig werde?«

Katie, sechzehn, war auch eine Expertin in Sachen Erpressung: »Ach nun«, sagte sie. »Du weißt, wie viel Hausaufgaben wir immer kriegen. Du willst doch sicher nicht, dass wir durch die Prüfung fallen. Ich wollte eigentlich heute Morgen mit dir kommen, muss aber diese schwierige Geografiearbeit schreiben. Die Noten, die ich dafür bekomme, zählen für die Endbeurteilung. Wenn ich das nicht gut mache, kriege ich große Schwierigkeiten. Außerdem solltest du uns nicht erpressen. Das ist nicht fair. Wir wollen nicht gehen. Finde dich damit ab.«

Kinder können wahre Manipulationskünstler sein. Eltern, die regelmäßig versuchen, ihre Kinder zu erpressen, müssen immer damit rechnen, dass der Spieß umgedreht wird.

In diesem Szenario fühlte Julia sich machtlos und versuchte, moralischen und emotionalen Druck auf ihre Kinder auszuüben. Statt ruhig und gelassen mit ihnen zu reden oder ihnen einfach zu befehlen, das zu tun, was sie für richtig hielt, erpresste sie ihre Kinder. Die Kinder, die das Spiel zu spielen gelernt hatten, taten dann genau das Gleiche.

ERWACHSENE, DIE ZU EMOTIONALER ERPRESSUNG GREIFEN, ZIEHEN KINDER GROSS, DIE SIE ALS ERPRESSER NOCH ÜBERTREFFEN WERDEN.

Eines Tages hörten wir in London einem Straßenmusiker zu. Am Ende seiner Vorstellung wandte er sich an die Gruppe von Kindern, die ihn gebannt beobachteten, und schrie: »He, Kids! Wenn eure Eltern euch nicht 1 Pfund für meinen Hut geben, lieben sie euch nicht!« Er nahm 18 Pfund ein.

Je mehr man auf emotionale Erpressung eingeht, desto mehr wird sie zu einem Muster, das die Zukunft einer Beziehung bestimmt. Je enger die Beziehung, desto größer die Schuldgefühle – und die sind das wirksamste Werkzeug des Erpressers.

Fallbeispiel: Stephens Geschichte

Stephen war fünf Jahre lang mit Camilla verheiratet, bevor sie sich in gegenseitigem Einvernehmen trennten. Nun … zumindest ging Stephen davon aus. Obwohl Camilla der Trennung zustimmte, hatte sie nie wirklich geglaubt, dass sie endgültig sein würde. Sie nahm einfach an, Stephen werde nach ein paar Wochen zu ihr zurückkehren und sie darum bitten, wieder einziehen zu dürfen. Stephen kam nie zurück. Er arbeitete noch viel härter und ging völlig in seinem Job auf. Camilla glaubte insgeheim, dass er dieses Tempo auf Dauer nicht durchhalten und früher oder später erkennen würde, wie leer und sinnlos sein Leben ohne sie war. Doch dann lernte Stephen eine andere Frau kennen.

Camilla war außer sich vor Wut. Sie rief regelmäßig Stephens Mutter an, um über sie mit ihm in Verbindung zu bleiben. Sie wusste, dass seine Mutter sie wie eine Tochter liebte und sehr niedergeschlagen war, als das Paar sich trennte. Als Stephens Mutter die neue Frau im Leben ihres Sohnes erwähnte, sah Camilla rot. Sie begann, Stephen zu allen möglichen Zeiten anzurufen, und sagte ihm, sie habe einen großen Fehler gemacht und wolle ihn treffen, um mit ihm darüber zu sprechen.

Zögernd willigte Stephen ein. Camilla war humorvoll, charmant und herzlich – so wie damals, als sie sich kennen gelernt hatten. Doch Stephen hatte die Vergangenheit hinter sich gelassen. Er mochte Camilla noch immer, verspürte aber keine emotionale Bindung mehr. Sie erzählte ihm, wie sehr sie ihn vermisse, und er hörte ihr zu, sagte aber, dass er eine andere Frau kennen gelernt habe und hoffe, auch Camilla werde wieder glücklich werden.

Bei Camilla kam die Botschaft nicht an. Immer wieder rief sie ihn unter Tränen an und beschwor ihn, sie zu besuchen. Wenn er dann tatsächlich kam, weinte sie und sagte, ihr Leben sei sinnlos ohne ihn. Angesichts ihrer Tränen fühlte Stephen sich hilflos. Er versuchte, sie zu trösten. Dann rief sie an und drohte mit Selbstmord.

Stephen wusste sich keinen Rat mehr.

Glücklicherweise erkannte seine neue Freundin Chrissie die Situation und nahm die Sache in die Hand. Sie überredete Stephens Mutter, Camillas Eltern anzurufen, ihnen zu sagen, dass sie sich um Camillas Geisteszustand sorge, und sie zu bitten, sich um ihre Tochter zu kümmern. Und sie forderte Stephen auf, Camilla einen Brief zu schreiben und ihr zu sagen, dass die Beziehung, so Leid es ihm tue, endgültig vorbei sei. Er werde auf keinen Fall zu ihr zurückkehren.

Wie die meisten Frauen durchschaute Chrissie, dass Stephen emotional erpresst wurde und ein ahnungsloses Opfer war. Ihre schnelle Einschätzung der Situation bewahrte ihn davor, sich erneut auf eine Beziehung mit Camilla einzulassen. Hätte Chrissie nicht eingegriffen, wäre er vielleicht gegen seinen Willen irgendwann zu Camilla zurückgekehrt. Camillas Selbstmorddrohung hatte ihm große Angst eingejagt, und hätte sie ihre Drohung wahrgemacht, hätte er sich schuldig gefühlt. Stephen hatte einfach nicht erkannt, dass sie ihn bewusst unter Druck setzte, um ihn zurückzugewinnen, und nicht wirklich die Absicht hatte, sich etwas anzutun.

Stephen und Chrissie heirateten im darauf folgenden Jahr. Camilla besucht noch immer Stephens Mutter, um mit ihr über »die guten alten Zeiten« zu plaudern. Doch niemand schenkt ihr wirklich Beachtung. Alle haben Mitleid mit ihr und hoffen, dass sie sich wieder ein eigenes Leben aufbauen wird.

Schuldgefühle setzen das Opfer unter einen enormen Druck. Niemand möchte anderen Menschen wirklich wehtun, aber es ist wichtig, für die eigenen Bedürfnisse einzutreten. Stephen wusste, dass er nicht zu Camilla zurückkehren wollte, und hätte sich dementsprechend verhalten sollen. Männer sind es nicht gewohnt, mit ihren Gefühlen umzugehen, und haben keine Ahnung, wie sie mit emotionalen Reaktionen von Frauen fertig werden sollen. Männer diskutieren gerne ohne Umschweife darüber, welches Sportteam das Beste ist, welche politische Partei ihr Land regieren soll, und bei welchem Bier man am wenigsten Gefahr läuft, einen üblen Kater zu bekommen. Männer befassen sich mit Konkretem, mit Fakten und Daten. Wenn andere – in der Regel Frauen – sie mit Gefühlen konfrontieren, sind die meisten Männer völlig überfordert. Frauen wissen das und nutzen es zu ihrem Vorteil. Dennoch können Männer wahre Tyrannen sein, wenn sie ihren Willen durchsetzen wollen. Das funktioniert am besten, wenn die Frauen im Leben dieser Männer sensibel, ruhig und daran gewöhnt sind, sich einem dominanten Mann zu fügen.

Fallbeispiel: Irenes Geschichte

Irene war eine wunderbare Frau. Sie war ruhig und einfühlsam, großzügig, freundlich und loyal und stellte ihre Bedürfnisse nie über die anderer. Ihr Selbstbild jedoch war anders. Oft gab sie Forderungen nach oder setzte sich nicht durch, nur um des lieben Friedens willen. Irenes Mann Bob hingegen war sehr egoistisch und eifersüchtig. Alles musste nach seinem Kopf gehen.
Eines Tages verkündete Bob, er wolle ein neues Boot kaufen. Das alte sei nicht schnell genug, nicht groß genug, nicht handlich genug und habe nicht die technischen Finessen, die er brauche. Er habe sich umgeschaut und könne für einen vernünftigen Preis genau das bekommen, was er wolle.
Als er Irene den Preis nannte, wäre sie beinahe in Ohnmacht gefallen. »Das können wir uns im Moment nicht leisten«, sagte sie. »Wir haben gerade das Schulgeld für die Kinder bezahlt, und du

hast versprochen, dass ich Ende des Monats einen neuen Wagen bekomme, weil meiner Schrott ist und ständig liegen bleibt.«

Bob war wütend. »Da haben wir's wieder. Immer denkst du nur an dich. Ich, ich, ich, das ist das Einzige, was dir wichtig ist. Kommt es dir nie in den Sinn, dass ich auch Bedürfnisse habe? Ich arbeite die ganze Woche schwer, um genug Geld für unsere Familie zu verdienen. Ich habe ständig Stress, und nur samstags beim Angeln kann ich mich mal entspannen.«

Die nächsten drei Tage machte Bob seiner Frau die Hölle heiß. Irene fühlte sich ausgelaugt. Schließlich beschloss sie, einen Kompromiss auszuhandeln. »Bob, ich habe über das Boot nachgedacht. Wenn ich einen kleineren Gebrauchtwagen kaufe und du den Kauf des neuen Bootes um ein Jahr verschiebst, haben wir langfristig beide, was wir brauchen.«

Bob ließ sich nicht erweichen. »Nein«, antwortete er. »Nächstes Jahr ist das Boot teurer, und außerdem wäre es gut, *diesen* Sommer ein Boot zu kaufen. Dann können wir mehr Zeit mit den Kinder verbringen, weil sie Wasserski fahren können. Wir müssen die Kinder am Wochenende beschäftigen, sonst geraten sie noch auf die schiefe Bahn.«

Irene war verzweifelt. »Aber Bob, wir können es uns im Moment nicht leisten. Es gibt so viele andere Dinge hier am Haus, die unbedingt gemacht werden müssen.« Bob ging nicht darauf ein. »Das ist doch nicht zu glauben, Irene«, sagte er wütend. »Unsere Kinder liegen dir doch bestimmt am Herzen. Du bist diejenige, die sich immer Sorgen macht, wo sie sind und was sie tun. Ich hätte nicht geglaubt, dass ich den Tag erlebe, an dem du dich nicht über jede Minute freust, die wir als Familie zusammen verbringen können. Sie brauchen das Boot auch!«

Nach zwei weiteren spannungsgeladenen Tagen konnte Irene die Situation nicht länger ertragen. Sie wusste, dass Bob nicht locker lassen würde, und die Kinder wurden durch die Spannungen im Haus zunehmend gereizt. Schließlich fand Irene eine Lösung. Sie wollte wieder Vollzeit arbeiten und alles wäre in Ordnung.

Bob kaufte sein Boot – und nun möchte er einen Liegeplatz dafür haben. Er weiß, dass er ihn bekommt, weil er die gleiche Taktik anwenden wird.

Irene war in gleichem Maße ein Opfer von Erpressung wie jemand, an den eine Lösegeldforderung gestellt oder der direkt bedroht wird. Die Komponenten der kriminellen und der emotionalen Erpressung sind identisch.

DAS OPFER Irenes Pflichtbewusstsein, die Liebe zu ihren Kindern und ihr Wunsch nach einem zufriedenen Miteinander waren ihre Schwachpunkte.

DER ERPRESSER Auf Grund ihrer engen Beziehung kannte Bob Irenes Geheimnisse und Gefühle

DIE FORDERUNG Irenes Zustimmung zum Kauf des neuen Bootes

DIE DROHUNG Die Schuld, zur Verschlechterung des Gesundheitszustandes ihres Mannes beizutragen; ihre Kinder könnten wegen ihres egoistischen und selbstsüchtigen Verhaltens in schlechte Gesellschaft geraten; die Fortdauer der schrecklichen Spannungen zu Hause

DER WIDERSTAND Irenes Versuch zu erklären, dass Bobs Forderung unvernünftig sei; sie bot eine Alternative an

DIE EINWILLIGUNG Irene gibt schließlich nach

DIE FOLGE Um einen Liegeplatz für sein Boot zu bekommen, greift Bob erneut zu Erpressungstaktiken, weil er weiß, dass er damit Erfolg hat

Emotionale Erpressung zerstört die Selbstachtung der Opfer. Wenn sie dem Erpresser weiter nachgeben, werden sie schließlich ihr Selbstvertrauen verlieren und für immer der Fähigkeit beraubt sein, sich zu behaupten. Sie werden von Selbstzweifeln, Angst und Schuldgefühlen geplagt werden, und es damit dem Erpresser ermöglichen, immer unverschämtere Forderungen zu stellen.

Vom Umgang mit emotionalen Erpressern

Emotionale Erpresser wirken meist stark und resolut. Obwohl sie den Eindruck vermitteln, dass sie wissen, was sie wollen, und dazu bereit sind, alles zu tun, ihren Willen durchzusetzen, entspricht dieser Eindruck selten der Realität.

Erpresser sind in der Regel nur Tyrannen. Es fehlt ihnen an Selbstvertrauen, ihre Situation zu diskutieren und ihre Möglichkeiten zu erwägen, und sie haben entsetzliche Angst davor, das zu verlieren, was sie bereits haben. Normalerweise werfen sie ihren Opfern vor, selbstsüchtig, lieblos oder egozentrisch zu sein – Charakterschwächen, die sie alle selbst haben. In vieler Hinsicht sind sie wie ungezogene Kinder. Sie stellen ihre Forderung, und wenn diese nicht sofort erfüllt wird, kriegen sie einen Wutanfall. Jedes Mal, wenn Eltern sich durch ein solches Handeln breitschlagen lassen, ziehen sie sich ein Stückchen mehr den emotionalen Erpresser heran.

DENKEN SIE DARAN – EMOTIONALE ERPRESSER SIND WIE TYRANNEN ODER UNGEZOGENE KINDER UND SOLLTEN ENTSPRECHEND BEHANDELT WERDEN.

Wenn Sie glauben, das Opfer emotionaler Erpressung zu sein, sollten Sie sich unbedingt darüber klar werden, ob Sie diese Situation hinnehmen oder etwas dagegen unternehmen wollen. Andere werden Sie immer so behandeln, wie Sie es ihnen erlauben. Wenn Sie ein Opfer sind, dann deswegen, weil Sie es zugelassen haben. Doch so wie ein Erpresser sein Verhalten über einen bestimmten Zeitraum erlernt hat, kann er es auch im Laufe der Zeit wieder verändern. Diese Verhaltensänderung kostet Zeit und Mühe. Machen Sie sich also auf eine schwierige Phase und einen weiten Weg gefasst.

Als Erstes sollten Sie sich klar machen, dass der Erpresser Ihre Zustimmung zu etwas braucht, ansonsten würde er Sie nicht um Erlaubnis bitten, das zu tun, was immer er tun möchte. In Wirklichkeit haben Sie also die Oberhand. Ohne Ihre Zustimmung fühlt der

Erpresser sich machtlos. Sie verlieren Ihre Macht nur dann, wenn Sie Schwäche zeigen. Gehen Sie nicht auf seine Spielchen ein und übernehmen Sie keinerlei Verantwortung für die Situation. Versuchen Sie nicht zu verstehen, wie der Erpresser sich fühlt. Vergessen Sie nie, dass *Sie* erpresst werden und dass das einzig Wichtige *Ihre* Gefühle sind. Versuchen Sie nie, den anderen Ihrerseits zu erpressen.

Wenn der Erpresser Sie mit seinen Forderungen, Drohungen und Beschuldigungen bearbeitet, müssen Sie einen Vorrat an Antworten parat haben. Diese Antworten werden Ihnen nicht unbedingt spontan einfallen. Deswegen sollten Sie sie so lange üben, bis Sie diese Antworten sofort abrufen können.

Was Sie dem Erpresser erwidern

- »Tja, das ist deine Sache.«
- »Tut mir Leid, dass du die Sache so sehen willst.«
- »Offensichtlich bist du sauer. Lass uns die Sache bereden, wenn du dich wieder beruhigt hast.«
- »Ich hab da eben eine andere Meinung als du.«
- »Es ist mir klar, dass du nicht glücklich bist, aber so ist das nun mal.«
- »Ich glaube, darüber muss man eine Weile nachdenken. Lass uns später darüber reden.«
- »Wir sehen die Dinge unterschiedlich.«
- »Vielleicht hast du Recht. Lass uns eine Weile darüber nachdenken, bevor wir eine Entscheidung treffen.«
- »Offensichtlich bist du enttäuscht, aber da gibt es nichts zu verhandeln.«

Die Weigerung, schwach zu werden oder zu verhandeln, hat häufig zur Folge, dass der Erpresser sich eine Zeit lang in den Schmollwinkel zurückzieht. Das ist oft der Punkt, an dem das Opfer nachgibt. Es muss schließlich eine Lösung geben – jedoch nur, wenn der Erpresser bereit ist, die Situation vernünftig und rational zu diskutieren. Beklagen Sie sich, während der Erpresser sich in Schweigen hüllt, nicht über das Problem, denn sonst weiß er, dass Sie frustriert sind – und genau das verleiht ihm seine Macht. Sagen Sie einfach: »Ich bin bereit, darüber zu reden, wenn du auch bereit bist.«

VERMEIDEN SIE ES, DEM ERPRESSER ZU DROHEN, IHN ZU BELEIDIGEN ODER SEINE WUNDEN PUNKTE ANZUSPRECHEN.

Der Erpresser wird sich machtlos und verzweifelt fühlen, muss aber dennoch das Gesicht wahren. Heben Sie also seine Vorzüge hervor. Kommt es zu einem Kompromiss, setzen Sie Ihre Grenzen und halten Sie unerschütterlich daran fest. Vermittelt der Erpresser Ihnen Schuldgefühle, sollten Sie sich den Schuh auf keinen Fall anziehen.

MIT ERPRESSERN SOLLTE MAN NICHT STREITEN ODER DISKUTIEREN – MAN SOLLTE SIE ERZIEHEN.

Wenn Sie die zuvor aufgeführten Antworten verwenden, können Sie das Verhalten des Erpressers ändern. Erpresser haben Achtung vor Menschen, die sich nicht rumkriegen lassen.

Wenn der Erpresser auch im Dunkeln tappt

Manchmal ist Erpressern nicht einmal klar, was sie tun. Die südafrikanische Journalistin Charlene Smith schrieb ein eindrucksvolles Buch über die Nacht, in der sie in ihrem eigenen Heim vergewaltigt wurde, und über den Kampf mit den Behörden um einen Prozess gegen den Vergewaltiger. Damals hatte Südafrika die weltweit höchste Vergewaltigungsrate. Alle 26 Sekunden wurde eine

Frau vergewaltigt. Vergewaltigung war *das* Tabuthema des Landes und nur wenige Menschen, vor allem die weiblichen Opfer, hatten den Mut, in der Öffentlichkeit darüber zu reden.

In ihrem Buch beschreibt Charlene Smith die schreckliche Wirkung, die die Vergewaltigung auf sie hatte. Aber sie schildert auch, wie sie schließlich viel stärker aus der Sache herauskam und für viele andere Frauen, die das gleiche traumatische Erlebnis hatten, zum Vorbild wurde. Einer Frau, die sie anrief, brachte Charlene jedoch wenig Mitgefühl entgegen. Diese Frau hatte als Ergebnis der Vergewaltigung ihr Studium aufgegeben, von ihrem Mann verlangt, ein Haus in einem anderen Viertel zu kaufen und aufgehört, sich um ihre drei Kinder und das Haus zu kümmern. Die Kinder sorgten für sich selbst, das Haus verwahrloste und ihr Ehemann litt entsetzlich darunter, dass er ihr nicht helfen konnte, das Trauma zu überwinden. Als sie mit Charlene Kontakt aufnahm, war sie völlig fassungslos, wie die Schriftstellerin reagierte. Charlene sagte ihr unumwunden, dass sie emotionalen Druck ausübe, um ihre Familie so leiden zu lassen, wie sie selbst litt. »Marys übermäßiges Selbstmitleid machte sie zur Sklavin ihrer Vergewaltiger«, schrieb Smith in *Proud Of Me.* »Sie ahmte auf andere Weise die Brutalitäten der Männer nach, die ihr Gewalt angetan hatten. Die Schläge ihrer Angreifer waren sichtbar, die Schläge, die sie in ihrer Familie austeilte, waren viel schmerzhafter und obendrein unsichtbar.«

OPFER KÖNNEN NACH EMOTIONALER ERPRESSUNG
ANDERE FAMILIENMITGLIEDER ODER FREUNDE
LEIDEN LASSEN, OHNE ES SELBST ZU ERKENNEN.

Wahrscheinlich war der Frau gar nicht bewusst, dass sie emotionalen Druck auf ihre Familie ausübte. Es war einfach, in die Rolle des Erpressers zu verfallen, vor allem, weil ihr Mann und ihre Kinder es nicht wagten, zu protestieren oder Widerstand zu leisten. Sie fühlten sich für die Vergewaltigung verantwortlich und wurden von Schuldgefühlen geplagt. Was, wenn der Ehemann an diesem Abend zu Hause gewesen wäre? Wenn die Kinder nicht ausgegangen wären? Vielleicht wäre die Vergewaltigung dann nie passiert. Schuld ist oft die mächtigste Waffe im Arsenal des Erpressers und kann die Opfer völlig lähmen.

In dieser Situation sollten die Opfer Hilfe von außen suchen. Hier wurde eine enge Freundin der Frau um Hilfe gebeten. Auch ein guter Berater, Psychologe oder Psychotherapeut könnte herangezogen werden. Manchmal muss man einfach eine neutrale, von dem emotionalen Ballast unbeschwerte Person zu Rate ziehen, die hilft, den Kreislauf von Selbstmitleid und Selbstzerstörung zu durchbrechen.

Wenn Erpressung »lebenslänglich« bedeutet

Wenn man auf die anfänglichen Drohungen des Erpressers eingeht, kann ein Teufelskreis entstehen, aus dem es zunehmend schwerer wird, sich zu befreien. Der Erpresser könnte schließlich das Opfer ruinieren – emotional, psychisch und finanziell.

Eine Bekannte der Autoren wurde von ihrem Verlobten bearbeitet, einen Darlehensvertrag zu unterzeichnen. Sie sollte für ein Darlehen bürgen, mit dem er einen neuen Wagen kaufen wollte, den er für seine Arbeit brauchte. Alleine, so sagte er, wäre er nicht hinreichend kreditwürdig. Zuerst weigerte sie sich. »Warum willst du mir nicht helfen?«, fragte er. »Wir wollen doch den Rest unseres Lebens zusammenbleiben. Wenn du mir nicht mal bei einem einfachen Darlehen vertraust, können wir die ganze Sache ebenso gut jetzt beenden!«

Der Streit zog sich tagelang hin. »Wenn du mich *wirklich* lieben würdest, würdest du es für mich tun. Wir machen es doch gemeinsam, es ist für uns beide, für unsere Zukunft.« »Nach allem, was wir zusammen durchgemacht haben, ist das ja wohl das Mindeste, was ich erwarten kann«, war dann *die* Waffe, mit der er sie zur Unterschrift zwang. Da die Liebe sie blind machte, und sie Angst hatte, ihn zu verlieren, stimmte sie schließlich zu, und setzte ihren Namen auf die gepunktete Linie. Als sie später entdeckte, dass er ein notorischer Lügner war, der es nie länger als zwei Wochen in einem Job aushielt und überall Schulden hatte, war es zu spät. Weil sie sich erpressen ließ, musste sie schließlich für hohe Schulden einstehen, die sie noch immer in Raten abbezahlt. Und der Verlobte ist schon lange verschwunden. Leider misstraut sie Männern nun grundsätzlich.

WENN ERPRESSER MIT LIEBESENTZUG DROHEN, WERDEN FRAUEN OFT LEICHTE BEUTE.

Auch Eltern können tiefe Wunden zufügen. Vor allem in ländlichen Gegenden üben sie zuweilen enormen Druck auf ihren ältesten Sohn aus – oder auch auf den jüngsten Sohn, wenn er sich als willfähriger erweist: Der Sohn soll zu Hause bleiben und den Hof übernehmen. Vielleicht hat der junge Mann sich jedoch eine andere Zukunft vorgestellt. Vielleicht wollte er reisen, sich selbständig machen, ein Handwerk erlernen oder die Schauspielschule besuchen. Gibt er dem emotionalen Druck nach, wird er immer das Gefühl haben, in der Falle zu sitzen, und einen beständigen Groll gegen seine Eltern hegen.

Bei Töchtern hat die Erpressung oft eine andere Form. Wir alle haben von Frauen gehört, die ihr Leben damit verbringen, ein Elternteil zu pflegen, und aus Pflichtbewusstsein heraus auf ihr eigenes Glück verzichten, wobei die gebrechliche Mutter oder der Vater ihnen Schuldgefühle vermitteln, wenn sie auch nur den Wunsch äußern, sie zu verlassen und sich ihr eigenes Leben aufzubauen.

Emotionale Erpressung ist immer abscheulich. Haben Sie einmal die Rolle des Opfers gespielt, laufen Sie Gefahr, diese Rolle für alle Zeiten zu spielen und die Chance zu vertun, frei von emotionaler Schuld ein Leben voller Glück, Liebe und Freude zu führen. Wenn Sie also weinen, dann tun Sie es aus triftigen Gründen.

DAS STRENG GEHEIME
PUNKTESYSTEM DER FRAUEN

WIE EINEM MANN DIE WOCHE VERDORBEN WIRD

Wie die meisten Männer hatte Andy noch nie vom geheimen Punktesystem der Frauen gehört. Er dachte, er halte für Justine einfach nur ein Bild hoch.

In den Augen ihrer Mitmenschen hatten Mark und Kelly alles, was man sich nur wünschen kann. Mark hatte einen tollen Job, sie hatten ein wunderschönes Heim, ihre drei Kinder waren glücklich und ausgeglichen, und die Familie machte jedes Jahr Urlaub im Ausland.

Hinter den Kulissen kriselte es jedoch in ihrer Beziehung. Mark und Kelly liebten einander wirklich, waren jedoch verwirrt, verärgert und verzweifelt, weil sie sich dauernd stritten. Kelly wirkte immer gereizt oder gar wütend, und Mark war zutiefst verwirrt: er verstand einfach nicht, was los war.

Das Problem war, dass Mark (wie die meisten Männer) nicht die leiseste Ahnung hatte, dass Kelly ein spezielles weibliches Punktesystem zur Bewertung ihrer Ehe anwendete.

Als eines Abends das Thema einer probeweisen Trennung auf den Tisch kam, einigten sie sich, einen Eheberater aufzusuchen. Kelly war darüber froh. Mark stimmte zwar zu, meinte jedoch insgeheim, sie sollten ihre Probleme selbst lösen. Lesen Sie, was die beiden dem Berater sagten:

KELLY »Mark ist ein Workaholic. Er denkt niemals an mich und die Kinder und tut nie etwas für uns. Es ist, als würden wir gar nicht existieren. Alles dreht sich nur ums Geschäft, und wir kommen immer an letzter Stelle. Ich bin es leid, für die Kinder Mutter und Vater zu spielen. Ich brauche einen Mann, der mich begehrt, für mich sorgt und am Familienleben teilnimmt, ohne dass ich ihm immer die Hölle heiß machen muss.«

MARK (verblüfft) »Ich begreife nicht, wie du so etwas sagen kannst, Kelly … Was soll das heißen, ich sorge nicht für dich und die Kinder? Sieh dir nur dein schönes Haus an, die Kleider und den Schmuck, den du trägst, die hervorragende Schule, die die Kinder besuchen … all das habt ihr mir zu verdanken! Ja, ich arbeite hart, damit wir so leben können und all die schönen Dinge haben, die wir uns wünschen. Ich lege mich krumm für euch, und du erkennst das überhaupt nicht an! Du nörgelst nur …«

KELLY (wütend) »Du kapierst es einfach nicht, Mark. Du wirst es wahrscheinlich nie kapieren! Ich tue alles für dich … ich koche, ich wasche, ich lade Gäste zu uns ein und sorge dafür, dass es uns allen gut geht … Und du hast nur deine Arbeit im Kopf. Wann hast du das letzte Mal für mich die Spülmaschine ausgeräumt? Weißt du überhaupt, wie das Ding funktioniert? Wann bist du das letzte Mal mit mir essen gegangen? Sag schon, wann hast du das letzte Mal gesagt, dass du mich liebst …«

MARK (schockiert) »Kelly … du weißt, dass ich dich liebe …«

Die meisten Männer sind sich der Tatsache nicht bewusst, dass Frauen ein Punktesystem anwenden, mit dem sie das Verhalten ihres Partners bewerten. Häufig wissen sie nicht einmal, dass dieses System überhaupt existiert. Folglich erreichen sie nur eine miserable Punktzahl, ohne je zu verstehen, was sie falsch gemacht haben. Die Anzahl der Punkte, die ein Mann bei seiner Partnerin erzielt, wirkt sich direkt und ständig auf seine Lebensqualität aus. Und die Frauen zählen nicht nur die Punkte, sie legen auch die Kriterien fest! Wenn ein Mann und eine Frau beschließen, zusammenzuleben, sprechen sie nie darüber, wie die Arbeitsteilung in ihrem Leben aussehen soll. Sie gehen stillschweigend davon aus, dass der andere weiterhin so wie bisher seinen Teil zur Beziehung beiträgt, dass er sich so verhalten wird, wie es bei den Eltern üblich war, oder sich der stereotypen Rollenverteilung fügen wird, nach der Männer den Rasen mähen und Frauen das Essen kochen.

Männer sehen nur das große Bild

Männer treten gerne einen Schritt zurück und betrachten das »große Bild«. Sie leisten viel lieber eine geringe Anzahl großer Beiträge, als sich mit vielen kleinen und ihrer Meinung nach unwichtigen Beiträgen zu verzetteln. Ein Mann bringt seiner Partnerin vielleicht nur selten ein Geschenk mit, aber wenn er es tut, muss es ein großes sein. Das weibliche Gehirn hingegen ist so strukturiert, feinere Details wahrzunehmen, und Frauen treffen eine größere Anzahl kleiner Entscheidungen hinsichtlich der vielen komplizierten Facetten einer Beziehung. Eine Frau erteilt, unabhängig von der Größe, für jeden einzelnen Beitrag einen Punkt, und zwei oder mehr für einen Liebesakt.

Schenkt ein Mann seiner Partnerin ein einzelne Rose, zählt das einen Punkt. Kauft er ihr einen Strauß mit sechs Rosen, bekommt er auch nur einen Punkt. Würde er ihr aber in einem Zeitraum von sechs Wochen jede Woche eine Rose kaufen, brächte ihm das sechs Punkte ein. Eine einzige Rose ist eindeutig ein Geschenk an sie, ein Strauß Rosen könnte auch als Dekoration für das Haus dienen. Schenkt er ihr regelmäßig eine Rose, zeigt er, dass sie die wichtigste Rolle in seinem Leben spielt.

Streicht ein Mann das Haus, erhält er einen Punkt. Räumt er seine schmutzige Wäsche weg oder sagt seiner Partnerin, dass er sie liebt, zählt das jeweils auch einen Punkt. Mit anderen Worten, die Punkte werden für die Anzahl der Beiträge, nicht für deren Größe, Qualität oder Bedeutung verteilt. Kauft er ihr ein Auto oder den Diamantring ihrer Träume, erzielt er sicher zusätzliche Punkte. Aber 95 Prozent aller Punkte werden für alltägliche Dinge verliehen, die ein Mann tut oder nicht tut. Bei den Frauen zählt eindeutig der gute Wille.

FRAUEN GEBEN EINEN PUNKT PRO BEITRAG ODER GESCHENK,
BEDEUTUNG ODER WERT SPIELEN DABEI KEINE ROLLE.
HÄTTEN MÄNNER EIN PUNKTESYSTEM,
WÜRDEN SIE DIE PUNKTVERGABE VON BEDEUTUNG
ODER WERT ABHÄNGIG MACHEN.

Den meisten Männern ist absolut nicht klar, wie Frauen bewerten, weil sie selbst kein Punktesystem anwenden. Bei Frauen geschieht das Punktezählen unterbewusst, nicht bewusst, und alle Frauen verstehen intuitiv, wie das funktioniert. Dieser Unterschied ist die

Ursache vieler Missverständnisse zwischen Männern und Frauen. Frauen sind hervorragende Punktezähler und ihr Gedächtnis ist so gut, dass sie auch nach Jahren noch den Punktestand im Kopf haben. In der Annahme, dass irgendwann ein Punktegleichstand erzielt werden wird, hören sie nie auf, Dinge für einen Mann zu tun. Denn wird er ihnen nicht schon bald dankbar sein und sich revanchieren?

FRAUEN ZÄHLEN PUNKTE UND VERGESSEN NIE.

Ein Mann bemerkt es nicht einmal, wenn der Punktestand in der Beziehung ungleich ist. Eine Frau kann ihn auf 30 zu 1 anwachsen lassen, bevor sie sich beschwert. Wirft sie ihm dann vor, nichts zu tun, ist er überrascht und verärgert. Ihm war nicht klar, dass es ein Problem gab. Denn hätte ein Mann ein Punktesystem, würde er eine solche Situation gar nicht entstehen lassen. Schon beim Stand von 3 zu 1 würde er sich beschweren, dass seine Partnerin zu wenig tut, und verlangen, dass das Punktekonto ausgeglichen wird.

Hätte ein Mann ein Punktesystem, würde er glauben, die Punktzahl richte sich nach der Größe der Tat oder des Geschenkes. Fünf Tage die Woche zu arbeiten würde mindestens dreißig Punkte bringen, vom Standpunkt der Partnerin aus gesehen aber nur fünf – einen Punkt für jeden Arbeitstag. Wie die meisten Frauen aber wissen, zählt für Männer seit jeher die Quantität oder »Größe«.

FÜR FRAUEN ZÄHLT NICHT DIE GRÖSSE,
SONDERN DIE HÄUFIGKEIT.

Unser Experiment mit Brian und Lorraine

Brian war Finanzmakler und investiert viel Zeit in die Betreuung seiner Kunden und in den Aufbau seiner Firma. Seine Frau Lorraine führte den Haushalt und sorgte für die Kinder. Die beiden beschrieben sich als glückliches, normales Paar. Wir baten sie, 30 Tage lang darüber Buch zu führen, was jeder zu der Beziehung beitrug, und die Punktzahl aufzuführen, die sie ihrer Meinung nach vom anderen erhalten sollten. Für einen geringeren Beitrag sollte es einen Punkt, für einen größeren maximal dreißig Punkte geben. Tat der Partner Dinge, die den anderen ärgerten, sollte er Strafpunkte erhalten. Sie durften nicht miteinander diskutieren, wie oder wann sie Punkte zuteilten oder mit welchen Aktivitäten Punkte erzielt wurden.

Im Folgenden finden Sie die Zusammenfassung einiger Ergebnisse. Sie werden bemerken, dass keiner von beiden viele Strafpunkte erhielt. Wir vermuten, dass es dafür zwei Gründe gab: Zum einen entwickeln Paare, die zusammenleben, die Neigung, die schlechten Seiten des anderen zu ignorieren oder herauszufiltern. Zum anderen zeigen Paare, die einen Test wie diesen machen, sich oft von ihrer besten Seite.

Wie Brian seinen Monat bewertete

Brians Aktivität	*Punkte:* von ihm vergeben	von ihr vergeben
5 Tage pro Woche gearbeitet	30	5
Schwiegermutter besucht	5	1
Modellflugzeug für Sohn gebaut	5	1
Für Freunde gegrillt	3	1
Spätabends Geräusche im Haus	1	2
Öl im Auto nachgefüllt	2	1
Blätter aus Dachrinne geholt	3	1
Familie ins Pizza Hut eingeladen	2	1
Auto geputzt	2	1
Überstunden gemacht	5	1
PH-Wert im Pool geprüft	2	1
Jungen zum Fußball gebracht	3	2
Zeitschrift ›Computerbild‹ gelesen	1	0

Tote Ratte aus Garten entfernt	2	1
Farbe für Garage gekauft	2	1
Busch gepflanzt	2	1
Wochenende als Familienchauffeur	3	1
Ihren kaputten Schuh geklebt	3	1
Blumen/Schokolade & Wein	10	3
Bild aufgehängt	2	1
Müll rausgebracht	1	1
Türklinke repariert	1	1
Ihr gesagt, wie schön sie ist	1	3
Rasen gemäht	3	1
Kinderfahrrad repariert	2	1
Stereolautsprecher eingestellt	4	1

Dinge, die nicht auf Brians Liste waren, von Lorraine aber gewertet wurden

Gab mir seinen Mantel, als es kalt war	3
Ließ mich an der Haustür raus, als es regnete	2
Hielt mir die Wagentür auf	2
Schaltete die Standheizung ein, bevor ich einstieg	2
Hat Küchenmesser geschliffen	1
Gab Mutters Nummer im Kurzwahlmodus ein	1
Öffnete verklemmtes Glas	1
Lobte mein Essen	3

Dinge, die Brian hätte tun können, um mehr Punkte zu erzielen

Sein nasses Handtuch aufheben	1
Gemüse putzen	1
Die Kinder früh ins Bett bringen	2
Beim Nachhausekommen mit mir reden statt fernzusehen	5
Mir zuhören, ohne mich mit Lösungen zu unterbrechen	6
Anrufen, dass er spät nach Hause kommt	3
Irgendwo ein Wochenende nur für uns zwei organisieren	10

Anbieten, die Küche aufzuräumen	2
Den Fernseher leiser stellen, um mit mir zu reden	2
Anrufen, um zu sagen »Ich liebe dich«	3
Das Bett machen	1
Sich vor dem Sex rasieren	1
Kopf- & Fußmassage geben	3
Mich küssen	1
Mich küssen, ohne an mir herumzufummeln	3
Nicht ständig zappen	2
In der Öffentlichkeit Händchen halten	3
Mir das Gefühl geben, wichtiger zu sein als die Kinder	3
Mit mir einkaufen gehen	5
Mir eine romantische Karte schenken	4
In der Küche tanzen	2
Die Spülmaschine ausräumen	1
Interesse zeigen, wenn ich rede	3
Die schmutzige Wäsche in die Wäscherei bringen	1
Mir sagen, dass er mich vermisst	3
Die Klobrille runterklappen	1

Diese Liste macht mehrere Dinge deutlich: Weil das Gehirn der Männer räumlich orientiert ist, verteilen sie mehr Punkte für körperliche und räumlich bezogene Aktivitäten als Frauen. Brian gab sich zum Beispiel fünf Punkte, weil er seinem Sohn beim Bau eines Modellflugzeuges half, Lorraine war dies aber nur einen Punkt wert. Er hatte es als schwierige, Geschick erfordernde Aufgabe empfunden und war stolz auf das Ergebnis gewesen. In ihren Augen jedoch hatte er nur mit einem Spielzeug gespielt. Frauen geben Männern in der Regel für jede häusliche Tätigkeit einen Punkt, bewerten kleine, persönliche oder intime Dinge jedoch höher als große. Als Brian eines Abends Lorraines Kochkünste lobte, gab sie ihm dafür drei Punkte. Damit hätte er nie gerechnet. Er konnte sich nicht einmal an sein Lob erinnern, und hatte das gute Essen nicht in seine Liste aufgenommen. Nicht dass er es vergessen hatte; er wäre einfach nie auf die Idee gekommen, dass man mit einem derartigen Lob Punkte erzielen könnte. Als er Lorraine einen Blumenstrauß, Schokolade und Champagner kaufte, glaubte er, mindestens zehn Punkte verdient zu haben – ein Drittel seiner persönlichen Bewertung von fünf Arbeitstagen –, weil das Geschenk so teuer war, doch Lorraine gab ihm nur vier Punkte. Mit Kleinigkeiten wie »mir seinen Mantel gegeben, weil es kalt war« hatte er hingegen, ohne es zu ahnen, wichtige Punkte eingeheimst. Für ihn waren diese Dinge einfach Ausdruck dessen, dass er »sich um sie kümmerte«.

»Warum tauschen wir heute Abend nicht einfach die Rollen?«, fragte er.
»Gute Idee!«, sagte sie. »Du stehst an der Spüle und ich sitze auf dem Sofa und furze.«

Brian meinte, wenn er Überstunden machte, würde er mehr Punkte bekommen. Stattdessen aber verlor er Punkte, denn seiner Überstunden wegen hatte er weniger Zeit, zu Hause kleine Dinge zu erledigen. Er glaubte, von Lorraine bewundert zu werden, wenn er zusätzliches Geld für ein besseres Leben verdiente. Tatsächlich aber dachte Lorraine, seine Arbeit sei ihm wichtiger als sie. Überstunden zählten seiner Ansicht nach 5 Punkte pro Abend, für Lorraine aber nur einen. Hätte er sie von der Firma aus angerufen und gesagt, dass er sie liebe und vermisse, und dann noch einmal angerufen, kurz bevor er nach Hause kam, hätte er mindestens drei Punkte erzielt. Wie die meisten Männer hatte Brian keine Ahnung, dass Frauen kleinen Dingen eine große Bedeutung beimessen, obwohl er es so oft von seiner Mutter und seiner Großmutter gehört hatte.

Wie Lorraine ihren Monat bewertete

Lorraines Liste ihrer persönlichen Aktivitäten war viermal länger als Brians Liste. Sie hatte jede Aktivität genau aufgeschrieben, die meisten jedoch mit einer geringen Punktzahl bewertet. Staub saugen, Gemüse einkaufen, Blumen gießen, zur Bank gehen, die Haustiere versorgen, Rechnungen bezahlen, Geburtstagskarten verschicken, Familienfeiern planen, die Kinder baden, ihnen vorlesen oder erzieherisch auf sie einwirken – all das war jeweils einen Punkt wert.

Sich dauernd wiederholende Tätigkeiten wie das Aufheben auf dem Boden liegender, nasser Handtücher, Kochen oder Bettenmachen zählten jedes Mal einen Punkt. Brian war den ganzen Tag bei der Arbeit und hatte keine Vorstellung davon, wie Lorraines Alltag aussah. Er gab ihr eine Gesamtpunktzahl: 30 Punkte. Die gleiche Punktzahl, die er sich selbst für 50 Stunden Arbeit pro Woche zugestand. Lorraine hatte ihm an einem Abend den Rücken gekratzt. Dafür gab er ihr drei Punkte. Zweimal hatte sie die erotische Initiative ergriffen: Sex brachte ihr jedes Mal 10 Punkte ein.

Strafpunkte

Punkte werden abgezogen, wann immer ein Partner etwas tut, das den anderen frustriert oder ärgert.

Lorraines Strafpunkte für Brian

Kritisierte mich in Gegenwart von Freunden	–6
Furzte während des Essens mit Freunden	–10
Frauen lüstern anglotzen	–5
Bestand auf Sex, als ich keine Lust dazu hatte	–6

Brians Strafpunkte für Lorraine

Redete mit mir, während ich fernsah	–2
Wollte nicht mit mir schlafen	–6
Nörgelte	–5
Redete über zu viele Dinge auf einmal	–3

»ICH NÖRGELE NICHT. ICH MUSS IHN NUR STÄNDIG ERINNERN, WEIL ER SONST NICHTS AUF DIE REIHE KRIEGT.«

Brian beschwerte sich über Dinge, die Lorraine für ihn tat oder nicht tat, während es bei Lorraines Kritik eher um sein Verhalten in der Öffentlichkeit ging. Diese Listen zeigen auch, dass ungleiche Bedürfnisse – der Mann möchte Sex, die Frau nicht – für beide Partner Anlass zu Verstimmungen sind.

»WAS SOLL DAS HEISSEN, FRAUEN LÜSTERN ANGLOTZEN?«, PROTESTIERTE BRIAN. »SIE STAND MIR BLOSS IM WEG!«

Am Ende des Experiments hatte Brian sich durchschnittlich 62 Punkte und Lorraine 60 Punkte pro Woche gegeben und war mit dem ausgeglichenen Punktestand zufrieden. Lorraine hatte ihre Aktivitäten mit durchschnittlich 78 Punkten pro Woche bewertet, Brians Aktivitäten jedoch nur mit durchschnittlich 48 Punkten.

Lorraines und Brians Reaktion

Lorraine war der Meinung, Brian habe seine Leistung mit 30 Punkten überbewertet. Das erklärte den Groll, der seit einem Jahr in ihr schwelte. Brian verstand die Welt nicht mehr. Er war davon überzeugt, alles sei in bester Ordnung, und hatte keinen blassen Schimmer, wie Lorraine sich fühlte, weil sie nie mit ihm darüber gesprochen hatte. Er hatte gespürt, dass sie seit der Geburt des letzten Kindes vor einem Jahr ein wenig distanzierter war. Doch er vermutete, sie habe jetzt mehr zu tun und sei gestresst. Um ihr zu helfen, ihr mehr Freiraum zu verschaffen und mehr Geld nach Hause zu bringen, beschloss er, mehr zu arbeiten.

Das Experiment öffnete Brian und Lorraine die Augen. Der einfache, vergnügliche Test, der die unterschiedlichen Bewertungskriterien von Männern und Frauen aufzeigen sollte, hatte eine potenziell verheerende Situation deutlich gemacht und zur Vermeidung eines Desasters beigetragen. Lorraine war verärgert und fühlte sich betrogen, und Brian arbeitete mehr in dem Glauben, damit in ihrem Sinne zu handeln.

Lösung für Frauen

Frauen sollten akzeptieren, dass das Gehirn des Mannes darauf programmiert ist, das große Bild zu sehen, und dass Männer glauben, für größere Dinge mehr Punkte zu bekommen. Dann werden sie sich nicht ärgern, wenn das Punkteverhältnis zu seinen Gunsten ausfällt. Sie sollten ihren Partner auch ermutigen, die kleinen Dinge zu tun, die ihnen in einer Beziehung wichtig sind, und ihn belohnen, wenn er sie tut.

> DIE MÄNNER SIND ALLE GLEICH.
> SIE SEHEN NUR UNTERSCHIEDLICH AUS, DAMIT MAN SIE
> AUSEINANDER HALTEN KANN.
> MARILYN MONROE

Männer sind nicht darauf programmiert, Hilfe und Unterstützung anzubieten, es sei denn, sie werden ausdrücklich darum gebeten. Denn vom männlichen Standpunkt aus gesehen bietet man nur jemandem Hilfe an, den man für inkompetent hält. So ist das nun mal mit den Männern – sie wollen gefragt werden. Wenn sie nicht gefragt werden, gehen sie davon aus, dass Punktegleichstand herrscht und in der Beziehung alles in bester Ordnung ist. Männer sind sehr vergesslich.

Männer vergessen die positiven Dinge, die sie kürzlich für ihre Frau getan haben, aber eben auch die positiven Aktivitäten ihrer Frau. Frauen vergessen nie. Schlagen Sie sich die Vorstellung aus dem Kopf, Männer würden das weibliche Punktesystem verstehen. Sie wissen nicht einmal, dass es existiert. Viele Dinge, die Männer tun, erscheinen gar nicht auf deren Listen, denn sie tun sie, ohne zu erwarten, sie könnten damit Punkte erzielen.

Lösung für Männer

Frauen verteilen nicht nur Punkte, sie sammeln sie über längere Zeiträume und vergessen nie. Eine Frau lehnt es heute ab, mit Ihnen zu schlafen, weil Sie vor zwei Monaten ihre Mutter angeschrieen haben. Hat sie das Gefühl, dass der Punktestand zu Ihren Gunsten ausfällt, wird sie das kaum jemals erwähnen. Sind Sie jedoch im Rückstand, wird sie wütend und zeigt Ihnen die kalte Schulter. Liebesleben ade! Wenn das passiert, müssen Sie ihre Frau fragen, was sie von Ihnen erwartet. Denken Sie daran: Sie erhalten für jede Aktivität einen Punkt, können mit kleinen Dingen, die emotionale Unterstützung beinhalten, jedoch ein besseres Ergebnis erzielen. Blumen mitbringen, ihr Aussehen loben, Ihre Sachen wegräumen, beim Abwasch helfen und ein Mundspray verwenden, zählt so viel, und manchmal sogar mehr, als ein dickes Gehalt mit nach Hause zu bringen oder das Haus zu streichen. Das heißt nicht, dass Männer weniger arbeiten sollten. Aber wenn sie die Nähe zu einer Frau immer wieder herstellen und sich bemühen, die kleinen Dinge zu tun, wird sich ihre Lebensqualität enorm verbessern.

Machen Sie den Test jetzt

Notieren und bewerten Sie mit Ihrem Partner wie Brian und Lorraine zehn Tage lang alle »Leistungen« in Ihrer Beziehung. Werten Sie die Ergebnisse aus und verwenden Sie sie als Schablone, um Ihre Beziehung so glücklich zu gestalten, wie Sie es nicht zu träumen wagten. Ein Punkteunterschied von weniger als 15 Prozent weist auf eine relativ ausgeglichene Partnerschaft hin, in der sich keiner ausgenutzt fühlt. Ein Unterschied von 15 bis 30 Prozent zeigt, dass genug Missverständnisse vorliegen, um Spannungen zu erzeugen, und mehr als 30 Prozent bedeuten, dass ein Partner in der Beziehung unglücklich ist.

Der Partner mit der geringeren Punktzahl muss, um den Punktestand auszugleichen und Spannungen abzubauen, Dinge tun, die dem anderen gefallen.

Zusammenfassung

Um viele Punkte zu erzielen, brauchen Sie nicht mehr in Ihre Beziehung zu investieren als bisher. Sie müssen einfach nur verstehen, wie der andere Dinge bewertet, und Ihre Herangehensweise ändern.

Das vom anderen Geschlecht verwendete Punktesystem ist nicht besser oder schlechter als Ihres – nur anders. Frauen verstehen das, aber die meisten Männer müssen erst darauf aufmerksam gemacht werden.

Als wir Brian und Lorraine baten, an dem Experiment teilzunehmen, wusste Lorraine genau, worum es ging. Doch Brian meinte: »Was? Punkte zählen? Was soll denn das?« Wie die meisten Männer hatte er keine Ahnung vom Punktesystem der Frauen. Wenn ein Mann und eine Frau sich streiten, ist der von ihr am häufigsten verwendete Vorwurf: »Nach allem, was ich für dich getan habe! Du bist so faul, und alles bleibt an mir hängen.«

Wiederholen Sie den Test von Zeit zu Zeit, wenn Ihre Beziehung sich verändert, um sicherzugehen, dass Gleichstand herrscht. Ein Paar mit geringeren Belastungen bewertet Dinge anders als ein Paar mit Schulden auf dem Haus, drei Kindern und einem Hund.

Schließlich schickte uns ein männlicher Leser, der den Test machte, die folgenden Beispiele dafür, wie eine Frau täglich Plus- und Minuspunkte verteilt.

Liebe Barbara, lieber Allan,
dieser Test hat die Beziehung zu meiner Freundin vollkommen
verändert. Wir kommen jetzt besser miteinander aus als je zuvor
in unserer dreijährigen Beziehung, und ich möchte gerne andere an
meinen Erfahrungen teilhaben lassen, wie Frauen Punkte zählen.
Vielen Dank
Der glückliche Jack

Häusliche Pflichten

Du bringst den Müll raus	+1
Du bringst den Müll morgens um halb fünf raus, wenn der Müllwagen gerade wegfährt	–1
Du räumst schmutziges Geschirr immer sofort in die Spülmaschine	+1
Du lässt Geschirr in der Spüle stehen	–1
Du lässt es unterm Bett stehen	–3
Du lässt die Klobrille oben	–1
Du lässt die Klobrille mitten in der Nacht oben (und sie ist schwanger)	–10
Du pinkelst auf die Klobrille	–5
Du verpinkelst das Klo	–7
Du sorgst sofort für neues Klopapier	0
Wenn das Klopapier alle ist, nimmst du Kleenex	–1
Ist das Kleenex alle, hüpfst du, mit runtergezogener Hose, ins andere Bad	–2
Du lüftest das Bad nicht	–1
Du machst das Bett	+1
Du machst das Bett, vergisst aber die Zierkissen	0
Du ziehst die Bettlaken nicht glatt	–1
Du furzt im Bett	–5
Du sorgst dafür, dass genug Sprit im Tank ist, wenn sie fährt	+1
Mit dem bisschen Sprit im Tank schafft sie es kaum zur nächsten Tankstelle	–1

Du forschst nachts nach, wo das verdächtige Geräusch herkommt,
und findest nichts   +1
Du forschst nachts nach, wo das verdächtige Geräusch herkommt,
und entdeckst einen Einbrecher   +3
Du schlägst ihn mit dem Golfschläger nieder   +10
Es ist ihr Vater   −10

Partys
Du bleibst während der gesamten Party an ihrer Seite   +5
Du bleibst eine Weile an ihrer Seite und plauderst dann
mit einer alten Schulfreundin,   −2
die Charlotte heißt   −9
Wenn du dich unters Volk mischst, hältst du ihre Hand
und schaust sie liebevoll an   +4
Wenn du dich unters Volk mischst, stellst du sie als
»Hausdrachen« vor und tätschelst ihr den Hintern   −5

Geschenke
Du kaufst ihr Blumen, aber nur, wenn sie es erwartet   0
Du kaufst keine Blumen, wenn sie es erwartet   −10
Du überraschst sie mit Blumen   +5
Du schenkst ihr Blumen, die du selbst gepflückt hast   +10
Sie riecht an ihnen und wird von einer afrikanischen
Tsetsefliege gestochen   −25

Autofahren
Du findest bei einem Ausflug nicht gleich den richtigen Weg   −4
Du verfährst dich und weißt nicht mehr, wo du bist   −10
Du verfährst dich in einem Stadtviertel mit hoher
Kriminalitätsrate   −15
Dann nimmst du Kontakt mit den Bewohnern auf   −25
Sie findet heraus, dass du den schwarzen Gürtel im Judo gar
nicht hast   −60

KAPITEL 5

DIE SIEBEN GRÖSSTEN GEHEIMNISSE DER MÄNNER WERDEN GELÜFTET

Die Männer redeten über ihre letzte Angeltour.
Die Frauen redeten über etwas anderes.

Nach dem Erfolg von *Warum Männer nicht zuhören und Frauen schlecht einparken* wurden wir mit Briefen und E-Mails von Frauen überschüttet, die mehr über die Unterschiede zwischen den Geschlechtern wissen wollten. Hier sind sieben der am häufigsten gestellten Fragen:

1. Warum wissen Männer kaum etwas über das Leben ihrer Freunde?
2. Warum gehen Männer nur ungern feste Bindungen ein?
3. Warum wollen Männer immer Recht behalten?
4. Warum sind erwachsene Männer so wild auf »Jungenspielzeug«?
5. Warum können Männer immer nur eine Sache nach der anderen tun?
6. Warum sind Männer so sportversessen?
7. Worüber reden Männer auf der Toilette eigentlich wirklich?

Frauen versuchen das Verhalten der Männer von ihrem eigenen weiblichen Standpunkt aus zu analysieren. Und dann muss männliches Verhalten sie natürlich in größtes Erstaunen versetzen. In Wirklichkeit aber sind Männer nicht unlogisch; sie denken nur anders als Frauen.

1. Warum wissen Männer kaum etwas über das Leben ihrer Freunde?

Julian hatte Ralph etwa ein Jahr nicht gesehen, und sie verabredeten sich zum Golfspielen. Als Julian abends nach Hause kam, wollte seine Ehefrau Hannah hören, wie es ihm gefallen hatte:

HANNAH   »Wie war dein Tag?«
JULIAN   »Gut.«
HANNAH   »Wie geht's Ralph?«

JULIAN »Gut.«

HANNAH »Wie geht es seiner Frau, nachdem sie jetzt endlich wieder aus dem Krankenhaus raus ist?«

JULIAN »Keine Ahnung – er hat nichts davon gesagt.«

HANNAH »Er hat nichts gesagt? Heißt das, dass du nicht gefragt hast?«

JULIAN »Nein, eigentlich nicht, aber wenn es da ein Problem gegeben hätte, hätte er mir bestimmt davon erzählt.«

HANNAH »Und wie läuft es bei ihrer Tochter mit dem neuen Ehemann?«

JULIAN »Äh … davon hat er nichts gesagt …«

HANNAH »Bekommt Ralphs Mutter immer noch Chemotherapie?«

JULIAN »Hmm … Ich bin mir nicht sicher …«

Und so weiter.

Julian wusste, wie viele Schläge sie beide für die Runde gebraucht hatten, er erinnerte sich an die Schwierigkeiten im Sandloch, an das Hole-in-one, das er beinahe geschlagen hätte, und an den Witz mit der Nonne und dem Gummihuhn, aber er wusste praktisch nichts über Ralphs Frau, seine Kinder und seine Familie. Er wusste, welche Schwierigkeiten Ralph mit dem Stadtrat wegen seines Bauvorhabens hatte, welches Automodell in welcher Ausstattung er sich zulegen wollte und wohin er erst vor kurzem geflogen war, um ein Geschäft abzuschließen. Aber er wusste absolut nichts über seine jüngste Tochter, die jetzt in Bangkok lebte, oder davon, dass bei seinem Bruder die parkinsonsche Krankheit diagnostiziert oder dass seine Frau in ihrer Gemeinde zur Bürgerin des Jahres gewählt worden war. Stattdessen hatte er sein Repertoire an großartigen Witzen aufgefüllt.

EIN MANN MERKT SICH JEDEN GUTEN WITZ, DEN SEIN FREUND IHM ERZÄHLT, ABER ER MERKT NICHT, DASS ER SICH VON SEINER FRAU GETRENNT HAT.

Wenn ein Mann mit seinen Freunden nach der Arbeit noch einen trinken geht, wundern sich Frauen stets darüber, dass er nachher zu Hause so wenig über die persönlichen Angelegenheiten seiner Freunde weiß. Aber Männer verstehen all diese Aktivitäten als eine Form des Ins-Feuer-Starrens. Sie können Stunden mit Fischen, Golfen, Kartenspielen oder Fußballschauen verbringen, ohne viel dabei zu sagen. Wenn sie reden, dann über die Fakten – Ergebnisse, Lösungen oder Antworten auf Fragen –, oder um Informationen über Dinge und Prozesse weiterzugeben. Männer haben ergebnisorientierte Gehirne, die im Allgemeinen Gefühle nicht wahrnehmen.

Eine Untersuchung der University of Leeds fragte nach den Gründen, warum Männer nach der Arbeit in die Kneipe gehen:

9,5 Prozent wollen Alkohol trinken
5,5 Prozent wollen Frauen kennen lernen
85 Prozent wollen Stress abbauen

Männer bauen Stress ab, indem sie ihr Hirn ausschalten und an etwas anderes denken. Deshalb gehen sie auch »in Ruhe einen trinken« – es besteht keine Notwendigkeit, dabei zu reden, wenn man keine Lust hat.

> **WENN EIN MANN MIT SEINEN FREUNDEN ZUSAMMEN IST**
> **UND NICHT DEN MUND AUFMACHT,**
> **HEISST DAS NICHT, DASS SIE STREIT HABEN;**
> **ER STARRT NUR EINFACH GERADE INS FEUER.**

Männer erwarten nicht, dass andere Männer viel reden, und sie bestehen nie auf einer Unterhaltung. Wenn einer von ihnen mit einem Glas in der Hand ins Feuer starrt, verstehen andere Männer das intuitiv und lassen ihn in Ruhe. Sie zwingen ihn nie, etwas zu sagen. Niemand fragt: »Erzähl mir, wie dein Tag war ... Wen hast du getroffen, und was waren das für Typen?« Wenn sie reden, dann über die Arbeit, über Sport, Autos und Ähnliches. Sie reden abwechselnd nacheinander, weil ihre Gehirne so organisiert sind, dass sie nur entweder zuhören oder sprechen können. Im Gegensatz zu Frauen können sie nicht beides gleichzeitig tun.

Lösung

Ein Mann kann kaum verstehen, warum eine Frau in allen Einzelheiten über das Leben von Freunden und Bekannten Bescheid wissen will. Wenn sein Freund will, dass er etwas weiß, dann wird er es ihm erzählen. Das heißt nicht, dass ein Mann kein Interesse an seinen Freunden hat – aber er will nur die wesentlichen Fakten und Ergebnisse wissen. Ein Mann redet mit anderen nur dann über wirklich persönliche Angelegenheiten, wenn er ein Problem nicht selbst lösen kann und als letzten Rettungsanker seinen Freund um Rat fragt.

Wenn Sie also Informationen über die Gesundheit, die beruflichen Perspektiven, die Beziehungen oder den Aufenthaltsort Ihrer Familienmitglieder oder Freunde und Bekannten haben wollen, verlassen Sie sich nie auf Männer; fragen Sie Frauen. Männer kommen mit anderen zusammen, um Ergebnisse und Lösungen zu diskutieren oder Stress abzubauen. Sie fragen selten nach persönlichen Dingen.

2. Warum gehen Männer nur ungern feste Bindungen ein?

Bindung, *Substantiv*

Bedeutung für Frauen: Der Wunsch, zu heiraten und eine Familie zu gründen.

Bedeutung für Männer: Die Verpflichtung, nicht mit anderen Frauen anzubändeln, wenn man mit seiner Frau oder Freundin ausgeht.

Fallbeispiel: Geoff und Sally

Jodie war überzeugt, dass Geoff und Sally ein wunderbares Paar abgeben würden, also arrangierte sie ein Blind Date für sie.

Sie verbrachten einen großartigen Abend zusammen, tauschten ihre Telefonnummern aus und wollten sich wieder treffen. Am nächsten Tag rief Sally Jodie an und dankte ihr dafür, dass sie sie miteinander bekannt gemacht hatte. Sie sagte, sie finde Geoff wirklich nett und wolle ihn näher kennen lernen. Am Abend telefonierte Geoff mit Jodie und sagte dasselbe über Sally.

Geoff hatte kaum den Hörer auf die Gabel gelegt, als Jodie schon Sallys Nummer wählte und ihr Geoffs Worte wiederholte. Dies war das Zeichen für Sally, den Prozess des Kennenlernens zu starten und eine Beziehung einzugehen, und so lud sie ihn am nächsten Wochenende ein, mit ihr an den Strand und dann zum Essen zu gehen. Geoff willigte glücklich ein. Sie verbrachten die nächsten drei Wochenenden zusammen und gingen ein- oder zweimal in der Woche zusammen ins Kino. Für Sally zeigte die Zeit, die darüber verging, an, dass sie jetzt eine Beziehung miteinander hatten. Sie traf sich mit niemandem außer Geoff, obwohl sie nie darüber gesprochen hatten, dass ihr Verhältnis ausschließlich sein sollte.

Geoffs Geschichte

Ein Monat war vorbei, und Geoff hatte absolut keine Ahnung, dass er in einer Beziehung lebte, weil das nie zur Sprache gekommen war. So funktioniert das männliche Gehirn nun einmal. Es versteht das Konzept der Beziehung nicht so wie das weibliche Gehirn.

Geoff beschloss, Mary zur Geburtstagsparty seines besten Freundes mitzunehmen. Mary war immer der Mittelpunkt jeder Fete – eine echte Ulknudel –, und er hatte sie monatelang nicht gesehen. Auf der Party amüsierten sie sich großartig, als Geoff plötzlich Jodie entdeckte. Sofort ging er zu ihr hin und stellte sie Mary vor. Jodie wirkte ein bisschen reserviert ihnen beiden gegenüber, und Geoff spürte, dass sie Mary nicht mochte. Das verwirrte ihn, weil Mary doch so witzig war und alle sie nett fanden. Aber er dachte nicht weiter darüber nach.

Jodies Geschichte

Jodie war schockiert, dass Geoff nicht Sally zu dieser Party mitgenommen hatte. Stattdessen kam er mit einem großmäuligen Flittchen namens Mary. Jodie wusste, dass sie Sally das erzählen musste, bevor sie es hintenherum erfuhr, und diese Aussicht fand sie gar nicht erhebend. Natürlich lief es überhaupt nicht gut. Als Sally von der Party hörte, brach sie in Tränen aus, weil sie gedacht hatte, dass mit Geoff und ihr sich alles zum Besten entwickle. Sally rief Geoff an und bat ihn, doch abends vorbeizukommen. Er spürte, dass etwas nicht in Ordnung war, hatte aber keinen blassen Schimmer, was das sein könnte.

Der Show-down

Geoff freute sich, Sally wieder zu sehen, und hoffte, dass sie vielleicht sein Lieblingsessen gekocht hatte. Als sie die Tür öffnete, sah er jedoch, dass sie geweint hatte und wütend auf ihn war. »Wie konntest du mir das antun?«, klagte sie, »und auch noch vor unseren Freunden! Wie lange geht das schon mit ihr? Liebst du sie? Schläfst du mit ihr? Antworte mir!« Geoff traute seinen Ohren nicht. Er war erstmal sprachlos.

Dann verbrachte er die nächsten drei Stunden mit dem Versuch, dieses Problem, oder was immer er dafür hielt, mit Sally zu klären. Er gestand, ihm sei nicht bewusst gewesen, dass sie ein festes Paar waren – er hatte gedacht, dass Sally wahrscheinlich auch noch mit anderen Männern ausging und nicht nur mit ihm. Zum ersten Mal redeten sie über ihre Gefühle, und beiden wurde klar, dass sie in völlig verschiedene Richtungen gingen.

Sally wollte eine Bindung mit Geoff. Er hingegen war dazu noch nicht bereit. Er wollte seine Freiheit. Sie beschlossen, Freunde zu bleiben, aber sie waren nun kein Paar mehr. Zumindest beschloss Sally das. – Geoff dachte, dass sie wahrscheinlich PMS hatte und am nächsten Wochenende wieder alles ganz anders aussehen würde ...

Frauen erleben zu ihrer Verblüffung immer wieder, dass ein Mann sich mit einer fast religiösen Begeisterung an eine Sportmannschaft binden kann, aber selten ähnliche emotionale Energie in eine Beziehung investiert. Ein Mann hält seine Gefühle gegenüber der Frau, die er liebt, oft zurück, wird aber sichtbar emotional und leidenschaftlich, wenn seine Lieblingsmannschaft spielt – und vor allem, wenn sie verliert. Wie kann er mit so unerschütterlicher Hingabe und Loyalität an einem Haufen stämmiger, nicht besonders intelligenter, austauschbarer Sportler hängen, die er nicht persönlich kennt und denen er völlig egal ist, während er seiner Frau nicht einen Bruchteil dieser bedingungslosen Hingabe entgegenbringt?
Die längste Zeit ihrer Existenz waren Männer polygam, um das Überleben der Spezies zu sichern. Männer waren stets Mangelware, weil so viele bei der Jagd oder in Kämpfen getötet wurden, und deshalb war es durchaus sinnvoll, dass die Überlebenden die verwitweten Frauen in ihre Harems aufnahmen. Zudem gab das den Männer eine größere Chance, ihre Gene an die nächste Generation weiterzugeben. Wenn es um das Überleben der Spezies geht, sollte ein Mann zehn bis zwanzig Frauen haben, nicht aber eine Frau zehn oder zwanzig Männer, weil sie immer nur ein Kind austragen kann.
Nur drei Prozent aller Tierarten, beispielsweise Füchse und Gänse, leben monogam. Beide Geschlechter haben die gleiche Größe und Färbung, man kann sie normalerweise nicht unterscheiden. Die Gehirne der meisten anderen Männchen, einschließlich der Menschen, sind nicht für die Monogamie geschaffen. Deshalb

schieben Männer eine Bindung an eine Frau so lange wie möglich hinaus, und deshalb haben viele Männer Schwierigkeiten, in einer Beziehung monogam zu leben. Wir unterscheiden uns von anderen Spezies allerdings darin, dass unsere entwickelten Hirne große Frontlappen besitzen, die uns bewusste Entscheidungen ermöglichen. Deshalb können Ehebrecher sich nicht damit rechtfertigen, dass sie einfach nicht anders konnten.

Sie hatten immer eine Chance. Bei Frauen ist es in der Psyche verankert, dass sie wenigstens so lange in einer Beziehung leben sollten, bis ihre Kinder auf eigenen Beinen stehen können.

> **WENN SIE EINEN BINDUNGSWILLIGEN MANN SUCHEN, DANN GEHEN SIE IN DIE IRRENANSTALT.**
> MAE WEST

Für Frauen ist es ganz klar: Wenn eine Frau mit einem Mann eine Weile »ausgegangen« ist und beide sich nicht mit einem anderen treffen, dann existiert da eine Beziehung. Den meisten Männern, so auch Geoff, ist dieses Konzept völlig fremd. Wenn Sally jammert: »Was hat er sich dabei gedacht?«, dann muss die Antwort wohl lauten: Er hat sich überhaupt nichts dabei gedacht.

Was die meisten Männer denken

Man hört es immer und überall: Freunde eines Mannes machen Witze darüber, dass das Leben des Unglücklichen quasi vorbei ist, sobald er eine dauerhafte Beziehung eingeht oder heiratet. »Sobald du ›Ja‹ gesagt hast, hat sie dich an den Eiern«, spotten sie. »Verabschiede dich schon mal von der Hälfte deines Hauses und von 90 Prozent deines Sexlebens!«

Und dann die Warnung, ausgesprochen meist von allein stehenden Männern: »Jetzt, wo sie dir Handschellen angelegt hat, wirst du sogar eine Erlaubnis zum Niesen brauchen.« Besonders beliebt ist der Streich, bei dem die Freunde des Bräutigams das Wort HILFE auf die Sohlen der Hochzeitsschuhe schreiben. Die meisten Männer meiden die Beziehung zu einer Frau, weil sie den Eindruck haben, dass eine Frau ihnen die Freiheit nimmt und sie schwach und machtlos werden. Auf den Spott reagieren viele Männer, indem sie mit ihrer Frau nicht über Bindungen sprechen oder gar das völlig Entgegengesetzte von dem tun, was sie will.

Männer behaupten zwar, eine Bindung bedeute, dass sie alle ihre Freiheiten verlören, aber es ist schwer festzustellen, welche Freiheiten sie überhaupt meinen. Wenn man sie festnagelt, reden sie von der Freiheit, zu kommen und zu gehen, wann sie wollen, nicht zu reden, wenn sie keine Lust dazu haben, ihr Handeln nie erklären, ihr Verhalten nie rechtfertigen zu müssen, und so viele Frauen zu haben, wie sie wollen. Gleichzeitig wollen sie allerdings Liebe, Fürsorge und jede Menge Sex. Kurz gesagt, sie wollen alles – und wie viele Männer können heute überhaupt von sich sagen, dass sie schon einmal alles hatten, ganz abgesehen von denen, die es verloren haben?

Ein solcher Lebensstil mag einst in den alten Harems Arabiens möglich gewesen sein, und er wird immer noch in manchen primitiven Kulturen praktiziert, aber die meisten Männer heute haben kaum eine Chance, auch nur einen Bruchteil dieser Freiheiten zu genießen.

Der einzige Weg, in kompletter Freiheit zu leben, ist ein Leben auf einer einsamen Insel ohne alle Regeln. In einer Beziehung zu leben ist, wie den Führerschein zu machen. Wenn man ein Auto fahren will, muss man die Verkehrsregeln lernen und sie befolgen – sonst wird man immer Fußgänger bleiben. Eine Beziehung ist einfach ein Aushandeln von Regeln – wenn man Liebe, Freundschaft, Sex und einen Menschen haben will, der einen umsorgt, muss man im Gegenzug auch etwas bieten. Niemand kann seinen Kuchen gleichzeitig essen und aufbewahren. Frauen erwarten im Gegenzug nur Liebe, Hingabe und Loyalität. Das Letzte, was sie vorhaben, ist, einem Mann seine Freiheit zu nehmen.

Lösung

Das Konzept, in einer potenziell dauerhaften Beziehung zu leben, kam Geoff gar nicht in den Sinn. Wenn eine Frau den Verdacht hat, an einen bindungsunwilligen Mann geraten zu sein, muss sie ihm deutlich machen, dass er gerade in einer Beziehung lebt. Sie kann zum Beispiel darüber witzeln, wie gern sie ihm jetzt, da er in einer Beziehung lebt, einen Kaffee kocht, oder sie kann darüber sprechen, wie großartig es ist, miteinander zu schlafen und gemeinsam aufzuwachen, seit sie eine feste Beziehung haben. Sie muss lernen, direkt und offen zu sein, statt scheu zu hoffen, dass ihr Mann schon merken wird, was läuft. Dann besteht nämlich durchaus die Gefahr, dass er es einfach nicht kapiert. Männer können weder Gedanken lesen, noch sind sie besonders einfühlsam, wenn es um das Denken und die Gefühle der Frauen geht.

Denken Sie immer daran: Männer sind von der Evolution dazu geschaffen, Tiere zu jagen und Feinde abzuwehren, nicht dazu, Frauen zu verstehen oder sensibel auf ihre emotionalen Bedürfnisse zu reagieren.

Gehen Sie also nie davon aus, dass Sie eine Beziehung haben, ohne vorher mit Ihrem Gegenüber darüber zu sprechen. Ein Mann ist kein Hellseher, also sollte die Frau ihn fragen, welche Gefühle er für sie hegt und was das Ziel ihrer Beziehung sein soll. Männer sind direkt und werden die Frau wissen lassen, ob sie eine ausschließliche Beziehung wollen oder nicht. Männer verstehen direkte Fragen als ein Zeichen des Respekts, deshalb sollte eine Frau, wenn sie eine engere Bindung wünscht, danach fragen, statt einfach davon auszugehen.

Es gibt allerdings auch Grenzen, was die Erörterung des Themas angeht. Es wirft ein trauriges Licht auf eine Partnerschaft, wenn eine Frau sagen muss: »Könntest du bitte unsere beiden Kinder an der Schule absetzen, wo wir doch jetzt eine Beziehung haben?«

3. Warum wollen Männer immer Recht behalten?

Um dieses Charakteristikum moderner Männer zu verstehen, müssen wir uns ansehen, wie sie als Jungen erzogen werden. Jungen sollen hart sein, nie weinen und bei allem, was sie tun, die Besten sein. Zu ihren Rollenmodellen gehören Superman, Batman, Spiderman, Zorro, Tarzan, James Bond, Rocky und das Phantom, alles männliche Einzelgänger, die niemals weinen, sondern sich immer sofort an die Lösung des Problems machen. Und natürlich scheitern sie dabei höchst selten. Gelegentlich haben sie einen Helfer – normalerweise einen kleineren, untergeordneten Mann, sehr, sehr selten eine Frau. Wenn je eine weibliche Assistentin in Erscheinung tritt, ist sie meist eher ein Klotz am Bein als eine Hilfe. Batgirl zum Beispiel muss immer von Batman gerettet werden, Superman bewahrt Lois Lane regelmäßig vor dem sicheren Tod, Tarzan verbringt einen Gutteil seiner Zeit damit, sich durch den Urwald zu schwingen und Jane aus irgendwelchen Notlagen zu retten, und das Phantom wäre wahrscheinlich auch schon ein paar Straßen weiter, wenn Diana nicht immer Probleme machen würde. Diese Superhelden haben, so scheint es, manchmal sogar lieber ein Pferd oder einen Hund als Partner, weil Tiere loyal und verlässlich sind und niemals Widerworte geben. Wie die meisten männlichen Stereotypen in Büchern und Filmen haben die Helden eines Jungen selten Unrecht und zeigen nie Schwächen oder Gefühle.

Es gab nie eine Mrs Batman oder eine Lady Zorro. Der Lone Ranger war ganz gewiss kein Mann, der lieber in der Masse untergehen wollte. In Zeichentrickfilmen ist der männliche harte Typ immer noch als riesige Kreatur dargestellt, mit Muskeln, die ihn wie ein Kondom voller Walnüsse aussehen lassen, und mit tiefer, rauer Stimme (hoher Testosteronspiegel). Die Heldin dagegen ist und bleibt üblicherweise der Barbie-Puppen-Typ mit anatomisch schier unglaublichen Brüsten.

ICH HABE MR RIGHT GEHEIRATET, ICH WUSSTE NUR NICHT, DASS SEIN VORNAME ALWAYS IST.

Wenn ein Junge zum Mann wird, ist er so konditioniert, dass er glaubt, etwas nicht tun oder ein Problem nicht lösen zu können bedeute sein Scheitern als Mann. Deshalb reagiert ein Mann defensiv, wenn eine Frau hinterfragt, was er sagt oder tut. Wenn eine Frau vorschlägt: »Halten wir doch an und fragen nach dem Weg«, hört er: »Es ist hoffnungslos mit dir. Suchen wir einen anderen Mann, der mehr Ahnung hat als du.« Wenn sie sagt: »Ich will einen Automechaniker anrufen, der das Auto repariert«, hört er: »Du bist zu nichts zu gebrauchen. Ich werde einen anderen Mann finden, der das Problem lösen kann.« Er hat vielleicht keine Bedenken, einer Frau ein Kochbuch zum Geburtstag zu schenken, aber wenn eine Frau ihm ein Buch über Persönlichkeitsentwicklung überreicht, ist er zutiefst beleidigt. Er denkt, sie versucht ihm beizubringen, dass er so, wie er ist, eben nicht gut genug ist. Selbst der Besuch eines Beziehungsseminars oder eines Beraters kommt dem demütigenden Eingeständnis gleich, dass er Unrecht hat, und die meisten Männer reagieren schon bei der bloßen Andeutung einer solchen Notwendigkeit defensiv oder aggressiv. Männer haben Schwierigkeiten, »Es tut mir Leid« zu sagen, weil sie damit zugeben, dass sie im Unrecht sind.

Fallbeispiel: Jackie und Dan

Jackie wollte aufhören zu arbeiten und Mutter werden, aber Dan war der Meinung, sie hätten noch nicht genug Geld auf der hohen Kante. Dies wurde bald zu einem wichtigen Streitpunkt zwischen ihnen und begann die Beziehung zu belasten. Eines Tages eröffnete Jackie Dan, dass sie einen Finanzberater gebeten habe, ihre wirtschaftliche Lage durchzuchecken. Dan traute seinen Ohren nicht: Jackie wollte, dass ein Fremder ihre Probleme löste! Ganz offenkundig, so meinte Dan, glaubte sie nicht, dass er selbst die paar Zahlen zusammenrechnen konnte. Ihr Streit eskalierte – und drei Monate später trennten sie sich.

Jackie wollte Dan helfen und den Druck auf ihn mindern, indem sie einen Finanzberater konsultierte. Sie dachte, er wäre froh darüber, dass sie Verantwortung übernahm und jemanden konsultierte, der die Grundlagen der finanziellen Planung für ihr Baby schuf. Dan sah das alles ganz anders. In seinen Augen hatte sie gezeigt, dass er ihrer Meinung nach ihre finanzielle Situation falsch beurteilte, und sie hatte den Berater nur engagiert, um Dans Inkompetenz zu beweisen.

Traust du mir das nicht zu?

Wenn eine Frau es wagt, etwas, was ein Mann tut, in Frage zu stellen, heißt es immer: »Traust du mir das etwa nicht zu?« Wenn Sie das hören, können Sie sicher sein, dass Sie seine Männlichkeit mit Füßen getreten haben.

Wenn er sich verirrt hat und eine Karte zu lesen versucht und sie sagt: »Lass mich auch mal auf die Karte schauen«, nimmt er an, sie halte ihn für unfähig. Seine Antwort lautet: »Traust du mir nicht zu, da hinzufinden?« Wenn er genug davon hat, dass der Nachbarshund die ganze Nacht bellt, und sagt, dass er jetzt rübergeht, um die Sache zu klären, und sie ihn bittet, das nicht zu tun, damit es keinen Ärger gibt, sagt er: »Traust du mir etwa nicht zu, die Sache vernünftig in Ordnung zu bringen?« Wenn sie ihn auf einer Party vor einem weiblichen Gast warnt, weil diese Frau den Ruf eines Flittchens hat, und ihn bittet, sie zu meiden, sagt er: »Traust du mir nicht zu, damit umzugehen?«

In diesen Situationen lautet ihre Antwort immer gleich: »Ich wollte dir doch nur helfen!« Sie will ihm nur zeigen, wie sie ihn liebt und sich um ihn kümmert, aber er versteht es so, dass sie ihn für dumm und unfähig hält, die Dinge selbst in die Hand zu nehmen.

Er wirft ihr vor, sie wolle ihn ständig kontrollieren. Er ist darüber so aufgebracht, dass sie sich zu fragen beginnt, ob sie vielleicht wirklich der kontrollierende Typ Frau ist.

Lösung

Eine Frau sollte jede Äußerung gegenüber einem Mann vermeiden, die ihn zu dem Gefühl verleiten könnte, er sei vielleicht im Unrecht. Stattdessen sollte sie darüber reden, wie sie sich fühlt, nicht darüber, was er falsch gemacht hat. Statt zum Beispiel zu sagen: »Du weißt nie, wo wir hinmüssen, und wir kommen immer zu spät!«, könnte sie sagen: »Du machst das großartig, Schatz, aber diese Schilder sind so verwirrend. Ich würde mich viel besser fühlen, wenn wir anhalten und einen Ortskundigen fragen würden, ob er weiß, welches die richtige Abzweigung ist.« Mit anderen Worten: Er hat keine Schuld.

Wenn ein Mann etwas richtig macht, sollte die Frau ihn loben. Wenn sie ihr Ziel erreichen, sollte sie sagen: »Danke, Schatz. Das hast du toll gemacht.« Noch besser ist es, wenn sie ihm ein Satellitennavigationssystem kauft – dann bekommt er immer die richtige Antwort.

4. Warum sind erwachsene Männer so wild auf »Jungenspielzeug«?

Unserem Freund Gerry haben wir eine batteriebetriebene Papierheftmaschine in der Größe eines Minifernsehers zum Geburtstag geschenkt. Sie hat eine durchsichtige Plastikhaube, so dass man all die Rädchen und Federn drinnen beobachten kann. Sie sieht aus wie ein Gerät aus einem Spaceshuttle. Drei große Batterien müssen jede Woche ausgetauscht werden, und die Maschine tut eigentlich nichts anderes als jeder beliebige Hefter: Sie drückt eine Klammer in einen Stapel Papier. Gerry aber war ganz aus dem Häuschen, als wir ihm dieses Prachtexemplar überreichten, nicht weil er einen Hefter brauchte, sondern weil es so viele Rädchen und Federn hatte, die sich ständig bewegten, Blitzlichter aufleuchteten und ein echtes Motorengeräusch ertönte. Gerry hat uns erzählt, dass er manchmal, wenn er frühmorgens aufwacht und nach unten ins Bad geht, an diesem Hefter auf dem Tisch nicht vorbeikommt, ohne vier oder fünf Klammern in ein Stück Papier zu drücken, einfach nur, damit er die Rädchen in Bewegung sieht. Wenn seine Freunde ihn besuchen, stehen sie alle um das Ding herum und heften abwechselnd Klammern ins Papier und lachen dabei. Frauen, die zu Besuch kommen, würdigen das Monstrum keines Blickes. Sie wundern sich nur, dass jemand aufgeregt um ein so überteuertes Stück Bürotechnik herumtanzt, das die niedrigsten Dienste verrichtet. Aber dieses männliche Verhalten ist das Äquivalent zur Frau, die einen völlig überzogenen Preis für einen knuddeligen Teddy mit Riesenbabyaugen und einer kleinen Stupsnase bezahlt, weil sie »einfach nicht an ihm vorbeikam«.

Es lässt sich leicht erklären, warum die Geschlechter so unterschiedlich auf solche Dinge reagieren. Weiter unten sind Scans mit den Hirnregionen abgebildet, die arbeiten, wenn ein Mensch das räumliche Vorstellungsvermögen benutzt. Die aktivierten Zonen sind dunkel markiert. Der räumliche Teil des Gehirns ist das Gebiet, das in Aktion tritt, um Geschwindigkeiten, Winkel und Entfernungen zu schätzen – es ist das Gehirn des Jägers.

Wegen der räumlichen Disposition des männlichen Gehirns sind Männer und Jungen süchtig nach allem, was Knöpfe, einen Motor oder bewegliche Teile hat, Geräusche von sich gibt, Lichter aufblitzen lässt und mit Batterien läuft. Dazu gehören alle Arten von

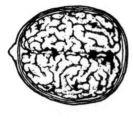 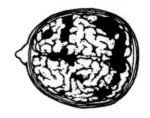

Weiblich   Männlich

Hirnregionen, die benutzt werden, um ein Auto zu fahren, einen Fußball
zu kicken, rückwärts einzuparken und mechanische Werkzeuge zu bedienen.
Institute for Psychiatry, London 2001.

Videospielen oder Computer-Software, GPS-Navigationssysteme, Roboterhunde, die sich verhalten wie echte Hunde, elektrisch bedienbare Rollläden, Rennboote, Autos mit komplizierten Armaturenbrettern, Rasentrimmer, Gewehre mit Zielfernrohren, Atomwaffen, Raumschiffe und alles, was eine Fernbedienung hat. Wenn Waschmaschinen eine Fernbedienung hätten, würden Männer wahrscheinlich sogar in Erwägung ziehen, die Wäsche zu waschen.

Do-It-Yourself-Projekte

Die ganze Heimwerker-Branche zielt auf die für das räumliche Denken zuständige Region im männlichen Gehirn ab. Männer lieben die Herausforderung, historische Segelschiffe zusammenzusetzen, Spielzeugeisenbahnen, Modellflugzeuge, Stabilbaukästen, Computertische, Bücherregale oder sonst irgendetwas mit einer Bauanleitung, so rätselhaft sie auch sein mag. Jungen gehen in Spielzeugläden. Männer gehen in Heimwerkermärkte, Eisenwarengeschäfte und zu Autoersatzteilhändlern, wo sie Sachen zu machen oder zu bauen finden oder einfach bei der Arbeit zuschauen und so ihr Bedürfnis, das räumliche Vorstellungsvermögen zu trainieren, befriedigen. Jungen glauben instinktiv, dass sie, sobald ihnen das erste Barthaar gesprossen ist, am nächsten Morgen aufwachen und in der Lage sind, einen Automotor komplett auseinander zu nehmen und wieder zusammenzubauen.

Im Haus können diese Triebe der Männer den Frauen auf die Nerven gehen, denn ein Durchschnittsmann hat eine Aufmerksamkeitsspanne von neun Minuten und lässt deshalb oft unfertige Produkte seines Wirkens im Hause herumliegen. Im Allgemeinen ist er nicht in der Lage, bestimmte Dinge, die kaputtgegangen sind, zu reparieren, wird aber wütend und eifersüchtig, wenn man vorschlägt, dass jemand anders das erledigen soll. Wenn zum Beispiel eine Toilette nicht funktioniert, sagt eine Frau vielleicht: »Rufen wir doch den Klempner an.« Ein Mann versteht diesen Vorschlag jedoch als Angriff auf sein räumliches Vorstellungsvermögen. Er kann das selber reparieren, sagt er. Und davon abgesehen verlangt ein Klempner unglaubliche Summen für eine doch ganz offensichtlich einfache Sache.

EINEN KLEMPNER ZU RUFEN, OHNE VORHER DEN EHEMANN ZU FRAGEN, KANN EINE EHEKRISE PROVOZIEREN.

Also dreht der Mann, der die Hilfe eines Klempners bei der Reparatur der nicht funktionierenden Toilette abgelehnt hat, am Freitag nach dem Abendessen das Wasser am Haupthahn ab und legt den Spülmechanismus frei. Er findet einen in seinen Augen ausgeleierten Dichtungsring und begibt sich am Samstagmorgen in den Heimwerkermarkt. Dort streift er etwa 45 Minuten durch den Laden, schaut sich all die großartigen Spielzeuge an, die er sich anschaffen könnte, testet einen oder zwei elektrische Sandstrahler, probiert einen Pressluftbohrer aus und findet dann schließlich einen Ersatzring in der, wie er meint, passenden Größe. Dann fährt er nach Hause, wo er feststellt, dass die

Größe doch nicht ganz stimmt, aber den alten Dichtungsring kann er nicht wieder einsetzen, weil er ihn einfach nicht mehr findet. Der Heimwerkermarkt ist jetzt zu, und er kann den Haupthahn nicht wieder aufdrehen, bevor die Spülung nicht repariert ist, also darf das ganze Wochenende niemand duschen oder auf Toilette gehen.

Viele Frauen verstehen einfach nicht, dass die Männer lieber ihr rechtes Bein absägen würden, als einzugestehen, dass sie etwas nicht reparieren können. Damit würden sie nämlich zugeben, dass sie Defizite in der Region Nummer Eins des männlichen Gehirns haben – räumliches Vorstellungsvermögen und Problem lösendes Denken. Wenn sein Wagen ein seltsames Geräusch von sich gibt, wird ein Mann immer die Motorhaube öffnen und sich erst mal den Motor ansehen, auch wenn er keinen Schimmer hat, wonach er eigentlich sucht. Er hofft, dass das Problem etwas so Offensichtliches sein wird wie Marderfraß an den Kühlerschläuchen.

Eine Frau sollte nie einen Klempner, Maurer, Finanzexperten oder Computertechniker beauftragen, ohne vorher den Mann in ihrem Leben konsultiert zu haben, denn sonst denkt er, sie halte ihn nicht für kompetent in solchen doch auf das männliche Gehirn zugeschnittenen Aufgaben. Sie sollte ihm lieber sagen, wo das Problem liegt, fragen, was er dazu meint, und ihm eine Deadline vorgeben. Dann hat er das Gefühl, er habe das Problem selbst gelöst, wenn er den Klempner anruft.

DER EINZIGE UNTERSCHIED ZWISCHEN JUNGEN UND MÄNNERN IST DER PREIS IHRER SPIELZEUGE.

Frauen gründen heute die meisten Firmen, aber 99 Prozent aller Patente – wohlgemerkt von »Jungenspielzeug« – melden noch immer Männer an. Daraus kann man eines lernen: Kaufe einem Mann immer ein Spielzeug zum Geburtstag, das das räumliche Denken anspricht. Schenke ihm nie Blumen oder eine hübsche Karte; derlei ist für ihn wertlos.

5. Warum können Männer immer nur eine Sache nach der anderen tun?

In *Warum Männer nicht zuhören und Frauen schlecht einparken* haben wir eine gründliche Untersuchung darüber vorgelegt, warum männliche Gehirne immer stark auf eine Sache konzentriert sind: Wir nannten das »Einspurigkeit«. Wir erhielten so überwältigend viele Reaktionen auf diesen Teil unseres Buches, dass wir ihn hier noch einmal zusammenfassen wollen. Kaum eine Frau versteht, warum Männer ganz offensichtlich immer nur eine Sache gleichzeitig erledigen können. Sie kann doch auch lesen, während sie zuhört und redet, warum also kann er das nicht? Warum besteht er darauf, den Fernseher leise zu stellen, wenn das Telefon klingelt? »Warum hört er nicht, was ich ihm gerade sage, wenn er Zeitung liest oder fernsieht?« Solche Klagen hört man von Frauen auf der ganzen Welt.

Das Gehirn eines Mannes ist stark segmentiert und spezialisiert. Einfach ausgedrückt: Es ist, als habe er kleine Zimmer überall in seinem Gehirn, und jedes Zimmer enthält wenigstens eine wichtige Funktion, die unabhängig vom Rest funktioniert. Der Nervenfaserstrang, der seine beiden Hirnhälften miteinander verbindet, das *Corpus callosum*, ist im Durchschnitt 10 Prozent dünner als das der Frauen und trägt etwa 30 Prozent weniger Verbindungen zwischen linker und rechter Hirnhälfte. Daher hat er seinen »Eins-nach-dem-Anderen«-Ansatz für alles, was er im Leben so tut.

Das männliche Gehirn ist »segmentiert« und hat bis zu 30 Prozent weniger Verbindungen zwischen den Hirnhälften als das weibliche Gehirn.

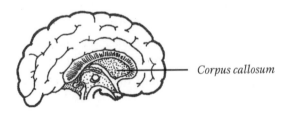

Corpus callosum

Während dieser einspurige, konzentrierte Zugang Frauen als Einschränkung erscheinen mag, erlaubt er dem Mann, ein engagierter Spezialist oder Experte auf einem bestimmten Gebiet zu werden. 96 Prozent aller technischen Fachleute auf der Welt sind Männer – sie sind überragend auf diesem einen Tätigkeitsfeld.

Für Frauen ist es überaus wichtig, die männliche »Eins-nach-dem-Anderen«-Mentalität zu verstehen. Sie erklärt, warum ein Mann das Radio ausschaltet, wenn er eine Karte liest oder das Auto rückwärts einparkt. Wenn er um einen Kreisverkehr fährt und jemand mit ihm redet, verpasst er oft die Ausfahrt. Wenn er mit einem scharfen Werkzeug arbeitet und das Telefon klingelt, verletzt er sich mitunter. Wenn man das Gehirn eines Mannes scannt, während er liest, stellt man fest, dass er praktisch taub ist. Denken Sie daran: Sie sollten nie mit einem Mann reden, während er sich nass rasiert – es sei denn, Sie wollen, dass er sich verletzt!

ES IST BEI EINEM MANN DOPPELT SO WAHRSCHEINLICH WIE BEI EINER FRAU, DASS ER IN EINEN VERKEHRSUNFALL VERWICKELT WIRD, WENN ER BEIM FAHREN MIT DEM HANDY TELEFONIERT.

Das Gehirn der Frau ist auf den Multitaskbetrieb ausgerichtet. Sie kann mehrere unterschiedliche Dinge gleichzeitig tun, und Gehirn-Scans zeigen, dass das weibliche Gehirn niemals untätig ist; es arbeitet immer, auch im Schlaf. Vor allem deshalb sind auch 96 Prozent aller Sekretärinnen Frauen. Es scheint, als sei die Frau genetisch mit dem Oktopus verwandt. Sie kann am Telefon reden, in einer Zeitschrift blättern und gleichzeitig noch fernsehen. Sie kann Auto fahren, Make-up auflegen und Radio hören, während sie über die Freisprechanlage telefoniert. Wenn aber ein Mann kocht und man mit ihm nebenbei reden will, sollte man besser schon mal einen Tisch in einem Restaurant reservieren.

Die beste Strategie ist also, Männern immer nur eine Sache gleichzeitig zu tun zu geben, wenn man stressfrei positive Ergebnisse erzielen will. Im Geschäft diskutiert man besser immer nur ein Thema und bleibt dabei, bis die Männer in der Besprechung mit dem Ergebnis zufrieden sind, bevor man zum nächsten Punkt übergeht. Und, ganz wichtig: Stellen Sie einem Mann niemals Fragen, während Sie mit ihm schlafen.

6. Warum sind Männer so sportversessen?

Jahrtausendelang gingen Männer in Gruppen mit anderen Männern auf die Jagd, während die Frauen Nahrung sammelten und Kinder hüteten.

Männer liefen, jagten, verfolgten und setzten ihr räumliches Denken ein, um Tiere zu erlegen, doch gegen Ende des 18. Jahrhunderts machten fortschrittliche Methoden in der Viehzucht diese dynamischen Fähigkeiten fast überflüssig. Zwischen 1800 und 1900 erfanden Männer als Ersatz für ihre Jagdaktivitäten fast alle modernen Ballsportarten. Als Kinder haben Mädchen Puppen, um die Kinderpflege zu üben, und Jungen schießen Bälle durch die Gegend und rennen ihnen hinterher, um das »Jagen« zu üben. Als Erwachsene tauschen Frauen ihre Puppen gegen Kinder ein, aber die Männer schießen immer noch Bälle durch die Gegend. Es hat sich also eigentlich in hunderttausend Jahren nicht viel geändert – Männer jagen immer noch, und Frauen ziehen immer noch Kinder groß.

Als begeisterter Fan einer Mannschaft kann ein Mann sich wieder als Mitglied einer Jagdgruppe fühlen. Wenn er seine Helden auf dem Spielfeld beobachtet, ist es so, als schieße er selbst und hole die Punkte. Männer können sich so in ein Fußballspiel auf dem Bildschirm hineinversetzen, dass sie wirklich das Gefühl haben, mitzuspielen. Ihre Hirne schätzen die Geschwindigkeit, die Winkel und die Richtung des Balles ab, und sie schreien vor Freude bei jedem »Tor«.

Sport gibt einem Mann das Gefühl, zu einer Jagdgruppe zu gehören.

Sie beschimpfen den Schiedsrichter (obwohl der sie gar nicht hören kann), wenn sie mit einer Entscheidung nicht einverstanden sind – »Das war doch kein Foul! Du Idiot! Kauf dir 'ne Brille!!!« Sie haben alle Ergebnisse im Kopf, erinnern sich lebhaft an Tore aus uralten Spielen und sind den Tränen nahe, wenn sie darüber diskutieren, was der Spieler hätte tun und was das hätte bewirken können. Als zum Beispiel England 1966 die Weltmeisterschaft gegen Deutschland gewonnen hatte, gab es kaum einen Mann in England, der nicht die Namen der Spieler herunterbeten konnte, die Tore, die sie beinahe geschossen hätten, und die taktischen Fehler, die sie leider gemacht hatten. Auf diesem Feld beweisen sie bewundernswerte Fähigkeiten, aber sie wissen immer noch nicht die Namen ihrer Nichten und Neffen, ihrer nächsten Nachbarn oder das Datum des Muttertags.

Durch ein gutes Fussballspiel können Männer vielleicht von Gefühlen überwältigt werden, selten aber durch eine gute Beziehung.

Ein Auto zu fahren ist eine überwiegend räumlich geprägte Aufgabe. Geschwindigkeit, Winkel, Kurven, das Schalten der Gänge, Spurwechsel und rückwärts Einparken – das ist der Himmel für Männer. Männer sind so leidenschaftliche Autofahrer, dass sie bereitwillig zusehen, wie andere Männer im Fernsehen stundenlang in Rennwagen im Kreis herumfahren. Männer, die einen Boxkampf ansehen, krümmen sich und scheinen den Schmerz selbst zu fühlen, wenn ein Kämpfer durch einen Schlag unter die Gürtellinie niedergestreckt wird.

Männer sind so sportversessen, dass sie gern auch jeden anderen sinnlosen Wettkampf verfolgen oder sogar daran teilnehmen. Dazu gehört etwa Kampftrinken, bis nur noch einer stehen kann, ein

»Dickbauch«-Turnier, bei dem Männer mit riesigen Bierbäuchen aufeinander prallen, Fahrradrennen auf Eis oder eine Veranstaltung, bei der Männer seltsame Fluggeräte bauen, sie sich auf den Rücken schnallen und dann von einer Brücke in einen Fluss springen, nur um herauszufinden, was passiert. Natürlich haben Frauen selten auch nur das geringste Interesse an solchen »Sport«-Arten.

»MEINE FRAU HAT GESAGT, WENN ICH WEITER EIN SO BEGEISTERTER FAN VON MANCHESTER UNITED BLEIBE, VERLÄSST SIE MICH. ICH WERDE SIE WIRKLICH VERMISSEN.«

Die Welt ist ein verwirrender Ort für Männer geworden – ihre wichtigsten Gehirnleistungen sind heute weitgehend überflüssig, und von allen Seiten sind sie weiblichen Angriffen ausgesetzt. Männer haben keine klaren Vorgaben mehr, was ihre Umwelt von ihnen erwartet, und es fehlen ihnen die Rollenmodelle. Sport ist immer eine Aktivität gewesen, bei der ein Mann sich wieder als Teil eines Teams fühlen kann; niemand versucht ihn zu ändern oder kritisiert ihn, und er hat am Erfolg teil, wenn seine Mannschaft gewinnt – ein Gefühl, das ihm durch seine Arbeit vielleicht nicht mehr vermittelt wird. Dies erklärt, warum Männer, die in monotonen oder langweiligen Berufen arbeiten, die größten Sportfans sind, während diejenigen, die ihre Arbeit als aufregend und erfüllend beschreiben, das geringste Interesse am Sport haben. Es erklärt auch, warum ein Mann eine neue Golfausrüstung statt des dringend gebrauchten Esstisches kauft und eine Dauerkarte seines Fußballvereins dem Familienurlaub in Frankreich vorzieht.

Lösung

Wenn Ihr Partner von einem Sport oder Hobby besessen ist, haben Sie zwei Möglichkeiten.

Erstens: Mischen Sie mit. Beschäftigen Sie sich mit seinem Interessengebiet und werden Sie Fachfrau. Besuchen Sie ein Spiel mit ihm, und Sie werden überrascht sein, wie viele andere »Sportwitwen« dasselbe tun und die geselligen Aspekte solcher Veranstaltungen genießen. Selbst wenn Sie es immer noch stinklangweilig finden, werden doch alle anderen dort von Ihrem Verständnis beeindruckt sein, und Sie können viele neue Freunde finden.

Zweitens: Nutzen Sie seine Sportbegeisterung als Möglichkeit, Zeit mit Ihren Freunden oder Ihrer Familie zu verbringen. Gehen Sie einkaufen oder suchen Sie sich selbst ein neues Hobby. Wenn ein großes Sportereignis ins Haus steht, machen Sie daraus einen besonderen Anlass für ihn. Zeigen Sie ihm, dass Sie die Bedeutung dieses Ereignisses zu würdigen wissen. Kämpfen Sie nicht gegen die Sportbegeisterung oder das Hobby Ihres Mannes an. Machen Sie mit oder nutzen Sie die Zeit und tun Sie etwas, woran Sie Freude haben.

7. Worüber reden Männer auf der Toilette eigentlich wirklich?

Lassen Sie uns zuerst die immer wieder gestellte Frage der Männer beantworten: »Worüber reden Frauen, wenn sie gemeinsam auf Toilette gehen?« Die Antwort ist: Über alle und alles. Sie sprechen darüber, wie ihnen dieses Lokal gefällt, sie hecheln die Kleider durch, die sie und andere tragen: »Hast du die Frau in dem lila Kleid gesehen? So etwas würde ich nie anziehen, und wenn du mir die Pistole auf die Brust setzt!« Sie tauschen sich aus, welche Männer nett sind und welche nicht, und sie erörtern alle möglichen persönlichen Probleme, die sie oder ihre Freundinnen vielleicht haben könnten. Wenn sie ihr Make-up auffrischen, reden sie vielleicht über Schminktechniken und verschiedene Kosmetikmarken und probieren die Mittelchen anderer, auch fremder Frauen aus. Jede, die irgendwie unglücklich aussieht, bekommt eine Gruppentherapie ... und Gott helfe dem Mann, der schuld an ihrem Unglück ist! Frauen sitzen auf der Toilette und reden durch die Trennwand mit anderen Frauen, bitten fremde Frauen, ihnen Toilettenpapier unter der Wand durchzureichen, und es kommt sogar vor, dass zwei Frauen eine Kabine zusammen benutzen, um ihre Unterhaltung nicht unterbrechen zu müssen. Ein Nachtklub im englischen Birmingham hat in der Damentoilette sogar extra große Kabinen mit jeweils zwei Toilettenschüsseln für tief schürfende und bedeutungsvolle Unterhaltungen eingebaut.

DAMENTOILETTEN SIND LOUNGES UND BERATUNGSZENTREN, IN DENEN FRAUEN NEUE UND INTERESSANTE LEUTE TREFFEN.

Aber zurück zur eigentlichen Frage: Worüber reden Männer in einer öffentlichen Toilette? Die Antwort lautet: Über nichts. Absolut nichts. Sie sind stumm wie die Austern. Selbst wenn ein Mann mit seinem besten Freund dort ist, bleibt die Unterhaltung auf ein Minimum beschränkt. Und auf einer öffentlichen Toilette spricht ein Mann niemals mit einem ihm unbekannten Mann. Nie und nimmer und unter keinen Umständen. Ganz sicher redet er niemals mit anderen, während er auf der Toilette sitzt, und einem Blickkontakt weicht er möglichst aus. In den Toilettenkabinen bevorzugen Männer Wände vom Boden bis zur Decke, um die Interaktion mit ihren Nachbarn so gering wie möglich zu halten, während Frauen große Zwischenräume oben und unten besser finden, damit sie reden und einander Dinge zuschieben können. Man wird selten einen Furz in einer Damentoilette hören, und wenn, dann wird sich die Schuldige in ihrer Kabine verstecken, bis die Zeuginnen gegangen sind. Die Herrentoilette entwickelt oft eine Geräuschkulisse wie an Silvester, und der Mann, der den lautesten Furz ablässt, erscheint als Sieger an den Waschbecken.
Hier ist ein Brief eines männlichen Lesers, der zeigt, was es mit dem Stillschweigen auf der Herrentoilette auf sich hat.

»Auf der Autobahn nach Norden machte ich einmal Stopp auf einem Rastplatz, um auf die Toilette zu gehen. Die erste Kabine war besetzt, also ging ich in die zweite. Kaum saß ich, als eine Stimme aus der anderen Kabine fragte: ›Hallo, wie geht es dir?‹ Wie alle Männer unterhalte ich mich auf Herrentoiletten am Rastplatz nie mit Fremden und verbrüdere mich auch mit niemandem, und ich weiß immer noch nicht, welcher Teufel mich geritten hat, aber ich antwortete mit einem verlegenen ›Nicht schlecht!‹

Der andere Typ sagte: ›Und ... was hast du vor?‹

Ich dachte: ›Das ist komisch‹, aber wie ein Idiot antwortete ich: ›Das Gleiche wie du ... Richtung Norden fahren!‹

Dann hörte ich den Typen ganz nervös sagen: ›Hör zu ... ich muss dich später noch mal anrufen, da ist so ein Spinner in der anderen Kabine, der ständig auf meine Fragen antwortet!‹«

Männer haben auch ein territoriales Ritual, wenn sie sich ein Urinal aussuchen. Wenn da fünf Urinale in einer Reihe hängen und der erste Mann hereinkommt, um eins zu benutzen, dann wählt er das am weitesten von der Tür entfernte, damit er weit von Neuankömmlingen weg ist. Der Nächste nimmt das am weitesten vom Ersten entfernte Urinal, und der Dritte wählt das in der Mitte zwischen den beiden. Ein vierter Mann wird meist lieber in die Kabine gehen, als neben einem völlig Fremden zu stehen, der ihm vielleicht seinen Johannes weggucken könnte. Außerdem schauen Männer immer stumm nach vorn und reden nie mit Fremden. Nie. Das Motto der Männer heißt: »Lieber den Tod als Blickkontakt!«

NEBEN EINEM ANDEREN MANN IN EINER ÖFFENTLICHEN TOILETTE ZU STEHEN IST FÜR EINEN MANN UNGEFÄHR SO PEINLICH, WIE MIT OFFENER HOSE IM LIFT ZU STEHEN.

KAPITEL 6

DIE ANDERE FRAU – SEINE MUTTER

Erst in der Hochzeitsnacht merkte Jane, dass Martins Mutter immer noch die Unterhosen für ihren Sohn kaufte. Er war sechsunddreißig Jahre alt.

Zwei Frauen kamen zu König Salomo und zerrten einen jungen Mann hinter sich her. Dieser hatte beiden versprochen, ihre Tochter zu heiraten. Nachdem sich der König die Frauen angehört hatte, befahl er, den jungen Mann mit dem Schwert in zwei Hälften zu teilen und jeder eine Hälfte zu geben.

»Nein!«, rief die erste Frau. »Vergießt kein Blut! Er soll die Tochter der anderen Frau heiraten.« Der weise König zögerte nicht: »Der Mann muss die Tochter der anderen Frau heiraten.«

»Aber sie war doch bereit, ihn mit dem Schwert zerteilen zu lassen!«, riefen die Beamten des Königs.

»Ja«, sprach König Salomo, »und das beweist, dass sie die richtige Schwiegermutter ist.«

Auftritt des Drachens

Es gibt mehr Witze über Schwiegermütter als über jede andere Menschengruppe auf Erden. Sie sind das unerschöpfliche Thema von Komödianten und werden in Fernsehserien immer wieder als Hexen, Drachen oder Schreckschrauben parodiert. Schon Lenin antwortete auf die Frage, wie die Höchststrafe für Bigamie aussehen solle: »Zwei Schwiegermütter.«

Meine Schwiegermutter stand heute Morgen vor der Tür und fragte:
»Kann ich ein paar Tage hier bleiben?«
»Selbstverständlich«, antwortete ich – und schloss die Tür.

»Was ist der Unterschied zwischen einer Schwiegermutter und einem Geier?
Der Geier wartet, bis du tot bist, bevor er dir das Herz herausreißt.«

Tatsächlich erweisen sich Schwiegermütter für viele Ehepaare als Belastung, ein Drittel nennt bei einer Trennung sogar die Schwiegermutter als Grund. Allerdings ist es im Allgemeinen nicht die

Mutter der Frau, die Probleme macht. Unsere Nachforschungen ergaben immer wieder, dass die eigentliche Gefahr von der Mutter des Mannes ausgeht. Über die Schwiegermutter des Mannes wird zwar in der Öffentlichkeit mehr gelästert, doch solche Bemerkungen sind eher ironisch gemeint und beziehen sich nicht auf ein wirkliches Problem.

»Ich bekam heute die Nachricht, dass meine Schwiegermutter gestorben sei, und wurde gefragt, ob man sie beerdigen, verbrennen oder einbalsamieren solle. Ich antwortete: ›Gehen Sie auf Nummer sicher – machen Sie alles.‹«

Für die meisten Männer sind Schwiegermütter kein großes Problem. Selbst für den legendären Giovanni Vigliotti aus Arizona, der zwischen 1949 und 1981 hundertviermal unter seinem richtigen Namen und fünfzigmal unter falschem Namen verheiratet war, waren seine zahlreichen Schwiegermütter kein Problem – verglichen mit den 34 Jahren Gefängnis, die er als Heiratsschwindler absitzen musste.

Die Schwiegermutter eines Mannes nervt ihn vielleicht, nörgelt an ihm herum oder bringt ihn zur Verzweiflung. Dennoch haben die meisten Männer nichts gegen ihre Schwiegermütter. Der Konflikt mit der Schwiegermutter dominiert nicht das Leben eines Mannes.

Ein altes polnisches Sprichwort besagt: »Der Weg zum Herzen einer Schwiegermutter führt über ihre Tochter.« Die meisten Männer wissen das. Mütter wollen vor allem, dass ihre Töchter glücklich sind. Und wenn der Schwiegersohn die Tochter glücklich macht, dann ist die Schwiegermutter auch zufrieden.

Wenn ein Mann Schwierigkeiten mit den Schwiegereltern hat, liegt das häufiger am Schwiegervater, der seine geliebte kleine »Prinzessin« nicht loslassen kann. Dennoch gibt es kaum Witze über Schwiegerväter, anscheinend findet sie kein Mensch komisch.

Seine Mutter – ihr Problem

Die wahren Familiendramen spielen sich wegen der Mutter des Mannes ab, also der Schwiegermutter der Partnerin. Untersuchungen der Utah State University ergaben, dass in über 50 Prozent aller Ehen ernsthafte Probleme zwischen der Schwiegertochter und der Unruhe stiftenden und aufsässigen Mutter des Mannes entstehen. Obwohl nicht alle Schwiegermütter diesem schlechten Ruf gerecht werden, tötet eine Besitz ergreifende, aufdringliche Schwiegermutter, die sich in alles einmischt und nicht bereit ist, die Nabelschnur zwischen sich und ihrem Sohn zu durchtrennen, einer Schwiegertochter den letzten Nerv. Für die Schwiegertochter scheint eine Krise mit der Schwiegermutter oft kaum zu bewältigen, und sie bereitet ihr großen Kummer, letzten Endes kann sie sogar zur Scheidung führen.

Ein Mann lernte eine wunderbare Frau kennen und verlobte sich mit ihr. Er arrangierte ein Abendessen mit seiner Mutter, um ihr seine Verlobte vorzustellen, doch er brachte drei Frauen mit: eine blonde, eine brünette und eine rothaarige. Seine Mutter fragte, warum er nicht eine, sondern drei Frauen dabeihabe. Er antwortete, seine Mutter solle erraten, welche Frau ihre zukünftige Schwiegertochter sein werde.

Sie sah sich die drei Frauen genau an und sagte dann: »Die Rothaarige.«

»Wie bist du so schnell darauf gekommen?«

»Ich kann sie nicht ausstehen.«

Sie sind nicht alle bösartig

Natürlich sind nicht alle Schwiegermütter die Bosheit in Person. Die Untersuchung der Utah State University zeigt zwar, dass etwa 50 Prozent der Schwiegermütter als Unheilstifterinnen gelten, das heißt aber auch, dass die restlichen 50 Prozent zumindest neutrale, wenn nicht sogar beliebte, hilfsbereite und großzügige Familienmitglieder sind. Oft wird Schwiegermüttern auch die Schuld an Versäumnissen oder emotionalen Problemen ihrer Söhne oder Schwiegertöchter in die Schuhe geschoben.

Fallbeispiel: Anita und Tom

Die beiden waren gerade einmal sechs Monate verheiratet, als das junge Glück erste Risse bekam. Anita meinte, sie könne mit Tom auf keinen Fall zusammenleben. Er ließ seine Kleider überall herumliegen und warf die nassen Handtücher auf den Boden. Tom verwandelte jedes Zimmer in einen Schweinestall. Er brachte Anita an den Rand des Wahnsinns.

ANITA »Tom, du bist ein Schwein – ich kann nicht mehr mit dir zusammenleben!«

TOM »Ich weiß nicht, was du hast, du machst mich noch wahnsinnig mit deinem Putzfimmel! Daheim war alles ganz anders. Meine Mutter hat nie an mir herumgenörgelt!«

ANITA »Gut, reden wir mal über deine Mutter. Nach sechs Monaten mit dir habe ich den Eindruck, dass sie dich überhaupt nicht erzogen hat – sie hat dich nur verhätschelt. Du glaubst, dass Frauen abwaschen, kochen, bügeln und putzen und gleichzeitig noch ihren Beruf haben sollten – du respektiert Frauen überhaupt nicht. Deine Mutter hat ein Monster großgezogen, und ich lasse mir das nicht mehr gefallen.«

TOM »Was hat meine Mutter damit zu tun? Bleib doch mal beim Thema und hör auf, die Schuld immer bei anderen zu suchen, nur nicht bei dir!«

Viele Frauen haben ihre Söhne aus der Sicht ihrer Freundinnen und Frauen verdorben. Sie bemuttern ihr Söhnchen, sie kochen, putzen, waschen und bügeln für es. Sie glauben, dass sie dem Sohn damit ihre Liebe zeigen, doch in Wirklichkeit sorgen sie dafür, dass er später Probleme bei seinen Beziehungen zu anderen Frauen hat. Denn dem Sohn fällt es dann schwer, all das selbst zu tun, was früher seine Mutter für ihn erledigt hat.

Eine Frau hat es mit so einem Mann nicht leicht. Doch anstatt seine Mutter zu kritisieren, ist es effektiver, ihn dazu zu bringen, das zu tun, was sie von ihm will. Er ist schließlich erwachsen und für sein Handeln verantwortlich.

Diese Probleme können sehr komplex sein, denn es geht um eine Beziehung zwischen drei Personen, die stark variieren kann: Alle drei Personen können emotional ausgeglichen, unabhängig, uneigennützig und einfühlsam sein. Oder eine Person, zwei oder alle drei werden in ihrem Verhalten von Eifersucht, Besitzansprüchen, Abhängigkeit, Unreife, Selbstsucht oder emotionaler Instabilität geprägt.

Auch die Schwiegermutter hat es schwer

Wir sollten bedenken, dass die Position der Schwiegermutter nicht einfach ist, weil die Schwiegertochter meist ein enges Verhältnis zu ihrer Mutter hat und regelmäßig jede Kleinigkeit ausführlich mit ihr bespricht. Eine Mutter will am Leben ihrer Kinder teilhaben. Es ist normal, dass ein Mädchen seiner Mutter mehr vertraut als seiner Schwiegermutter, doch möglicherweise ist die Mutter des Partners dann eifersüchtig. Schwiegermütter denken ständig daran, was ihre Söhne gerade machen, vor allem, wenn sie nur ein Kind haben und ihr Leben langweilig ist. Isst der Junge auch ordentlich? Ist das Haus sauber genug usw. Doch Söhne sprechen nur selten mit ihren Müttern. Folglich erhält eine Schwiegermutter zu wenig Informationen und fühlt sich von der neuen Familie ihres Sohnes ausgeschlossen. Sie denkt dann vielleicht, die einzige Möglichkeit, einbezogen zu werden, bestünde darin, sich aufzudrängen und ständig Präsenz zu zeigen. Am Anfang einer Beziehung bemüht sich die Freundin eines Mannes oft sehr um dessen Mutter, um die Bindung zu ihm zu festigen. Wenn die Beziehung jedoch von Dauer ist und in eine Ehe mündet, ist es oft so, dass sich zwei Frauen um einen Mann streiten.

Aber für jedes Problem gibt es auch eine Lösung. Man muss nur dazu bereit sein. Sohn und Schwiegertochter müssen das Problem offen und vernünftig angehen.

Fallbeispiel: Mark und Julie

Mark und Julie waren verliebt und wollten heiraten. Wegen eines Streits sprachen Julie und ihre Mutter Sarah seit drei Jahren nicht mehr miteinander. Daher verließ sich Julie zunehmend auf Marks Mutter Fran, die ihr half, das Hochzeitskleid auszusuchen, das Menü für die Gäste zusammenzustellen und all die anderen Hochzeitsvorbereitungen zu treffen, die Julie normalerweise zusammen mit ihrer Mutter erledigt hätte.

Doch kurz vor der Hochzeit machte Julie mit Marks Hilfe ihre Mutter ausfindig und versöhnte sich mit ihr. Fran wurde plötzlich nicht mehr gebraucht und fühlte sich abgeschoben und ausgenutzt.

Eine Schwiegermutter wird nach der Hochzeit oft ausgeschlossen, es sei denn, sie hat eine starke Bindung zur Schwiegertochter aufgebaut. Wenn die Schwiegertochter ein enges Verhältnis zu ihrer eigenen Mutter hat, vergisst sie oft, dass die Mutter ihres Mannes ebenso wichtig für die Familie ist wie ihre eigene Mutter. Unser Leben wird immer hektischer und lässt immer weniger Zeit für die Familie, ganz zu schweigen von entfernteren Familienmitgliedern. Die zwischenmenschlichen Kontakte bleiben oft auf der Strecke. Im Geschäftsleben nutzen wir E-Mails und reduzieren so den direkten Kontakt, doch die ältere Generation bevorzugt Telefongespräche oder persönliche Begegnungen. Für unsere Generation kann es sehr schwierig werden, für unsere Eltern genug Zeit zu erübrigen. Wenn alle glücklich und zufrieden sein sollen, müssen beide Seiten Verständnis zeigen und Lösungen suchen. Die Eltern brauchen »Qualitätszeit«, und die Kinder benötigen Zeit für ihre unmittelbare Familie. Früher lebte man als Großfamilie im gleichen Haus, heute dagegen wohnen wir oft in entfernt gelegenen Dörfern, in anderen Städten oder sogar in einem anderen Land. Sich umeinander zu bemühen gehört zum Familienleben.

In Indien und in manchen Teilen Afrikas lässt sich eine Frau bei der Hochzeit von ihren Eltern »scheiden«. Sie lebt bei der Familie ihres Ehemanns und nennt seine Eltern Vater und Mutter. In vielen Ländern und Kulturen sind die Beziehungen zwischen Schwiegereltern und Schwiegertochter klar definiert und werden in genauen Abmachungen festgehalten. Doch in der westlichen Kultur hat die Beziehung zwischen dem Mann und der Frau Vorrang vor allem anderen – und die Schwiegermütter werden zur Witzfigur.

Fallbeispiel: Bernadette, Richard und Diana

Bernadettes Perspektive

Bernadette war Anfang vierzig, als ihr Ehemann sie verließ. »Gut, dass ich ihn los bin!«, erklärte sie ihren Freunden. Er trank zu viel und kümmerte sich kaum um seine Familie. Außerdem hatte sie noch ihren Sohn Richard. Er war 22 Jahre alt und ein anständiger Kerl, der für sie sorgen würde.

Bernadette dachte, Richard interessiere sich nicht für Mädchen. Sie hätschelte und umsorgte ihn und leistete emotionalen Beistand, was brauchte er da noch eine andere Frau? Die dummen Gänse, mit denen er gelegentlich ausging, waren doch nur für Sex da. Sie hatte Richard großgezogen, ihn seit seiner Geburt umhegt und geliebt, nun, so dachte sie, sei er verpflichtet, für sie zu sorgen.

Dianas Perspektive

ADAM UND EVA WAREN DAS GLÜCKLICHSTE PAAR AUF ERDEN,
WEIL SIE BEIDE KEINE SCHWIEGERELTERN HATTEN.

Diana mochte Richard auf Anhieb. Allerdings erschien ihr es seltsam, dass er sie nicht mit zu sich nach Hause nahm und sie seiner Mutter vorstellte. Die beiden begegneten sich erst, nachdem sich Richard und Diana verlobt hatten. Bernadette war nicht gerade liebenswürdig, aber Diana dachte, sie brauche einfach Zeit, um sich an die neue Situation zu gewöhnen. Sie lachte über Bernadettes Bemerkungen, dass es für eine Ehe vielleicht noch zu früh sei und sie ihre Meinung vor der Hochzeit noch jederzeit ändern könnten.

Bei der Feier schließlich benahm sich Bernadette ausgesprochen daneben und erzählte jedem, dass die Ehe ihres Erachtens nach nicht halten würde.

Bald musste Diana erkennen, dass ihre Schwiegermutter der personifizierte Alptraum war. Die Probleme begannen direkt nach der Hochzeitsreise. Bernadette kam fast jeden Tag unangekündigt zu Besuch.

Diana versuchte, freundlich zu sein, doch bald hatte sie es leid, dass Bernadette ihr sagte, wie sie Richards Lieblingsessen kochen und wie Richards Haushalt geführt werden sollte. Bernadette hatte fast an allem, was Diana tat, etwas auszusetzen. Bernadette beleidigte Diana sogar, wenn Richard nicht da war, stritt aber sofort alles ab, wenn Diana es ihrem Mann erzählte. Schließlich warf Bernadette ihr vor, sie wolle einen Keil zwischen Sohn und Mutter treiben. Diana begann, ihre Schwiegermutter zu meiden, doch nun rief Bernadette jeden Abend an und redete endlos mit ihrem Sohn. Sie fragte, wann er »nach Hause« komme und das Haus streiche, Unkraut im Garten jäte, den tropfenden Wasserhahn repariere, ein Problem mit ihr bespreche oder sie einkaufen fahre. Ihre Ansprüche wuchsen ins Uferlose. Richard tanzte völlig nach ihrer Pfeife, sehr zu Dianas Leidwesen. Bernadette hatte ihren Ehemann erfolgreich durch ihren Sohn ersetzt.

WIE VIELE SCHWIEGERMÜTTER BRAUCHT MAN, UM EINE GLÜHBIRNE AUSZUWECHSELN? EINE. SIE HÄLT DIE BIRNE HOCH UND WARTET, DASS SICH DIE WELT UM SIE DREHT.

Zwei Jahre später brachte Diana einen Jungen zur Welt. Schon bald war Bernadette jeden Tag zur Stelle und half ihr mit dem Baby. Bernadette wusste alles besser und riss das Regiment an sich. Anstatt Diana zu sagen, wie sie etwas machen sollte, kritisierte Bernadette sie ständig. Bernadette war von Travis geradezu besessen und hatte ihn pausenlos auf dem Arm. Diana fühlte sich ausgeschlossen. Bernadette entzog ihr das Kind, womöglich würde Travis seine Großmutter mehr lieben als seine Mutter, dachte sie. Sie fühlte sich elend und hatte das Gefühl, in der Falle zu sitzen. Bernadette kam stets uneingeladen und kritisierte und beleidigte dann Diana.

Diana versuchte immer wieder, das Problem mit Richard zu besprechen, aber er meinte, Diana sei zu Besitz ergreifend, schließlich wolle seine Mutter doch nur helfen. Außerdem fühle er sich für seine Mutter verantwortlich. Richard hielt Diana für egoistisch, eifersüchtig und unreif.

Schließlich war Diana der Streitereien müde und fraß ihren Groll in sich hinein.

Richards Perspektive

Richard vermisste nach der Scheidung seiner Eltern seinen Vater, allerdings war es zu Hause auch deutlich ruhiger. Seine Mutter sagte ihm, sein Vater sei ein Taugenichts und nun sei er der Mann im Haus. Sie überschüttete ihn mit Fürsorge und Zuneigung, kochte sein Lieblingsessen, machte sein Bett, räumte und putzte hinter ihm her und bestand darauf, dass er täglich frische, gebügelte Wäsche anzog.

Seine Mutter kritisierte ihn nie, sie hielt alles, was er tat, für absolut vollkommen. Richard hatte nur ein Problem. Wenn er eine Freundin mit nach Hause brachte, kühlte die Beziehung nach der Begegnung mit seiner Mutter stets schnell ab. Aber als er Diana kennen lernte, wusste er, dass es Liebe war. Er beschloss, Diana so lange wie möglich von seiner Mutter fern zu halten.

Nach der Hochzeit war Bernadette stets zur Stelle und half, wo sie nur konnte. Doch Diana war so eifersüchtig auf sein gutes Verhältnis zu seiner Mutter, dass Bernadette schließlich nicht mehr zu Besuch kam. Stattdessen sah er sie am Wochenende, wenn er ihr im Haus half. Ein Problem hatte er allerdings mit seiner Mutter. Sie rief jeden Abend an und redete endlos, wenn er es sich eigentlich gerade gemütlich machen wollte. Andererseits sagte er sich, dass seine Mutter bestimmt einsam war, weil sie allein lebte, und er fühlte sich ihr gegenüber verpflichtet.

EIN MANN WIRD VON SEINEM KOLLEGEN IM BÜRO GEFRAGT: »NANU, WIESO BIST DU DENN HEUTE IM BÜRO? GEHST DU NICHT ZUR BEERDIGUNG DEINER SCHWIEGERMUTTER?« »DOCH, DOCH«, ANTWORTET ER. »ABER ERST DIE ARBEIT, DANN DAS VERGNÜGEN.«

Als Travis geboren wurde, war Bernadette sofort zur Stelle, um Diana zu helfen. Sie wusch die Babysachen und versorgte den Säugling. Für Diana war es neu und ungewohnt, sich um ein Kind zu kümmern. Die Ratschläge ihrer Schwiegermutter waren sehr wertvoll. Doch Diana schien überhaupt nicht bereit, Ratschläge anzunehmen. Eifersüchtig wachte sie über Travis, stritt dauernd mit Bernadette und beklagte sich bei Richard über seine Mutter. Er liebte Diana, aber sie machte ihn wahnsinnig mit ihren Szenen. In seiner typisch männlichen Art dachte Richard, er wolle nicht den ganzen Tag hart arbeiten und dann auch noch zu Hause die Streitereien zwischen seiner Frau und seiner Mutter schlichten. Er überlegte sogar, dass sein Leben als Single weniger kompliziert wäre.

Schwiegermutter und Schwiegertochter müssen miteinander auskommen, wenn ihr Leben funktionieren soll. Als Höhlenmenschen arrangierten sich die Frauen, schon allein um zu überleben, und auch wir müssen uns arrangieren, um in der modernen Welt zu überleben und ein Leben ohne Stress zu führen. Frauen müssen ihre Beziehungsprobleme unter sich ohne die Beteiligung ihrer Männer beziehungsweise Söhne ausmachen. Denn Männer genießen es, wenn zwei Frauen sich um sie streiten, das stärkt ihr Selbstbewusstsein. Die Ehefrau sollte so klug sein, die Kontrolle über die Situation zu übernehmen, und dafür sorgen, dass Probleme ausschließlich zwischen ihr und der Schwiegermutter besprochen werden. Wenn das funktioniert, profitieren beide Seiten davon. Das Letzte, was eine Frau will, ist eine Schwiegermutter, die sich bei ihrem Mann über sie beschwert; sie braucht eine Verbündete, keine Gegnerin.

Das Drama zwischen Schwiegertochter und Schwiegermutter ist weit verbreitet und spielt sich auf der ganzen Welt ab. In einigen Ländern gibt es größere Probleme als in anderen. In Russland, wo jung verheiratete Paare mit den Eltern zusammenleben, weil es nicht genug Wohnungen gibt, hat sich eine regelrechte Kultur des Schwiegermutter-Hasses entwickelt. In Spanien spricht man von einer Krankheit namens Suegritis, die von Schwiegermüttern verursacht wird (span. *suegra* = Schwiegermutter). Außerdem gibt es eine Karnevalspfeife, die *matasuegras* heißt: »Töte Schwiegermütter«. In der indischen Stadt Delhi hat man sogar eigens einen Gefängnistrakt für Schwiegermütter eingerichtet, die verhaftet wurden, weil sie eine zu hohe Mitgift von ihren Schwiegertöchtern verlangten und Ehen zerstörten. Der Trakt ist ständig überbelegt.

In Spanien und Italien kann man eine Schwiegermutter auf Schadensersatz verklagen, wenn sie eine Ehe zerstört. In Lutz in Florida ertrug es eine Frau nicht länger, dass ihr Mann ständig seine Mutter verteidigte. Sie betäubte ihn und ließ ihm eine Karikatur vom mürrischen Gesicht seiner Mutter auf die Wange tätowieren.

Der Mann verließ sie, reichte die Scheidung ein und verklagte sie auf Schmerzensgeld. In Australien musste sich eine Frau von einem Apotheker sagen lassen, dass ein Foto von ihrer Schwiegermutter nicht ausreiche, um ihr Arsen zu verkaufen.

Jüdische Schwiegermütter werden ebenfalls heftig verspottet. In dem amerikanischen Dokumentarfilm *Mamadrama* wird ihre Umarmung als so liebevoll beschrieben »wie die eines Bären; er quetscht dich zu Tode«.

WAS IST DER UNTERSCHIED ZWISCHEN EINEM ROTTWEILER UND EINER SCHWIEGERMUTTER? DER ROTTWEILER LÄSST MANCHMAL WIEDER LOS.

Vielleicht existiert das Problem zwischen Schwiegermutter und Schwiegertochter seit Anbeginn der Zeiten. Manchmal tritt die Feindschaft offen zu Tage. Als Sylvester Stallone bekannt gab, dass er seine schwangere Freundin Jennifer Flavin heiraten werde, ließ seine Mutter alle wissen: »Er sollte nicht mit diesem Mädchen vor den Altar treten. Gut, Jennifer liebt ihn, aber sie will sich auch wichtig machen. Ich glaube, dass sie gemeine Charakterzüge hat.« Diese Haltung deutete sich bereits früher an, denn sie erklärte einmal: »In meinen Augen ist kein Mädchen gut genug für Sylvester. Ich aber würde mich hinlegen und für ihn sterben.«

Oftmals finden die drei Beteiligten trotz aller Bemühungen keine akzeptable Lösung. Wenn schon früh in einer Beziehung Probleme auftreten, sollte die Schwiegertochter guten Willen zeigen und Brücken bauen. Die Zeit vor der Heirat sollte unbedingt genutzt werden. Die Aufmerksamkeit der Frau richtet sich verständlicherweise in erster Linie auf den Mann, doch wenn sie keine Zeit in die Beziehung zu ihrer angehenden Schwiegermutter investiert, wird sich das später rächen. Die Schwiegertochter sollte versuchen, Zeit allein mit der Mutter ihres Zukünftigen zu verbringen, damit diese sie als Individuum und nicht nur als Anhängsel des Sohnes sieht. Die Stärkung dieser Beziehung im gegenseitigen Einverständnis kann später, wenn weitere Familienmitglieder beteiligt sind, Probleme verhindern.

Sind die Probleme in der Ehe erst einmal etabliert, dann ist es sehr schwierig, ein tragfähiges Abkommen zwischen den drei Beteiligten mit ihren unterschiedlichen Vorstellungen und Prioritäten zu finden. Die eine Seite wird kaum mit einer Regelung einverstanden sein, hinter der sie eine Allianz zwischen den beiden anderen vermutet. Daher muss das Problem in dieser Phase von den beiden am stärksten betroffenen Parteien gelöst werden: vom Sohn und von der Schwiegertochter.

Dafür müssen die beiden zunächst einige Fragen beantworten:

Erkennen beide, dass ein Problem existiert?
Wollen beide glücklich, lange und in Liebe miteinander leben?
Wollen sie das Problem lösen?

Wenn eine der Fragen mit Nein beantwortet wird, ist eine Eheberatung empfehlenswert. Werden alle Fragen mit Ja beantwortet, sollten sich die Eheleute zusammensetzen und ihre Sichtweise des Problems schriftlich festhalten.

In unserem Fallbeispiel könnte beispielsweise Diana schreiben:

Bernadette besucht uns unangekündigt. Wir haben kein Privatleben, und unsere Pläne werden ständig durcheinander gebracht.

Bernadette ruft jeden Abend an, wenn wir es uns gerade gemütlich machen wollen.

Bernadette fordert von Richard zu viel Aufmerksamkeit; deshalb hat er nicht genügend Zeit für seine Familie.

Bernadette ist neugierig. Sie will alles wissen und überall dabei sein.

Bernadette kritisiert mich ständig und traut mir nichts zu. Sie ist herrisch und erwartet, dass Richard ihr wie ein kleiner Junge gehorcht.

Richard könnte schreiben:

Meine Mutter ist einsam, und es ist unsere Pflicht, sich um sie zu kümmern, aber Diana ist das gleichgültig.

Meine Mutter hat keinen Mann im Haus, der Reparaturen und andere Aufgaben für sie erledigt. Diana versteht nicht, dass ich als Sohn verpflichtet bin, meiner Mutter zu helfen.

Meine Mutter versucht Diana zu helfen, aber Diana will Travis nicht teilen und weigert sich, wertvolle Tipps zur Kindererziehung anzunehmen.

Meine Mutter vermittelt mir Schuldgefühle, wenn ich ihre Bitten nicht erfülle.

Ich verstehe nicht, warum alle dauernd wütend sind, ich will doch nur mit allen gut auskommen.

Das Problem liegt damit eindeutig bei Diana und Richard. Bernadette hat kein Problem. Sie beherrscht Richard weiterhin, und über ihn kontrolliert sie Diana und Travis. Richard hat sich nie von seiner Mutter abgenabelt. Er hat sein Zuhause »noch nicht« verlassen und ist immer noch nicht erwachsen.

DIE BESTE ZEIT, SICH ABZUNABELN, IST DIE GEBURT.

Auch Diana ist unbewusst an der momentanen Situation beteiligt. Sie hat ihr eigenes Unglück mit verschuldet, weil sie Bernadette nicht in ihre Schranken wies, als sich die ersten Probleme abzeichneten. Diana ließ zu, dass sich Bernadette ungehindert in ihre Ehe und Familie hineindrängte.

Wie zieht man Grenzen?

Grenzen zu ziehen bedeutet, Grundregeln festzulegen. Man bittet andere, bestimmte Grenzen nicht zu überschreiten. Richard und

Diana legten bei ihrer Hochzeit keine Grenzen fest. Viele junge Leute machen diesen Fehler. Sie sind unerfahren und lebten meist mit Grenzen, die andere Menschen gezogen hatten. Sie treten nicht bestimmt genug auf und glauben, dass andere Familienmitglieder mit ihren Ratschlägen nur helfen wollen.

Die Festlegung von Grenzen und ein selbstbewusstes Auftreten sind zwei lebenswichtige Lektionen für junge Paare. Wenn man Grenzen gezogen hat, weiß jeder, wie weit er gehen kann. Jeder weiß auch, dass er Schwierigkeiten bekommt, wenn er diese Grenzen überschreitet. In ihrer Ehe haben Diana und Richard Grenzen gezogen, die der Partner nicht überschreiten darf, warum sollte es dann nicht auch Grenzen für Bernadette geben?

Diana sagt, dass Bernadette uneingeladen und unangekündigt zu Besuch kommt. Bernadette muss also lernen, das Privatleben der beiden zu respektieren. Man muss ihr sagen, dass sie vor einem Besuch anrufen soll. Diana muss Bernadette erklären, dass sie und Richard Zeit für sich brauchen, in der sie entspannen oder ihren gemeinsamen Interessen nachgehen können. Spontane Besuche der Schwiegermutter sind dann oft unpassend. Bernadette wird sich verständlicherweise zurückgewiesen und verletzt fühlen, aber damit muss sie fertig werden. Richard und Diana müssen betonen, dass sie Bernadette sehr wohl lieben, es diese Grenzen jedoch geben muss. Bernadette wird darüber hinwegkommen und sich anpassen.

Auch Bernadettes Wunsch, dass Richard bei ihr vorbeikommt und ihr im Haus hilft, ist ein Problem der Grenzziehung. Richard ist natürlich verpflichtet, ihr zu helfen, aber er sollte vorher einen Zeitplan mit Diana absprechen. Die drei sollten ruhig und vernünftig miteinander reden. Vielleicht könnte man auch mit einem Handwerker in der Nähe ein Abkommen treffen und Bernadette dessen Telefonnummer geben. Richard und Diana könnten sogar anbieten, die Handwerkerrechnung als gemeinsames Geburtstags- und Weihnachtsgeschenk zu bezahlen. Diana könnte auf Bernadette zugehen und ihr das Gefühl geben, Teil der Familie zu sein.

MEINE SCHWIEGERMUTTER UND ICH KAMEN
20 JAHRE LANG GUT MITEINANDER AUS –
BIS WIR UNS BEGEGNET SIND.

Auch bei Travis hat Bernadette Grenzen überschritten. Das Problem wird schwinden, wenn Bernadettes Besuche vorher abgesprochen werden. Diana muss fest und bestimmt auftreten. Sie sollte Bernadette für ihr Angebot danken, aber erklären, dass sie und Richard eine bestimmte Vorstellung von Travis' Erziehung haben und sich daran halten werden.

Richard sollte die Anrufe seiner Mutter auf eine bestimmte Zeit beschränken, die er zuvor mit Diana abgesprochen hat, beispielsweise zehn Minuten. Dann sollte Richard seiner Mutter sagen, er habe noch anderes zu tun und das Gespräch beenden.

Noch wichtiger ist jedoch, dass er seiner Mutter hilft, ihren eigenen Interessen außerhalb der Familie nachzugehen. Dazu können sportliche Aktivitäten, ein Lesekreis, Krankenbetreuung, die Mitgliedschaft in einer Theatergemeinde, ein Kurs an der Volkshochschule oder ehrenamtliche Arbeit, zum Beispiel für Essen auf Rädern, gehören. Richard und Diana sollten Bernadette ermuntern, mehr zu unternehmen, und sie in dieser Phase emotional unterstützen. Sie sollten auch bereit sein, echtes Interesse an Bernadettes »neuem« Leben zu zeigen, bis es eine Eigendynamik entwickelt.

WENN MAN SEINE SCHWIEGERMUTTER DAZU BRINGEN
KÖNNTE, JEDEN TAG 10 KILOMETER SPAZIEREN
ZU GEHEN, WÄRE SIE NACH EINER WOCHE
SCHON 70 KILOMETER WEIT WEG.

Jedes Problem von Diana lässt sich lösen, wenn sie Grenzen zieht und darauf achtet, dass diese nicht überschritten werden. Das ist nicht einfach. Bernadette wird am Anfang verärgert sein und vermutlich zurückschlagen, indem sie Schuldgefühle weckt und Richard und Diana emotional mit den folgenden Argumenten erpresst:

»Nach allem, was ich für euch getan habe!«
»Ich habe doch sonst niemanden!«
»Ich bin euch völlig gleichgültig.«
»Wenn ich einmal nicht mehr bin, wird es euch Leid tun.«
»Du denkst nur an dich selbst – wie dein Vater.«
»Ich fühle mich so einsam.«

Eine derartige Taktik funktioniert aber nur, wenn man es zulässt. Richard und Diana *wissen*, dass sie das Richtige tun, sie haben ausführlich darüber gesprochen, sind alle möglichen Reaktionen durchgegangen und bereit, sich ihnen zu stellen. Schuldgefühle zu wecken gelingt anderen nur, wenn man bereit ist, die Schuld auf sich zu nehmen.

GEHT EIN MANN ZUR WAHRSAGERIN. DIE WAHRSAGERIN PROPHEZEIT IHM: »MORGEN WIRD IHRE SCHWIEGERMUTTER GANZ UNERWARTET STERBEN.«
»DAS WEISS ICH SCHON, MICH INTERESSIERT NUR, OB ICH FREIGESPROCHEN WERDE.«

Vielleicht wird Bernadette den beiden ihre Hilfe versagen, also zum Beispiel nicht mehr babysitten. Vielleicht droht sie sogar mit Enterbung. Damit muss man rechnen, aber wenn Richard und Diana ein unabhängiges, glückliches und eigenständiges Leben führen wollen, müssen sie sich behaupten. Diana und Richard sollten nicht versuchen, ihre Entscheidung zu erklären oder zu rechtfertigen, sondern nur deutlich machen, dass sie an ihrem Kurs festhalten werden.
Während dieser ganzen Zeit müssen sie Bernadette liebevoll unterstützen. Die Versuchung liegt nahe, sich einfach von ihr abzuwenden, vor allem, wenn sie heftiger reagiert als erwartet. Aber das

dürfen sie nicht. Sie müssen Bernadette weiter über die Entwicklungen in der Familie auf dem Laufenden halten, sie aber gleichzeitig dazu ermuntern, ihr eigenes Leben zu gestalten. Wenn sie Bernadette einfühlsam und liebevoll ihre Grenzen zeigen, wird sich letztendlich eine vernünftige und angenehme Beziehung entwickeln.

Und wenn diese Bemühungen alle nicht fruchten, kann man immer noch in eine andere Stadt ziehen.

KAPITEL 7

Die geheimnisvolle Sprache der Frauen

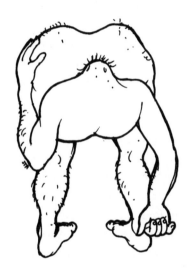

*Wenn Frauen versuchten, mit ihm zu reden,
tauchte er ab.*

Ein Archäologe durchwühlte an einer altehrwürdigen Stätte die
Trümmer und stieß auf eine staubige alte Lampe. Als er den Staub
wegwischte, stieg ein dienstbarer Geist aus der Lampe.
»Du hast mich befreit!«, schrie der dienstbare Geist. »Ich werde
dir einen Wunsch gewähren.«
Der Archäologe dachte einen Moment lang nach und antwortete
dann: »Ich wünsche mir eine Brücke mit einer Schnellstraße zwischen
England und Frankreich!«
Der dienstbare Geist verdrehte die Augen und murmelte: »Hey, ich
saß tausend Jahre in dieser Lampe und ich bin angeschlagen
und müde. Weißt du, wie lang die Strecke zwischen England und
Frankreich ist? Das ist technisch nicht möglich! Wünsch dir
was anderes!«
Der Mann überlegte eine Weile und sagte dann: »Ich wünsche mir,
ich könnte verstehen, wie man mit Frauen kommuniziert.«
Der dienstbare Geist wurde blass und fragte: »Mit einer oder mit
zwei Spuren?«

Für Männer ist dieses Kapitel besonders wichtig. Einigen Dingen,
die Sie hier lesen, werden Sie wahrscheinlich skeptisch gegen-
überstehen. Deswegen schlagen wir vor, dass Sie sich jeden Punkt
von einer Frau in Ihrer unmittelbaren Umgebung erläutern lassen.
Seit mehr als zehn Jahren untersuchen wir, wie Männer und Frau-
en kommunizieren, und stützen uns auf die Verhaltenspsychologie,
um die Unterschiede zu erklären. Vor allem aber haben wir Strategien entwickelt, wie man mit diesen Unterschieden umgehen
kann.
Wir haben Männer vieler Nationalitäten und Rassen befragt. Als
Ergebnis kristallisierten sich fünf von Männern am häufigsten gestellte Fragen zur Sprache der Frauen heraus. Diese geheimnisvolle
Sprachwelt amüsiert und verwirrt die meisten Männer. Doch wenn
Männer sie verstehen lernen, ist eine neue Art der Beziehung mit
dem anderen Geschlecht möglich.
Hier sind die Fragen:

1. *Warum reden Frauen so viel?*
2. *Warum wollen Frauen immer über Probleme reden?*
3. *Warum übertreiben Frauen?*
4. *Warum kommen Frauen anscheinend nie auf den Punkt?*
5. *Warum wollen Frauen immer alles ganz genau wissen?*

1. Warum reden Frauen so viel?

Der enorme Redefluss der Frauen gehört zu den Verhaltensweisen, die die meisten Männer völlig ratlos machen. In *Warum Männer nicht zuhören und Frauen schlecht einparken* haben wir dieses Phänomen ausführlich besprochen und geben hier eine kurze Zusammenfassung.

Früher lebten Frauen in einer Gruppe mit anderen Frauen und Kindern, die sich alle nah bei der Höhle aufhielten. Die Fähigkeit, enge Beziehungen aufzubauen, war für das Leben aller Frauen von größter Bedeutung. Männer hingegen saßen schweigend auf einem Hügel und hielten nach Wild Ausschau. Wenn Frauen eine Aufgabe gemeinsam erledigten, schwatzen sie die ganze Zeit miteinander, um das Gemeinschaftsgefühl zu stärken. Wenn Männer jagten oder fischten, sprach keiner, aus Angst, die erhoffte Beute zu verscheuchen. Geht der moderne Mann jagen oder angeln, redet er auch nicht viel. Wenn moderne Frauen sich treffen (einkaufen gehen), reden sie immer noch ununterbrochen. Frauen brauchen keinen Grund zum Reden und kein Endziel. Sie reden, um sich einander näher zu fühlen.

Die Abbildungen auf der nächsten Seite zeigen Gehirn-Scans von Männern und Frauen, die sich miteinander unterhalten. Die dunklen Bereiche sind die aktivierten Gehirnregionen.

Diese Gehirn-Scans zeigen, dass das Sprach- und Sprechzentrum im Gehirn einer Frau häufig aktiv ist. In *Warum Männer nicht zuhören und Frauen schlecht einparken* haben wir gezeigt, dass eine Frau mühelos zwischen 6000 und 8000 Wörter am Tag von sich

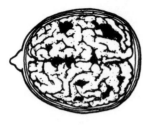 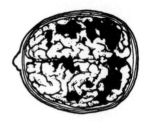

Männlich   *Weiblich*

Sprach- und Sprechzentren des Gehirns,
Institute of Psychiatry, London 2001.

geben kann. Bedenkt man, dass ein Mann im Vergleich dazu gerade mal zwischen 2000 und 4000 Wörter pro Tag von sich gibt, ist es leicht verständlich, warum die weibliche Sprachmacht Paaren so viele Probleme bereitet. Ein Mann hat nachmittags, wenn er von der Arbeit kommt, oft schon sein Tagespensum erfüllt, während einer Frau vielleicht 4000 bis 5000 Wörter bleiben, die sie noch loswerden muss! Zwei Frauen können den ganzen Tag zusammen verbringen und anschließend ohne weiteres noch eine Stunde miteinander telefonieren. Die Reaktion des Mannes darauf ist: »Warum hast du ihr das nicht alles erzählt, als sie da war?«

»Ich hoffe, ich habe nicht zu viel geredet!«

Die Tatsache, dass die verbalen Fähigkeiten der Männer weniger ausgeprägt sind als die der Frauen, erklärt, warum Männer viel häufiger gewisse Sprachstörungen haben: Drei- bis viermal so viele Männer stottern und zehnmal so viele sind Legastheniker.

Das Gehirn der Männer ist darauf programmiert, Probleme zu lösen. Männer verwenden Sprache, um Fakten und Daten auszutauschen. Die meisten Männer reden nur, »wenn sie etwas zu sagen haben«, das heißt, wenn es um Fakten, Daten oder Lösungen geht. Das führt in Gesprächen mit Frauen, die sich aus ganz anderen Gründen unterhalten, zu ernsthaften Problemen. Wenn Frauen reden, dann in gewisser Weise, um den anderen zu belohnen und eine engere Bindung herzustellen. Einfach gesagt, wenn sie Sie mag oder liebt, wenn sie dem, was Sie sagen, zustimmt oder Ihnen das Gefühl vermitteln möchte, akzeptiert und wichtig zu sein, wird sie mit Ihnen reden. Mag sie Sie nicht, redet sie auch nicht mit Ihnen.

DAS GEHIRN DER MÄNNER IST LÖSUNGSORIENTIERT, DAS DER FRAUEN VORGANGSORIENTIERT.

Ein Mann redet mit einem anderen Mann nur dann über seine Probleme, wenn er glaubt, der andere könne ihm eine Lösung bieten. Wie wir in Kapitel 2 dargestellt haben, fühlen Männer sich geehrt, wenn man sie um ihre Meinung bittet, und bieten dann auch Lösungen an. Wenn eine Frau redet, tut sie das in erster Linie jedoch, um Beziehungen zu festigen. Unglücklicherweise aber denken Männer, Frauen würden ihre Probleme diskutieren, weil sie nicht alleine damit fertig werden, und unterbrechen sie ständig mit gut gemeinten Ratschlägen.

Kein Wunder, dass Frauen behaupten, Männer würden ihnen dauernd ins Wort fallen und sie nie ihre Meinung äußern lassen. Auf Frauen wirkt dieses ständige Anbieten von Lösungen so, als wolle der Mann immer Recht haben und als habe sie immer Unrecht. Wenn eine Frau jedoch ihre Gefühle und Probleme mitteilt, ist das ein Zeichen dafür, dass sie dem anderen vertraut.

Wenn sie mit Ihnen über ganz persönliche Dinge redet, heisst das nicht, dass sie sich beklagt – sie vertraut Ihnen einfach.

Wenn eine Frau Sie aber nicht mag oder nicht liebt, wenn sie dem, was Sie sagen, nicht zustimmt, oder Sie bestrafen möchte, hört sie auf zu reden. Schweigen wird als eine Form der Bestrafung verwendet und ist eine effektive Taktik, wenn es um andere Frauen geht. Bei Männern aber funktioniert diese Taktik nicht – Männer empfinden die Ruhe als angenehm. Wenn eine Frau also droht, »Ich rede nie wieder mit dir!«, sollte diese Drohung ernst, aber nicht wörtlich genommen werden.

Frauen schweigen, um Männer zu bestrafen. Aber Männer lieben das Schweigen.

Wenn eine Frau einen Mann bestrafen will, redet sie einfach ununterbrochen und wechselt ständig das Thema.

Lösung für Männer

Sehen Sie ein, dass eine Frau vor allem redet, um zu reden. Ihr Ziel ist es, sich besser zu fühlen, indem sie über ihren Tag spricht, und Ihnen näher zu sein. Lösungen sind nicht gefragt. Sie brauchen ihr nur zuzuhören und sie zu ermutigen. Nicht der Inhalt dessen, was Sie sagen, ist wichtig, sondern Ihr Interesse für das Gespräch.

Lösung für Frauen

Legen Sie mit einem Mann eine Zeit für ein Gespräch fest, und sagen Sie ihm, dass er nur zuzuhören braucht, ohne Lösungen anzubieten. Wenden Sie nicht die Taktik des Schweigens an, um sich dann zu ärgern, weil er überhaupt nicht bemerkt hat, dass Sie nicht mit ihm reden. Er genießt diese Ruhe, weil er sich entspannen kann. Wenn Sie ein Problem mit ihm haben, sprechen Sie offen darüber.

2. Warum wollen Frauen immer über ihre Probleme reden?

Frauen leben im Durchschnitt sieben Jahre länger als Männer. Das liegt in erster Linie daran, dass sie besser mit Stress fertig werden. Wenn ein Mann einen anstrengenden Tag vergessen will, kann er dies tun, indem er nachdenkt oder sich mit etwas anderem beschäftigt. Sein einspuriges Gehirn ermöglicht es ihm, sich darauf zu konzentrieren, die Nachrichten oder eine andere Fernsehsendung zu sehen, den Rasen zu sprengen, im Internet zu surfen oder ein Modellschiff zu bauen, und seine Probleme zu verdrängen. Indem er sich jeweils nur auf eine Sache konzentriert, kann er seine Probleme vergessen. Beschäftigt ein Mann sich, wenn er gestresst ist, nicht mit anderen Dingen, zieht er sich auf seinen Felsen zurück und versucht, eine Lösung für sein Problem zu finden. Das Gefährliche daran ist, dass er den Stress verinnerlicht, was zu stressbedingten Beschwerden wie Durchfall oder Verstopfung oder sogar zu Magengeschwüren und einem Herzinfarkt führen kann. Frauen bauen Stress ab, indem sie immer wieder über ihre Probleme reden, vorwärts und rückwärts und von jedem Blickwinkel aus, ohne zu einer Lösung zu kommen. Wenn ein Mann dies täte, würden andere Männer annehmen, er brauche Hilfe und wolle von ihnen Lösungen hören – die sie auch prompt anbieten würden.

Fallbeispiel: Lisa, Joe und der mitternächtliche Streit

Als Lisa und Joe zusammenzogen, stritten sie sich oft. Häufig dauerte der Streit bis weit nach Mitternacht. Ursache der Dauer war, dass Lisa auf Grund ihrer Erziehung glaubte, dass ein Paar nie im Streit zu Bett gehen dürfe. Die Partner sollten sich küssen und vor dem Zubettgehen versöhnen. Also redete Lisa, redete und redete über das Problem, über das sie sich gestritten hatten – bis sich ein weiteres Thema zum Streiten ergab. Joe wurde mit der Situation nicht fertig. Ihm wäre es viel lieber gewesen, nach dem Streit schlafen zu gehen und die Sache zu vergessen.

Lisa wollte Stress abbauen und unbedingt zu einem für beide Seiten befriedigenden Ergebnis kommen. Joe aber hatte das Gefühl, dass sie sich ständig im Kreis drehten. Für ihn gab es nichts mehr zu sagen und ihn störte auch nicht, dass sie zu keiner Einigung gekommen waren.

> MEIN MANN UND ICH BESCHLOSSEN, NACH EINEM
> STREIT NIE SCHLAFEN ZU GEHEN, OHNE UNS
> WIEDER VERSÖHNT ZU HABEN. AN EINEM ABEND
> BLIEBEN WIR SECHS MONATE LANG WACH.
> PHYLLIS DILLER

Männern ist es ein Rätsel, warum Frauen gern stundenlang diskutieren, vor allem spätabends. Das weibliche Gehirn ist jedoch ein vorgangsorientierter Kommunikationscomputer. Frauen besprechen gern jeden Aspekt ihres Handelns und ihrer Gefühle. Männer schrecken vor dieser Aussicht eher zurück. Sie streiten sich lieber einfach und lassen die Sache dann auf sich beruhen. Männer ziehen sich gern auf ihren Felsen zurück und denken an etwas anderes.

> ES GIBT ZWEI THEORIEN, WIE MAN MIT
> FRAUEN STREITEN SOLLTE. KEINE FUNKTIONIERT.
> RODNEY DANGERFIELD

Frauen wollen Frieden schließen und alle Meinungsverschiedenheiten ausräumen. Sie glauben, dass sich nach dem Reden alle besser fühlen. Männer glauben, dass Reden in der Regel alles nur noch schlimmer macht.

Lösung

Wenn eine Frau über ein Problem spricht und das, was sie sagt, für Sie keinen Sinn ergibt, sollten Sie daran denken, dass sie einfach nur reden muss, um sich besser zu fühlen. Hören Sie ihr voller Mitgefühl zu und sagen Sie ihr, dass Sie immer da sind, um ihr zuzuhören, wenn sie Sie braucht. Das ist viel einfacher, als zu versuchen, Probleme zu lösen, die nicht existieren, und bringt Ihnen außerdem viele Punkte ein.

DINGE, VON DENEN FRAUEN WÜNSCHTEN, DASS MÄNNER SIE WÜSSTEN (NR. 105): ALLES, WAS EINE FRAU VOR SECHS ODER ACHT MONATEN GESAGT HAT, DARF IN EINEM STREIT NICHT GEGEN SIE VERWENDET WERDEN.

Wenn Sie nicht sofort reagieren können, bitten Sie Ihre Partnerin freundlich darum, das Thema ruhen zu lassen und an einem anderen Tag, wenn sich der Ärger gelegt hat, darüber zu reden. Sagen Sie:»Tut mir Leid, Schatz, aber ich kann mich jetzt einfach nicht mit diesem Problem beschäftigen. Können wir die Sache morgen/am Wochenende/nächste Woche besprechen, wenn ich die Gelegenheit hatte, darüber nachzudenken?« Das funktioniert viel eher, als nichts zu sagen und einfach darauf zu hoffen, dass der Frau irgendwann nichts mehr einfällt. Da können Sie ewig warten!

3. *Warum übertreiben Frauen?*

Männer und Frauen übertreiben. Der wichtige Unterschied ist jedoch, dass Männer Fakten und Daten übertreiben, Frauen hingegen

Emotionen und Gefühle. Ein Mann übertreibt vielleicht hinsichtlich der Bedeutung seines Jobs, der Höhe seines Einkommens, der Größe des Fischs, den er gefangen hat, der Leistung seines Wagens oder der Anzahl von Verabredungen mit gut aussehenden Frauen. Frauen übertreiben, wenn sie erzählen, wie sie und andere ein persönliches Problem empfunden haben, oder wenn es darum geht, was ein anderer gesagt hat. Im weiblichen Denken spielen andere Menschen eine große Rolle, und Frauen denken viel mehr über das Leben und über Beziehungen nach als Männer, und Übertreibungen machen Unterhaltungen darüber eben interessanter.

ÜBERTREIBUNGEN MACHEN GESPRÄCHE ÜBER BEZIEHUNGEN VIEL INTERESSANTER UND AUFREGENDER.

Dass Frauen Worte und Gefühle übertreiben, ist eine Binsenwahrheit. Wenn Frauen untereinander reden, nimmt keine von ihnen Anstoß daran, denn Übertreibungen sind Teil des Sozialgefüges einer Frau.

Die meisten Frauen träumen von einem strahlenden Ritter, der auf seinem Schimmel daherkommt und sie mitnimmt, verlieben sich aber unweigerlich in den rothaarigen, sommersprossigen Computertechniker mit einem Bier in der Hand, den sie an einem Samstagabend im White Horse Inn kennen gelernt haben.

EINE SOZIOLOGISCHE STUDIE HAT BESTÄTIGT, DASS FRAUEN AM LIEBSTEN ZWEI MÄNNER HÄTTEN. IN DIESEM WUNSCHTRAUM KOCHT EINER UND DER ANDERE PUTZT.

Einige typische Beispiele dafür, wie Frauen übertreiben:

»Ich hab dir schon tausendmal gesagt, dass du deine nassen Handtücher nicht auf dem Boden liegen lassen sollst.«
»Du erwartest, dass ich immer die ganze Hausarbeit mache und mich gleichzeitig um die Kinder kümmere.«

*»Ich hab gedacht, es haut mich um, als ich sie mit diesem Kleid
gesehen habe!«*
»Du machst das jedes Mal mit mir.«
»Ich rede nie wieder mit dir!«

Für einen Mann können die Übertreibungen einer Frau frustrierend sein, denn sein Gehirn ist so programmiert, dass er Daten und Fakten braucht, um etwas zu verstehen, und Aussagen wörtlich entschlüsselt.

Wenn er ihr zum Beispiel vor Freunden widerspricht, sagt sie später vielleicht: »Du machst mich immer runter und lässt mir nie meine eigene Meinung! Du machst das die ganze Zeit!« Er wird es wahrscheinlich wörtlich nehmen, dagegen halten, dass er es *nicht immer tut*, und sich mit Beispielen verteidigen. »Das ist nicht wahr!«, protestiert er. »Ich habe es weder gestern Abend, noch in den letzten Monaten getan!« Sie weist das zurück und führt – mit Zeit, Ort und Datum – auf, wann er sie auf die gleiche Weise gekränkt hat. Er geht verletzt und empört davon. Aber ob er sie nun wirklich gekränkt hat oder nicht spielt keine Rolle. Denn sie möchte nur, dass er vor ihren Freunden zeigt, wie wichtig sie ihm ist. Sie hat ihre Gefühle übertrieben, und er hat sich gegen etwas gewehrt, das er für Fakten und Daten hielt.

ICH WILL EINE MILLION MÄNNER –
ABER NUR EINEN AUF EINMAL.
MAE WEST

Trotz ihrer Wortgewandtheit verlassen Frauen sich in Unterhaltungen auch auf die Körpersprache, um Botschaften zu übermitteln und zu empfangen. Die Körpersprache enthüllt das emotionale Befinden einer Frau und vermittelt zu 60 bis 80 Prozent die Bedeutung der meisten weiblichen Unterhaltungen. Vom männlichen Standpunkt aus betrachtet, scheinen Frauen, wenn sie reden oder telefonieren, oft mit den Armen herumzufuchteln, und die Vielfalt ihrer

Gesten und ihr Mienenspiel sind eindrucksvoll. Der Ton vermittelt, was sie meinen, und Frauen kommunizieren in fünf verschiedenen Stimmlagen, von denen Männer nur drei identifizieren. Wörter machen nur sieben bis zehn Prozent der Wirkung ihrer Botschaft aus und sind folglich in einer Unterhaltung nicht das Entscheidende, denn die meisten Botschaften werden ohne Worte übermittelt. Für Frauen ist es völlig in Ordnung, wenn sie Allgemeinplätze von sich geben, die nicht unbedingt in das Gespräch passen. Was zählt, sind Emotionen und Gefühle, die vor allem durch die Körpersprache und den Ton zum Ausdruck gebracht werden.

Wie eine Frau sich selbst täuschen kann

Wenn eine Frau sich ein Szenario noch einmal vor Augen führt, hält sie ihre Erinnerung meist für identisch mit der Wirklichkeit. Dieser Brief von Jessica zeigt, wie das geschieht:

Luke und ich beschlossen, uns am Samstagabend gegen sechs in unserem Lieblingsrestaurant zum Essen zu treffen.

Luke ging an diesem Tag mit seinen Freunden zum Fußball, und ich hatte viel Spaß mit meinen Freundinnen, die ich, seit ich mit Luke zusammen war, nicht so oft gesehen hatte. Wir verbrachten den ganzen Tag mit Einkaufen, Mittagessen und Kaffeetrinken und redeten über Gott und die Welt.

Die Zeit lief einfach so davon, und ich kam ein bisschen zu spät ins Restaurant. Ich wusste, dass es ein romantisches Abendessen werden würde. Ich war aufgeregt und freute mich wirklich darauf, Luke zu treffen.

Als ich kam, saß er einfach da und starrte aus dem Fenster. Ich entschuldigte mich, dass ich zu spät kam, erzählte ihm, wie viel Spaß ich mit meinen Freundinnen gehabt hatte, und zeigte ihm meine Einkäufe. Für ihn hatte ich ein besonderes Geschenk – wunderschöne, goldene Manschettenknöpfe, die zu seinem Smoking passten. Er murmelte »Danke«, steckte sie in seine Tasche und saß einfach schweigend da.

Er war in einer so merkwürdigen Stimmung, dass ich dachte, er bestrafe mich dafür, dass ich zu spät gekommen war, weil er nicht mit mir redete und sich nicht groß mit mir beschäftigte. Die Unterhaltung war wirklich Schwerstarbeit und nicht sehr amüsant. Er schien unendlich weit weg zu sein. Wir beschlossen, den Kaffee zu Hause zu trinken.

Er schwieg auf der ganzen Heimfahrt, und da wurde mir klar, dass wir ein echtes Problem hatten. Ich zermarterte mir das Hirn und versuchte herauszufinden, was es sein könnte, beschloss dann aber, es erst zu Hause anzusprechen. Ich hatte einen Verdacht, wollte aber jetzt noch nichts sagen.

Als wir zu Hause ankamen, ging Luke direkt ins Wohnzimmer, schaltete den Fernseher an und starrte mit leerem Blick auf den Bildschirm. Seine Augen schienen zu sagen, dass es zwischen uns vorbei war. Ich begriff so langsam, dass das, was ich mir schon eine Weile gedacht hatte, stimmte – er musste eine andere Frau haben, er dachte an sie und wollte es mir nicht sagen oder mich nicht verletzen. Mir wurde auch klar, wer diese Frau war – Debbie, die Schlampe mit dem Minirock in seinem Büro! Ich habe gesehen, wie sie immer mit den Hüften wackelt, wenn sie an ihm vorbeigeht, und er muss mich für blöd halten, wenn er denkt, ich hätte nicht bemerkt, wie er sie anschaut und sie so dümmlich anlächelt. Die denken wohl, ich bin blind! Ich saß dann eine Viertelstunde mit ihm auf dem Sofa, bis ich es nicht mehr ausgehalten habe. Ich ging ins Bett. Zehn Minuten später kam Luke auch ins Bett und schmuste zu meiner Überraschung mit mir. Ich wurde aktiv, er wehrte sich nicht und wir schliefen miteinander. Aber danach rollte er sich einfach auf die Seite und schlief ein. Ich war so aus dem Häuschen, dass ich stundenlang wach lag und mich schließlich in den Schlaf weinte. Ich hatte das Gefühl, dass bald alles vorbei sein würde.

Ich nahm mir vor, die Sache am nächsten Tag anzusprechen und von ihm zu verlangen, dass er mir die Wahrheit sagt. Wer ist die-

se andere Frau? Liebt er sie oder ist es nur eine Affäre? Warum
können Männer nicht aufrichtig sein? Ich weiß nur, dass ich so
nicht weiterleben kann ...
   Jessica

Was bewegte Luke an diesem Abend tatsächlich: England hatte ein
wichtiges Spiel verloren. Aber das Bumsen fand er dann trotzdem
nicht übel ...

Lösung

Männer sollten verstehen, dass Frauen, wenn es um emotionale In-
halte geht, einfach übertreiben müssen. Sagen Sie einer Frau nie,
dass sie »dramatisiert« und korrigieren Sie sie nicht vor anderen.
Treten Sie einfach einen Schritt zurück und versuchen Sie, ihr
zuzuhören und ihre wirklichen Gefühle zu verstehen, ohne ihr zu
erklären, was sie denken oder sagen sollte. Frauen hingegen müssen erkennen, dass Männer alles wörtlich nehmen, und versuchen,
sich an die Fakten zu halten und so wenig wie möglich zu übertreiben – vor allem im geschäftlichen Bereich, wo Übertreibungen
verwirrend und kostspielig sein können.

4. Warum kommen Frauen anscheinend nie auf den Punkt?

Männer haben oft das Gefühl, dass Frauen vage sind und um den
heißen Brei herumreden, statt direkt auf den Punkt zu kommen.
Frauen scheinen von ihnen zu erwarten, dass sie raten, was sie
möchten, oder Gedanken lesen. Diese Vagheit ist als indirekte
Ausdrucksweise bekannt.
Der folgende Brief eines männlichen Lesers zeigt, wie die indirekte Ausdrucksweise auf Männer wirken kann:

Meine Frau hat die indirekte Ausdrucksweise zu einer Kunstform erhoben. Gestern zum Beispiel hantierte sie in der Küche herum und sagte: »Bei der Personalversammlung heute sagte meine Chefin, ›Du sollst die Salami nicht essen‹.«

»Was?«, rief ich aus. »Was hat sie über die Salami gesagt?«

»Nicht sie, du«, antwortete sie verärgert. »Ich will nicht, dass du die Salami isst. Ich brauche sie noch.«

Ich stand völlig verdattert da und versuchte, die Fäden unseres Gespräches zu ordnen, während sie einfach dort wieder einsetzte, wo sie das Gespräch unterbrochen hatte, und mir erzählte, was ihre Chefin tatsächlich gesagt hatte.

Sie tut das ständig. Ich muss Lesezeichen einlegen, damit ich bei ihrem Redefluss erkennen kann, welche Seite sie kurzfristig zugeklappt hat. Sie kann problemlos vier oder fünf unterschiedliche Gedankengänge nebeneinander herlaufen lassen, während ich darum kämpfe, mitzukommen. Ihre Freundinnen scheinen ihr folgen zu können, aber meine Söhne und ich kriegen davon einen Hirnschaden. Wie kann eine so intelligente Frau nur so konfus daherquatschen?

»Hast du Lust, heute Abend ins Kino zu gehen?«, fragte sie. Ich war beeindruckt, dass sie das fragte, sagte aber »Nein«. Ich hatte noch in der Garage zu tun. Es dauerte fast eine Stunde, bevor mir auffiel, dass sie nicht mehr mit mir redete. Ich fragte sie, ob es ein Problem gebe. Sie sagte »Nein«, schwieg aber weiterhin. Als ich sie drängte, schrie sie, mit Tränen in den Augen: »Du lädst mich nie ins Kino ein!« Moment mal – ich dachte, ich sei eingeladen worden!

Als ich heute Wäsche in die Garage brachte, sagte ich: »Ich muss später noch zum Baumarkt.«

Ich war ungefähr eine halbe Stunde in der Garage beschäftigt, stellte die Waschmaschine an, räumte ein paar Kisten um und ein Regal aus und machte mir im Kopf eine Liste der Dinge, die ich später tun wollte, wenn ich vom Baumarkt zurück war. Als ich wieder ins Haus kam, schaute sie von ihrer Arbeit auf und fragte: »Warum?«

»Wie? Was warum?«, fragte ich.

»Was brauchst du?«

»Ich brauche nichts! Wovon redest du?«

»Wenn du nichts brauchst, wieso fährst du dann zum Baumarkt?«, wollte sie wissen, und stand, mit verschränkten Armen, in dieser typischen Was-heckst-du-wieder-aus-Pose da, die den meisten verheirateten Männern nur allzu bekannt ist.

Hey, diese Unterhaltung fand vor längerer Zeit statt, und ich habe in meinem Zwischenspeicher für Unterhaltungen längst ein halbes Dutzend anderer Dinge, über die wir reden können, und, was mich angeht, ist der Baumarkt Schnee von gestern. Für meine Frau war die Sache jedoch noch lange nicht erledigt, also bleibt sie bei ihr ganz oben auf dem Stapel, wo ich, wie meine Frau vermutet, sie auch aufbewahre.

Als wir die Dinge endlich geklärt haben, ist sie davon überzeugt, dass ich ihr nicht zuhöre, und ich bin halb davon überzeugt, dass sie Recht hat. Ich werde versuchen, es später herauszufinden, gleich nach meinem Salami-Sandwich.

Ihr frustrierter Raymond

Wenn eine Frau redet, verwendet sie häufig die indirekte Ausdrucksweise. Das heißt, dass sie auf Dinge anspielt oder sie andeutet. Raymonds Frau war außerdem mehrspurig und so stand er ziemlich auf dem Schlauch.

Die indirekte Ausdrucksweise dient einem ganz bestimmten Zweck: Sie hilft, ohne Aggressionen, Auseinandersetzungen und Unstimmigkeiten, Beziehungen zu festigen und Harmonie herzustellen. Aus evolutionärer Sicht ermöglichte sie es den Frauen, Meinungsverschiedenheiten zu vermeiden, und machte es ihnen leichter, ein Gemeinschaftsgefühl herzustellen, ohne dominant oder aggressiv zu wirken. Die indirekte Ausdrucksweise passt perfekt zum Harmoniestreben der Frauen.

Wenn Frauen diese Ausdrucksweise im Gespräch mit anderen Frauen verwenden, gibt es nur selten ein Problem – Frauen haben

Antennen dafür, die versteckten Botschaften zu empfangen. Im Gespräch mit Männern hingegen kann diese Art der Kommunikation verheerende Auswirkungen haben. Männer verwenden die direkte Ausdrucksweise und fassen alles wörtlich auf. Wie wir bereits festgestellt haben, entwickelte sich das Gehirn der Männer, da sie mit der Jagd beschäftigt waren, als einspuriges System. Männer empfinden den weiblichen Mangel an Struktur und Zielstrebigkeit als irritierend, und beschuldigen Frauen, nicht zu wissen, worüber sie reden. Sie fragen dann häufig:»Was soll das?« oder»Worauf willst du hinaus?«. Dann reden sie mit einer Frau, als sei sie geisteskrank, oder schneiden ihr einfach das Wort ab mit Sätzen wie:»Das haben wir schon ein Dutzend Mal durchgekaut«,»Wie lange soll das noch dauern?« oder»Dieses Gespräch ist zu anstrengend und führt zu nichts!«.

Die indirekte Ausdrucksweise bei Geschäften

Wenn eine Frau im Geschäftsleben die indirekte Ausdrucksweise verwendet, kann sich das als problematisch erweisen, weil es Männern schwer fällt, einer mehrspurigen, indirekten Unterhaltung zu folgen. Männer brauchen klare, logische, gut strukturierte Gedanken und Informationen, bevor sie eine Entscheidung treffen. Die Ideen und Bitten einer Frau werden manchmal nur deswegen abgelehnt, weil der Boss gar nicht versteht, was sie wirklich will. Marie war ein klassisches Opfer einer solchen gescheiterten Kommunikation.

Nach sechsmonatiger Verhandlung erhielt Marie endlich die Chance, einem großen Finanzunternehmen das neue Werbeprogramm ihrer Firma vorzustellen. Ihr Publikum sollte aus acht Männern und vier Frauen bestehen, der Auftrag 200 000 Dollar einbringen, und sie hatte 30 Minuten, um ihre Ideen zu verkaufen. Sie wusste, sie hatte nur diese eine Chance.

An jenem Tag war Marie perfekt gestylt – sie trug ein knie-langes, klassisches Kostüm, hatte sich die Haare hochgesteckt und ein leichtes, natürlich wirkendes Make-up aufgetragen –, und sie konnte ihre PowerPoint-Präsentation im Schlaf herunter-beten.

Als Marie mit der Präsentation begann, bemerkte sie jedoch, wie verständnislos die Männer sie anblickten. Sie empfand das als Kri-tik, nahm an, sie hätten das Interesse verloren, und begann mehr-spurig zu fahren, um die Männer wachzurütteln. Sie ging zu schon gezeigten Dias zurück, redete indirekt und versuchte zu zeigen, wie eins mit dem anderen zusammenhing.

Die Frauen ermutigten sie – sie lächelten sie an und gaben durch ihr Mienenspiel und Zuhörerlaute wie »Oh ja«, »Richtig!« und »Mmmmm« zu erkennen, dass der Vortrag sie interessierte.

Das Feed-back der Frauen spornte Marie an. Sie stellte sich nun völlig auf ihre Zuhörerinnen ein und ignorierte, ohne es zu wollen, die Männer. Ihre gesamte Präsentation wurde zu einem Balance-akt. Marie war überzeugt, sie habe ihre Sache hervorragend ge-macht, und wartete gespannt auf die Reaktion der Firma.

Die anschließende Unterhaltung der Manager beim Kaffee verlief folgendermaßen:

MARKETINGDIREKTOR   »Haben Sie eine Ahnung, worüber sie gesprochen hat?«

GESCHÄFTSFÜHRER   »Nein … ich konnte ihr nicht folgen. Sagen Sie ihr, sie soll das Angebot schriftlich einreichen.«

Marie war bei ihrer Präsentation mehrspurig gefahren und hatte vor einer Gruppe von Männern, die keinen Schimmer hatten, wo-rüber sie redete oder was womit in Zusammenhang stand, die in-direkte Ausdrucksweise verwendet. Die Managerinnen fanden die Präsentation interessant und hatten sich mit Fragen daran betei-ligt. Doch keiner der Männer wollte die Hand heben und zugeben, dass ihm irgendetwas unklar war. Frauen müssen begreifen, dass Männer, wenn sie einer Frau nicht folgen können, lieber vorgeben, alles zu verstehen, als für dumm gehalten zu werden.

WENN EIN MANN DER GESCHÄFTSSPRACHE EINER FRAU NICHT FOLGEN KANN, TUT ER OFT SO, ALS WÜRDE ER ALLES VERSTEHEN.

Frauen erwarten häufig, dass die Männer in ihrem Leben ihre indirekte Ausdrucksweise entschlüsseln und verstehen. Aber Männer kommen da einfach nicht mit.

Unabhängig vom Alter des Mannes werden Frauen ohne die direkte Ausdrucksweise nicht auskommen. Geben Sie Männern Zeitpläne, Tagesordnungspunkte, konkrete Antworten und setzen Sie ihnen Termine. Im Geschäftsleben müssen Frauen im Gespräch mit Männern die direkte Ausdrucksweise verwenden und ihre Gesprächspartner mit nur jeweils einer Sache konfrontieren. Marie wartet noch immer auf die Antwort auf ihr schriftliches Angebot ...

Indirekte Ausdrucksweise zu Hause

Wenn eine Frau sagt:	**Meint sie tatsächlich:**
Wir müssen reden	Ich habe ein Problem
Wir brauchen	Ich will
Tut mir Leid	Dir wird es noch Leid tun
Das ist deine Entscheidung	Solange ich dir zustimme
Ich ärgere mich nicht	Natürlich ärgere ich mich!
Du musst lernen, zu kommunizieren	Begreif doch, dass du mir einfach nur zustimmen musst
Liebst du mich?	Ich möchte etwas Teures haben
Du bist wirklich nett heute Abend	Kannst du an nichts anderes als an Sex denken?

Wenn eine Frau sagt:	Meint sie tatsächlich:
Wie sehr liebst du mich eigentlich?	Ich hab etwas getan, was dir nicht gefallen wird

Fallbeispiel: Barbara und Adam

Barbara wollte mit ihren Freundinnen einkaufen gehen. »Adam, könntest du mal die Küche aufräumen?«, fragte sie ihren sechzehnjährigen Sohn. »Hm … ja …«, murmelte er. Nachdem Barbara mit ihren Freundinnen von ihrem Einkaufsbummel zurückkam, sah die Küche noch immer so aus, als hätte eine Bombe eingeschlagen. Eigentlich sah sie noch schlimmer aus als vorher. Barbara kochte vor Wut. »Aber ich wollte es tun, bevor ich heute Abend weggehe«, beklagte sich Adam. Es war Barbaras eigene Schuld. Sie hatte die indirekte Ausdrucksweise verwendet und angenommen, Adam wäre klar, dass sie eine saubere Küche erwartete, wenn sie mit ihren Freundinnen nach Hause kam. Sie hatte gefragt: »Könntest du mal die Küche aufräumen?« Kein Junge in Adams Alter begreift das »mal« als verbindliche Aufforderung. Mit einer direkten Bitte und einer Zeitangabe wie »Adam, räum bitte die Küche auf, bis ich mittags vom Einkaufen zurückkomme«, hätte Barbara mehr Erfolg gehabt.

HELFEN IM HAUSHALT STEHT BEI JUNGEN
AN UNTERSTER STELLE – SIE MÜSSEN KONKRET DAZU
AUFGEFORDERT WERDEN.

Am Abend sagte Barbara zu Adam: »Ich möchte, dass du noch eine Stunde lernst, bevor du ins Bett gehst.« Diese indirekte Herangehensweise funktioniert bei Mädchen, aber nicht bei Jungen. Ein Junge hört, dass seine Mutter möchte, dass er etwas Bestimmtes tut, da sie es ihm aber nicht direkt befohlen hat, tut er es auch nicht. Wenn sie ihn dann überrascht, wie er Radio hört oder fernsieht, ist eine Auseinandersetzung wahrscheinlich. Eine direkte Anweisung mit genauer Zeitangabe ist die einzig realistische Möglichkeit, mit Männern umzugehen.

»Adam, ich möchte, dass du in dein Zimmer gehst und eine Stunde lernst, und ich komme und sage dir Gute Nacht, bevor du ins Bett gehst.« Männer schätzen direkte Anweisungen, da sie wenig Raum für Missverständnisse lassen. Viele Frauen befürchten, eine direkte Ausdrucksweise sei zu aggressiv oder unhöflich. Beim Umgang mit anderen Frauen würde das auch zutreffen. Männer empfinden diese Ausdrucksweise jedoch als völlig normal, weil es ihre Art zu kommunizieren ist.

Lösung

FÜR FRAUEN Frauen verwenden die indirekte Ausdrucksweise, um Beziehungen mit anderen Frauen zu knüpfen und zu festigen. Verwenden Sie die direkte Ausdrucksweise nur im Umgang mit Männern. Das mag Ihnen am Anfang schwer fallen, doch wenn Sie darin Übung haben, werden Sie das gewünschte Ergebnis erzielen und weniger Verdruss mit den Männern in Ihrem Leben haben.

FÜR MÄNNER Wenn eine Frau redet und Sie Schwierigkeiten haben, ihr zu folgen, sollten Sie sich einfach zurücklehnen und ihr zuhören, ohne Lösungen anzubieten. Geben Sie ihr zur Not ein Zeitlimit – »Ich würde gern die Acht-Uhr-Nachrichten sehen, Schatz, aber bis dahin hast du meine volle Aufmerksamkeit.« Wenn Sie das tun, wird sie in der Regel das Wichtigste gesagt haben und glücklich und entspannt sein, und Sie haben keinerlei Scherereien.

Einer unserer Leser schickte uns das *Wörterbuch der indirekten Ausdrücke der Frauen*, die während der regelmäßigen Auseinandersetzungen mit seiner Partnerin auftauchen.

»GUT« Eine Frau benutzt dieses Wort am Ende jeder Auseinandersetzung, bei der sie glaubt, Recht zu haben, aber will, dass er den Mund hält. Ein Mann sollte, wenn er das Aussehen einer Frau beschreibt, nie das Wort »gut« benutzen. Das könnte zu Streit führen, der damit endet, dass die Frau »Gut!« sagt.

»FÜNF MINUTEN« Damit ist etwa eine halbe Stunde gemeint. Sie entsprechen exakt den fünf Minuten, die ein Fußballspiel noch dauern wird, nach dem ein Mann den Müll runterbringen wird.

»NICHTS« Das bedeutet »etwas«. »Nichts« wird gewöhnlich verwendet, um das Gefühl einer Frau zu beschreiben, die Lust verspürt, den Mann zu erwürgen. »Nichts« setzt oft eine Auseinandersetzung in Gang, die »fünf Minuten« dauert und mit dem Wort »gut« endet.

»NUR ZU« (mit hochgezogenen Augenbrauen) Das ist eine Mutprobe, die dazu führt, dass eine Frau sich über »nichts« ärgert, und die mit dem Wort »gut« endet.

»NUR ZU« (mit normalen Augenbrauen) Das bedeutet »Ich gebe auf« oder »Mach, was du willst, es ist mir egal«. Sie wird gewöhnlich nach wenigen Minuten (mit hochgezogenen Augenbrauen) »nur zu« sagen, worauf »nichts« und »gut« folgen, und in etwa »fünf Minuten«, wenn sie sich abgeregt hat, mit Ihnen reden.

LAUTER SEUFZER Das heißt, dass sie Sie für einen Idioten hält und sich fragt, warum sie ihre Zeit damit verplempert, sich mit Ihnen über »nichts« zu streiten.

»ACH JA?« Am Beginn eines Satzes bedeutet »Ach ja?« gewöhnlich, dass man Sie bei einer Lüge erwischt hat. »Ach ja? Ich habe mit deinem Bruder darüber gesprochen, was du gestern

Abend gemacht hast« oder »Ach ja? Und das soll ich jetzt glauben?«. Sie wird Ihnen sagen, dass es ihr »gut« geht, während sie ihre Kleider aus dem Fenster wirft. Aber versuchen Sie nicht, noch weiter zu lügen, um aus der Sache rauszukommen, denn sonst werden Sie ein »nur zu« (mit hochgezogenen Augenbrauen) hören.

»IST O.K.« Das bedeutet, dass sie lange und angestrengt nachdenken will, bevor sie Ihnen heimzahlt, was immer Sie ihr angetan haben. »Ist O.K.« wird oft zusammen mit »gut« und mit »nur zu« (mit hochgezogenen Augenbrauen) verwendet. Irgendwann in naher Zukunft werden Sie, wenn sie ihre Pläne geschmiedet hat, in großen Schwierigkeiten stecken.

»ABER BITTE!« Das ist keine Feststellung, sondern ein Angebot an Sie, reden zu dürfen. Eine Frau gibt Ihnen die Chance, jede beliebige Ausrede oder jeden beliebigen Grund für ein bestimmtes Verhalten vorzubringen. Wenn Sie nicht die Wahrheit sagen, wird das Ganze mit einem »Ist O.K.« enden.

»TATSÄCHLICH?!« Sie stellt nicht die Stichhaltigkeit dessen, was Sie sagen, infrage. Sie teilt Ihnen einfach nur mit, dass sie Ihnen kein Wort glaubt. Sie bieten ihr an, es zu erklären, und erhalten ein »nur zu«. Je mehr Sie sich entschuldigen, desto lauter und sarkastischer wird ihr »Tatsächlich?«, gepfeffert mit vielen »Ohs«, »hochgezogenen Augenbrauen« und einem abschließenden »lauten Seufzer«.

»VIELEN DANK« Das wird eine Frau sagen, wenn sie richtig sauer auf Sie ist. Es zeigt, dass Sie sie auf sehr gefühllose Weise verletzt haben, und hat ein »lautes Seufzen« zur Folge. Fragen Sie nach dem »lauten Seufzen« nicht, was los ist, denn sie wird »nichts« sagen. Das nächste Mal, dass Sie mit ihr wieder intim werden dürfen, wird »irgendwann« sein.

5. Warum wollen Frauen immer alles ganz genau wissen?

Josh las eines Abends gerade die Zeitung, als das Telefon klingelte. Er ging ran, hörte etwa zehn Minuten zu, in denen er gelegentlich grunzte, sagte dann: »Ja – O.K. Bis dann ...« Er legte auf und las weiter.

»Wer war das?«, fragte seine Frau Debbie.

»Robert, mein alter Schulfreund«, sagte er.

»Robert? Den hast du doch seit der Highschool nicht mehr gesehen. Wie geht's ihm?«

»Gut.«

»So? ... Und was hat er gesagt?«

»Nicht viel ... es ist alles in Ordnung ... es geht ihm gut«, antwortete Josh in diesem verärgerten Ton, den Männer anschlagen, wenn sie in Ruhe Zeitung lesen wollen.

»Das ist alles, was er nach zehn Jahren zu sagen hatte?«, bohrte sie nach, »dass es ihm gut geht?«

Sie verhörte ihn dann wie ein Anwalt und ließ ihn das Gespräch mehrmals wiederholen, bis sie alle Einzelheiten wusste. Für Josh war die Unterhaltung vorbei, es gab nichts weiter zu diskutieren. Doch Debbie wollte alles ganz genau wissen.

Für Josh war die Geschichte ganz einfach. Robert hatte im Alter von 15 Jahren die Schule verlassen und als Stricher gearbeitet, um seine allein lebende Mutter zu unterstützen, die einen Nervenzusammenbruch gehabt hatte, nachdem sie erfahren hatte, dass ihr Mann transsexuell war. Nachdem seine Mutter Selbstmord begangen hatte, wurde Robert drogenabhängig, um mit dem Schmerz fertig zu werden, und erhielt später beim Moskauer Zirkus einen Job als Schwertschlucker. Als er bei einem völlig verrückten Unfall seine Hoden verlor, ging Robert zur Fremdenlegion, wurde später Missionar in Afghanistan, jedoch zum Tode verurteilt, weil er das Christentum predigte, und wieder freigelassen, nachdem er sich bereit erklärt hatte, sich den Taliban anzuschließen. Er entkam eines Nachts im Tank eines Güllewagens und ist nun zurück in der Stadt mit seiner neuen Frau, einer ehemaligen lesbischen Prostituierten und jetzigen Nonne, die mit ihm nach Afrika ziehen möchte, um dort eine Leprastation aufzubauen – was er, nachdem er wieder auf freiem Fuße ist und die Mordanklage fallen gelassen wurde, auch tun will. Er und seine sieben adoptierten brasilianischen Kinder sind jetzt Vegetarier und Zeugen Jehovas, und er behauptet, er habe sich nie besser gefühlt als heute ... Es geht ihm ganz einfach gut.

Für Josh war alles einfach. Das Entscheidende war, dass es Robert gut ging – Josh sah keinen Sinn darin, die ganze Geschichte wiederzukäuen. Aber Debbie gab keine Ruhe, bis sie alles ganz genau wusste.

Diese Unterhaltung zeigt einen grundlegenden Unterschied in den Gehirnen von Männern und Frauen auf. Für Männer sind Details irrelevant. Eine Frau denkt, ein Mann liebe sie nicht, wenn er nicht viel redet, denn für sie haben Gespräche die Funktion, sich dem anderen näher zu fühlen. Ein Mann denkt, dass eine Frau zu viel redet und ihn aushorchen will.

Frauen sind darauf programmiert, nach kleinen Objekten zu suchen

Als Nesthüterinnen stellten Frauen sicher, dass sie einen engen Kreis von Freundinnen hatten, die für sie sorgten, falls die Männer nicht von der Jagd oder aus dem Krieg zurückkehrten. Ihre Freundinnen waren sozusagen ihre Versicherungspolice. Ihr Überleben hing davon ab, mit den anderen in der Gruppe Beziehungen aufzubauen, und das bedeutete, alle Einzelheiten über den Zustand jedes Gruppenmitgliedes und dessen Familie zu kennen und, um des Überlebens der Gruppe willen, echtes Interesse an ihnen zu bekunden.

Wenn Männer und Frauen nach einer Party miteinander diskutieren, wird die Frau wissen, was jedes Mitglied ihres Bekanntenkreises oder ihrer Familie tut, wird deren Träume und Ziele für das kommende Jahr kennen, und über ihre Gesundheit und den Zustand ihrer Beziehungen informiert sein. Frauen wissen auch, wohin ihre Freunde in Urlaub fahren und wie deren Kinder in der Schule mitkommen. Die Männer werden wissen, welche neuen »Jungenspielzeuge« die anderen Männer gekauft haben, werden Bobs neuen roten Sportwagen ausführlich begutachtet haben, sie werden diskutiert haben, wo man am besten angeln kann, und beschlossen haben, wie der Terrorismus bekämpft werden soll, sie haben sich gefreut, weil die Engländer die Deutschen im Fußball geschlagen haben, und sie haben über den neuesten Blondinenwitz gelacht. Aber sie wissen wenig über das Privatleben der anderen – die Frauen werden es ihnen auf dem Nachhauseweg erzählen.

Nicht dass Frauen neugierig wären ... na ja, eigentlich schon ... ihr Gehirn ist auf langfristiges Überleben programmiert, und so wollen sie wissen, was jeder in ihrer Gruppe macht und wie sie helfen können.

Lösung

Männer sollten lernen, dass das Bedürfnis der Frauen, Einzelheiten über das Privatleben anderer zu erfahren, dem Erhalt der Beziehungen dient und in der weiblichen Psyche fest verankert ist. Versuchen Sie deswegen, wenn Sie mit einer Frau reden, ihr mehr Einzelheiten zu erzählen, als Sie es normalerweise tun würden. Ziehen Sie ihre Joggingschuhe an, machen Sie mit ihr einen Spaziergang und lassen Sie sie einfach reden. Auf diese Weise werden Sie viel in Bewegung sein.

Denken Sie daran, dass Sie sich nicht konzentrieren und keine Antworten parat haben müssen – Sie brauchen sich also nicht im Geringsten anzustrengen. Als Frau sollten Sie verstehen, dass es

Männer wahnsinnig macht und zu Tode langweilt, sich zu viele Einzelheiten anhören zu müssen. Beschränken Sie sich in Geschäftsbesprechungen auf das Wesentliche. Formulieren Sie präzise und knapp. Im Privatleben sollten Sie Ihrem Partner sagen, wann Sie mit ihm reden wollen, ihm einen Zeitrahmen geben und ihn bitten, nur zuzuhören und keine Lösungen anzubieten. Und fragen Sie nicht dauernd »Hörst du mir auch zu?« oder »Was hab' ich gerade gesagt?«.

SEXAPPEAL-TEST FÜR FRAUEN

WIE WIRKEN SIE AUF MÄNNER?

Was einen Mann abstößt.

Was einen Mann anzieht.

Machen Sie den Test

Wenn in einem Raum voller Menschen ein Mann plötzlich zu Ihnen herüberschaut und sich Ihre Blicke treffen, wie reagiert er wohl auf Sie?

Das fragen sich Frauen spätestens seit dem Sündenfall. Wenn Sie einem Mann auffallen, was ist sein erster Eindruck von Ihnen? Die meisten Frauen wüssten gerne, was Männer an ihnen besonders attraktiv finden.

Wir haben diesen Test entwickelt, um Ihnen zu zeigen, wie Sie abschneiden. In diesem Test geht es allein um Ihre Figur, Ihr Aussehen und Ihr Auftreten. Er sagt Ihnen, wie Sie auf einen Mann wirken, wenn er Sie das erste Mal sieht, und orientiert sich an den Reaktionen des männlichen Gehirns auf bestimmte weibliche Formen, Proportionen, Farben, Größen und Signale der Körpersprache. Die Rolle, die Charaktereigenschaften in diesem Zusammenhang spielen, werden wir später erörtern.

Dieser Test ist so, als würde ein Mann ein Foto von Ihnen beurteilen.

Damit Sie nicht schummeln können, sind die Fragen in einer kaum durchschaubaren Reihenfolge angeordnet.

---

1. Was beschreibt Ihren Körper am besten?

a) dünn / gestreckt

b) athletisch / durchtrainiert

c) kräftig / birnenförmig

---

2. Was würden Sie bei einer ersten Verabredung tragen, um einen Mann zu beeindrucken?

a) Eine schicke Hose oder einen eleganten langen Rock

b) Legere, nicht zu feine Kleidung und bequeme Schuhe

c) Einen flotten kurzen Rock und hochhackige Schuhe, um die Beine zur Geltung zu bringen

---

3. Welche Art Schuhe würden wir bei einem Blick in Ihren Kleiderschrank vor allem finden?

a) Hochhackige Schuhe oder Riemchenschuhe mit Pfennigabsätzen

b) Modische Schuhe mit mittelhohem Absatz

c) Flache Schuhe oder Schuhe mit niedrigem Absatz, aber elegant

4. Wenn Sie sich unabhängig vom Preis ein neues Outfit kaufen könnten, für welches der folgenden würden Sie sich entscheiden?

a) Ein langes, fließendes Kleid, das all meine Problemzonen kaschiert

b) Ein kurzes, eng sitzendes, tief ausgeschnittenes Kleid, das meine Vorzüge zur Geltung bringt

c) Einen klassischen, eleganten Hosenanzug

5. Messen Sie Ihre Taille und Ihre Hüfte und berechnen Sie das Verhältnis von Hüfte zu Taille. Teilen Sie den Taillenumfang durch den Hüftumfang. Wenn Ihre Hüfte zum Beispiel 101,6 cm misst und ihre Taille 76,2 cm, dann hat Ihre Taille 75 Prozent des Hüftumfangs. Ihre Taille misst:

a) Über 80 Prozent

b) 60 bis 80 Prozent

c) Unter 65 Prozent

6. Wenn Sie mit einem attraktiven Mann plaudern und weiche Knie bekommen, wie verhalten Sie sich?

a) Ich bringe ihn dazu, sich hinzusetzen, damit ihm meine zitternden Knie nicht auffallen.

b) Ich stelle mich dicht vor ihn, ohne die Beine über Kreuz zu stellen.

c) Ich spiele mit meinem Haar, lecke mir die Lippen, schiebe die Hüfte raus und streichele meinen Körper, um die Aufmerksamkeit des Mannes zu erlangen.

7. Würde ein Fremder Ihren Hintern beschreiben, was würde er sagen?

a) Dick

b) Flach, klein oder knackig

c) Rund / pfirsichförmig

8. Wenn Sie sich mit der Hand über den Bauch streicheln, wie fühlt er sich an?

a) Straff / muskulös

b) Weich / flach

c) Mollig / rund

9. Was tragen Sie, wenn Sie mit Ihren Freundinnen ausgehen?

a) Bequeme Kleidung, die die Figur kaschiert

b) Einen Push-up-BH oder etwas Ausgeschnittenes

c) Etwas eng Anliegendes, Figurbetonendes

10. Beschreiben Sie Ihr Make-up:

a) Alle neuen Modefarben und Stile

b) Ich bevorzuge ein natürliches Aussehen.

c) Mein Gesicht ist meine Palette und ich brauche, egal zu welcher Tageszeit, viel Make-up, um gut auszusehen.

11. Würde Picasso Sie malen, wie würden Sie aussehen?

a) Dünn / eckig / muskulös

b) Kurvenreich

c) Rundlich

12. Wenn man Sie bitten würde, für »Vogue« zu posieren, welche Pose würden Sie einnehmen?

a) Die Haare aus dem Nacken streichen und über die Schultern schauen

b) Ein Hohlkreuz machen, die Hüfte vorschieben, die Hände auf die Hüften legen und einen Schmollmund machen

c) Den Hintern rausstrecken, mich nach vorn beugen und der Kamera eine Kusshand zuwerfen

13. Wie würde jemand Ihren Hals beschreiben?

a) Lang, dünn oder spitz zulaufend

b) Durchschnittliche Länge und Dicke

c) Kurz, dick und kräftig

14. Wie würden Ihre Freunde Ihr Gesicht beschreiben?

a) Feine / ausgeprägte Gesichtszüge

b) Kindliches Gesicht / große Augen

c) Unscheinbar, aber freundlich

15. Sie gehen zu einem Candlelight-Dinner und möchten sexy aussehen. Welchen Lippenstift würden Sie wählen?

a) Natürlich aussehende Farbe

b) Knallrot

c) Die neueste Modefarbe

16. Sie werden für eine Oscar-Verleihung gestylt. Sie können Ohrringe Ihrer Wahl tragen. Sie entscheiden sich für:

a) Diamant- oder Perlohrstecker

b) Mittelgroße Kreolen mit einem schönen Stein

c) Lange, baumelnde Ohrringe mit vielen Diamanten

17. Wie würde ein Mann Ihre Augen beschreiben?

a) Groß / kindlich

b) Mandelförmig

c) Eher klein / schmal

18. Schauen Sie sich im Spiegel Ihre Nase an. Wie würde ein Karikaturist sie zeichnen?

a) Größer

b) Klein, knopfförmig

c) Durchschnittlich groß

19. Mein Haar ist:

a) Lang

b) Halblang

c) Kurz

20. Wie würden Sie Ihr Erscheinungsbild beschreiben?

a) Lässig

b) Sexy

c) Elegant

Ihre Punkte

Frage 1	*Frage 6*	*Frage 11*
A = 5 Punkte	A = 1	A = 5
B = 7 Punkte	B = 3	B = 7
C = 3 Punkte	C = 5	C = 3

Frage 2	*Frage 7*	*Frage 12*
A = 5	A = 3	A = 3
B = 3	B = 5	B = 5
C = 7	C = 7	C = 1

Frage 3	*Frage 8*	*Frage 13*
A = 5	A = 5	A = 5
B = 3	B = 3	B = 3
C = 1	C = 1	C = 1

Frage 4	*Frage 9*	*Frage 14*
A = 1	A = 1	A = 7
B = 5	B = 5	B = 9
C = 3	C = 3	C = 5

Frage 5	*Frage 10*	*Frage 15*
A = 5	A = 3	A = 3
B = 9	B = 5	B = 5
C = 7	C = 1	C = 1

Frage 16	Frage 18	Frage 20
A = 1	A = 5	A = 1
B = 3	B = 9	B = 5
C = 5	C = 7	C = 3

Frage 17	Frage 19
A = 9	A = 5
B = 7	B = 3
C = 5	C = 1

Zählen Sie nun Ihre Punkte zusammen und lesen Sie, wie sexy Sie sind.

Hundert Punkte oder mehr

Die Sexbombe

Wenn Männer Sie anschauen, sind sie hin und weg und leicht einzuwickeln. Bauarbeiter hören auf zu arbeiten und pfeifen Ihnen hinterher, wenn Sie vorbeischlendern. Sie wissen wirklich, wie man Männer antörnt, und an Verabredungen wird es Ihnen nicht mangeln. Männer betrachten Sie gerne und sprechen Sie an. Sie können sich verkaufen und Männer mit Ihrer Körpersprache kontrollieren. Das folgende Kapitel zeigt Ihnen, warum das, was Sie tun, zu einem Ergebnis führt, und wie Sie Ihren Punktestand verbessern können. Glückwunsch zu Ihrem Sexappeal.

66 bis 99 Punkte

Miss Elegance

Die Mehrheit der Frauen fällt in diese Kategorie. Ihre Chance, dass Männer sich auf den ersten Blick in Sie verknallen, stehen nicht schlecht. Die Bauarbeiter bemerken Sie, wenn sie gerade Mittagspause haben. Wenn Sie zwischen 78 und 99 Punkte haben, brauchen Sie nur in wenigen Bereichen etwas zu tun, um sie ganz in Ihren Bann zu ziehen. Haben Sie zwischen 66 und 78 Punkte, werden Sie, wenn Sie noch mehr auf Ihr Äußeres achten, bessere Ergebnisse erzielen. Das folgende Kapitel zeigt Ihnen, was Sie tun können, um sicherzustellen, dass sich Männer vom ersten Moment an von Ihnen angezogen fühlen.

Bis zu 65 Punkte

Der Kumpeltyp

Die Bauarbeiter erzählen Ihnen dreckige Witze. Sie glauben wahrscheinlich, dass die Persönlichkeit viel wichtiger ist als das Aussehen, und bis zu einem gewissen Grad haben Sie Recht. Doch das Problem ist: Wie bringen Sie den richtigen Mann dazu, sich für Sie zu interessieren, um dann Zeit genug zu haben, ihn mit Ihrem Witz und Ihrem Charme zu blenden? Sie könnten etwas für Ihr Aussehen tun, ohne Ihre Ansichten zu ändern. Wenn Sie zum Beispiel ins Fitnessstudio gehen und etwas für Ihre Figur tun, werden Sie für Männer attraktiver, Sie werden sich gleichzeitig aber auch fitter und gesünder fühlen und mehr Lebensfreude haben. Der Faktor Mann könnte ein nettes Extra sein! Sie können auch Ihre körperlichen Unvollkommenheiten kaschieren, indem Sie Kleidung tragen, die Ihre Vorzüge unterstreicht. Sie sagen vielleicht, ein Mann, der so primitiv ist, sich von Äußerlichkeiten blenden zu lassen, interessiere Sie nicht. Doch das Problem ist – selbst sehr gebildete und sensible Männer sind ein Opfer ihrer biologischen Anlagen, zumindest am Anfang einer Beziehung. Männer fühlen sich von den offensichtlichen weiblichen Signalen einfach angezogen. Warum also nicht mehr Wert auf das Äußere legen – so sehr Ihnen das auch missfallen mag – und damit eine größere Zahl von Männern zur Auswahl haben? Das folgende Kapitel zeigt, wie Sie attraktiver werden können, und erklärt, warum so viele Männer auf Frauen mit einem Spatzenhirn abfahren, und die durchgeistigte Intellektuelle mit hervorragendem Charakter keines Blickes würdigen.

KAPITEL 9

WARUM BEKAM ROGER RABBIT STIELAUGEN?

DIE MACHT DER SEXUELLEN ANZIEHUNGSKRAFT DER FRAU

»Ich bin nicht verdorben … Man hat mich nur so gezeichnet …«
JESSICA RABBIT

Fallbeispiel: *Kim und Daniel*

Kim und Daniel waren seit einem Jahr zusammen und wollten heiraten. Beide waren in ihrer Beziehung sehr glücklich und glaubten, den idealen Partner gefunden zu haben. Daniel gefiel es, dass Kim bei ihren Treffen stets sorgfältig zurechtgemacht war. Ihr gepflegtes Äußeres zeigte ihm immer wieder, dass er sich richtig entschieden hatte. Sie sagte ihm, dass sie sich gern für ihn schön mache und seine bewundernden Blicke möge. Nach vier Jahren Ehe veränderte sich Kim. Es kümmerte sie nicht mehr, wie sie aussah, weder wenn sie zu Hause war, noch wenn sie mit Freunden ausging. Kim war der Meinung, sie sei jetzt eine verheiratete Frau und müsse niemanden mehr beeindrucken. Die Pflege ihres Äußeren hielt sie für Zeit-, Geld- und Energieverschwendung.

Zu Hause trug sie nach der Arbeit meist ihren rosa Frotteebademantel und Pantoffeln, war ungeschminkt und ungekämmt. Daniel dachte zunächst, sie habe vielleicht bei der Arbeit viel zu tun und werde sich bald wieder zusammennehmen. Doch mit der Zeit war er irritiert, weil sie sich für die Arbeit herrichtete, aber daheim herumlief wie eine Vogelscheuche. Auch wenn sie mit Freunden zusammen ausgingen, machte sich Kim nicht mehr zurecht. Sie schminkte sich nicht mehr, rasierte sich nicht die Beine und trug Kleider, in denen sie nach Daniels Meinung aussah wie ihre eigene Mutter. Daniel brütete stumm vor sich hin. Kims Verhalten sagte ihm, dass er und seine Freunde für sie nicht mehr die Mühe wert waren, sich schön zu machen.

Männer orientieren sich an Sichtbarem. Kims Aussehen verdarb Daniel die Lust, und er vermied Sex mit ihr. Zum ersten Mal in ihrer Ehe zeigten sich Risse. Daniel fielen andere Frauen auf. Im Büro trugen viele Kolleginnen schicke, figurbetonte Sachen, waren geschminkt und sorgfältig zurechtgemacht. Sie flirteten mit ihm, was seiner Selbstachtung gut tat, und ihre gepflegten Erscheinungen führten ihm Kims verwahrlostes Aussehen noch deutlicher vor Augen.

Daniel beschloss, den Stier bei den Hörnern zu packen, und sagte Kim, wie es ihm erging. Kim war wütend und konnte nicht verstehen, warum er sie nicht so liebte, wie sie war. Offenbar war er oberflächlicher, als sie gedacht hatte. Daniel konnte ihr nicht sagen, warum er so empfand, und er hatte Schuldgefühle, weil er das Thema überhaupt angesprochen hatte.

Sechs Monate später verließ Daniel Kim. Mittlerweile lebt er mit seiner Kollegin Jade zusammen. Kim hat sich einer Gruppe Frauen angeschlossen, die alle Männer für Schweine halten.

Ob es Ihnen nun gefällt oder nicht, unser Aussehen wirkt sich auf die Chancen aus, einen Partner anzulocken und zu halten. Wenn wir jemanden kennen lernen, bilden wir 90 Prozent unserer Meinung über den anderen in den ersten vier Minuten, unsere körperliche Attraktivität wird sogar in weniger als zehn Sekunden abgeschätzt. In diesem Kapitel und in Kapitel 11 werden wir die Aspekte untersuchen, die Männer und Frauen begehrenswert erscheinen lassen und die sie am anderen Geschlecht anziehend finden. Das soll nicht heißen, dass man beim anderen Geschlecht keine Chancen hat, weil man nicht aussieht wie Cameron Diaz oder Brad Pitt. Aber wenn man versteht, wie Anziehungskraft funktioniert, und dieses Wissen dann mit einigen einfachen Strategien zu seinem Vorteil nutzt, kann man mühelos seine Attraktivität steigern. Die uralten biologischen Schlüsselreize, mit denen wir uns beschäftigen werden, funktionieren unbewusst. Wir können gar nicht anders, als auf sie zu reagieren.

Diese Erkenntnis ist Bestandteil der Entwicklungspsychologie. Sie besagt, dass es in unserem Gehirn ererbte Verhaltensmuster und Reaktionen gibt, die von den Zwängen im Leben unserer Vorfahren geprägt wurden. Die Evolutionsbiologie behandelt die sexuelle Anziehungskraft sehr konkret und manchmal mit wenig Zartgefühl.

Was ist nun stärker, die äußere, körperliche Anziehung oder Persönlichkeit und Intelligenz? Wir werden in diesem Kapitel auf beide Seiten eingehen. Für eine nüchterne Betrachtung müssen wir die Vorstellungen von romantischer Liebe, politischer Korrektheit und persönlichen Feinheiten beiseite lassen und so objektiv wie möglich sein.

Schönheit in der Theorie

Es gibt einen Grund, warum Blumen schön sind. Blumen sind bunt, damit sie im Grün des Waldes oder der Wiese auffallen. Sie übermitteln Tieren und Insekten Informationen über sich, teilen ihnen ihre Wachstumsphase mit und welche Nahrung sie bieten. Auch der Mensch findet Blumen schön. Diese Reaktion entwickelte sich, weil wir damit in der Lage sind, die notwendigen Informationen über die Pflanze und Blüte zu bewerten und so unser eigenes Überleben zu sichern. Wir mussten wissen, ob eine Frucht grün, reif, süß, giftig oder gefährlich war, und das gilt auch für die menschliche Schönheit.

Jeder Mensch sendet bewusste und unbewusste Signale, die ihn für einen potenziellen Partner attraktiv machen. Dabei handelt es sich um kodierte Botschaften, die ausgestrahlt und zurückgesandt werden und dem anderen sagen, wie nützlich er für unsere Zwecke sein könnte. Ein Mann hält eine Frau biologisch betrachtet für attraktiv, wenn sie Eigenschaften zeigt, die es ihm ermöglichen, seine Gene erfolgreich an die nächste Generation weiterzugeben. Für eine Frau ist ein Mann anziehend, der Nahrung und Sicherheit bieten kann, wenn sie Kinder bekommt und aufzieht. Das erklärt, warum sich Frauen von älteren Männern angezogen fühlen.

FRAUEN MÖGEN ÄLTERE MÄNNER, WEIL SIE ERFAHRENER SIND UND ZUGANG ZU RESSOURCEN HABEN.

Bei beiden Geschlechtern sind die Reaktionen auf diese urzeitlichen Reize fest im Gehirn verankert. Schönheit und sexuelle Anziehungskraft sind im Grunde ein und dasselbe, wobei das Wort schön ursprünglich »sexuell stimulierend« bedeutet. Unsere Entwicklung formte unser Denken. Gutes Aussehen war ursprünglich ein Zeichen dafür, dass man gesund und lebenstüchtig war. Schönheit hat den biologischen Zweck, andere anzuziehen und die Fortpflanzung zu gewährleisten. Wenn man jemandem sagt, er sei schön oder attraktiv, erklärt man ihm – rein biologisch betrachtet –, dass man Sex mit ihm haben will.

Was sagt die Wissenschaft dazu?

Die Forschung (Eagly, Ashmore, Makhij und Longo) hat gezeigt, dass wir gut aussehenden Menschen automatisch positive Eigenschaften wie Ehrlichkeit, Intelligenz, Freundlichkeit und Talent zuschreiben.

Diese Urteile fällen wir völlig bewusst. An der Universität von Toronto wurden die Ergebnisse der kanadischen Wahlen von 1976 analysiert. Dabei kam man zu dem Ergebnis, dass attraktive Kandidaten zweieinhalbmal so viele Stimmen wie unattraktive Kandidaten erhielten (Efran und Patterson). Bei anschließenden Umfragen unter den Wählern lehnten es 73 Prozent entschieden ab, dass das Aussehen der Kandidaten ihre Entscheidung beeinflusst haben könnte. Nur jeder achte Wähler war bereit, auch nur in Erwägung zu ziehen, die äußere Erscheinung der Kandidaten könne für seine Entscheidung eine Rolle spielen. Das bedeutet, dass die Entscheidung unbewusst getroffen wurde, ohne dass die Wähler es merkten.

ATTRAKTIVE MENSCHEN BEKOMMEN BESSERE JOBS UND WERDEN BESSER BEZAHLT. SIE WIRKEN GLAUBWÜRDIGER UND DÜRFEN HÄUFIGER REGELN BRECHEN ALS IHRE UNATTRAKTIVEN MITMENSCHEN. BILL CLINTON IST DER LEBENDE BEWEIS.

Es ist vielleicht politisch korrekt, zu leugnen, dass sich Attraktivität auf unsere Entscheidungen auswirkt. Doch ob es uns nun gefällt oder nicht, es gibt Belege, dass unser Gehirn programmiert ist, auf die körperliche Erscheinung unserer Mitmenschen zu reagieren.

Das hat auch einen positiven Aspekt, denn immerhin kann man viele Faktoren an seinem Aussehen beeinflussen und verändern. Man kann sich, wenn man will, attraktiver machen.

Der Körper der Frau – was macht Männer besonders an?

Im 19. Jahrhundert war das Schönheitsideal für Frauen in der westlichen Welt eine blasse Haut, leichtes Rouge auf den Wangen und ein weiblich zartes, zerbrechliches Aussehen. Heute werden Jugend und Gesundheit betont. Schönheitswettbewerbe wurden nur erfunden, um ein bestimmtes Schönheitsideal zu verbreiten.

HIRNFORSCHER VOM MASSACHUSETTS GENERAL HOSPITAL ZEIGTEN HETEROSEXUELLEN MÄNNERN FOTOS VON »SCHÖNEN« FRAUEN UND STELLTEN FEST, DASS DIE BILDER DIE GLEICHEN BEREICHE DES GEHIRNS ANSPRACHEN, DIE AUCH DURCH KOKAIN UND DIE AUSSICHT AUF GELD AKTIVIERT WERDEN.

In diesem Kapitel und in Kapitel 11 werden wir uns damit beschäftigen, was Männer und Frauen am Körper des anderen Geschlechts attraktiv finden. Ausgehend von den Ergebnissen von 23 Untersuchungen und Experimenten haben wir den verschiedenen Körperteilen eine Rangfolge gegeben und werden erklären, welche Wirkung ein bestimmter Körperteil hat.

Fast jede Untersuchung der letzten 60 Jahre kommt zu demselben Ergebnis wie Maler, Dichter und Schriftsteller in den vergangenen

6000 Jahren – das Erscheinungsbild und der Körper einer Frau sind für einen Mann wesentlich attraktiver als ihre Intelligenz oder ihr Charakter. Daran hat sich auch im politisch korrekten 21. Jahrhundert nichts geändert.

Der moderne Mann sucht bei einer Frau zunächst das Gleiche wie seine Vorfahren, allerdings haben sich die Kriterien für eine langfristige Partnerschaft verändert.

EINE EHEFRAU WÄHLT MAN WEGEN IHRER TUGENDEN AUS, EINE KONKUBINE WEGEN IHRER SCHÖNHEIT.
CHINESISCHES SPRICHWORT

Die Kriterien, die einen Mann für eine Frau attraktiv machen, heben sich davon deutlich ab, doch darauf kommen wir später noch zurück. Wichtig ist zu wissen, dass der Körper einer Frau evolutionsgeschichtlich schon immer ein wandelnder sexueller Schlüsselreiz war. Die Natur hat ihn dafür gebaut, die Aufmerksamkeit des Mannes zu wecken.

MÄNNER ZIEHEN AUSSEHEN DER INTELLIGENZ VOR, WEIL DIE MEISTEN MÄNNER BESSER SEHEN ALS DENKEN.
GERMAINE GREER

Wir werden zunächst so vorgehen, als ob wir einen potenziellen Partner anhand eines Fotos beurteilen müssten, und nur die körperlichen Merkmale analysieren. Von diesen Eigenschaften fühlen wir uns angezogen, noch bevor wir mit jemandem sprechen oder wissen, wer der andere ist.

Gegen Ende des Kapitels werden wir dann auf die übrigen Faktoren eingehen, die bei der Partnerwahl eine Rolle spielen. Wir werden zuerst die Körpersignale unterhalb des Halses analysieren und anschließend die Merkmale des Gesichts betrachten. Dabei werden wir auch die Nummern 2, 7, 8 und 9 der Faktoren besprechen, die Männer anmachen.

Was Männer anmacht, geordnet nach Priorität:

1. Athletischer Körper
2. Sinnlicher Mund
3. Großer Busen
4. Lange Beine
5. Runde Hüften / Schlanke Taille
6. Wohlgeformter Hintern
7. Attraktive Augen
8. Lange Haare
9. Kleine Nase
10. Flacher Bauch
11. Hohlkreuz
12. Schambereich
13. Langer Hals

Sexueller Reiz Nummer 1: Athletischer Körper

Ganz oben auf der Liste der Attraktivitätsmerkmale einer Frau rangiert bei Männern der athletische Körper. Ein starker, kräftiger Körper ist ein Zeichen für Gesundheit und signalisiert, dass eine Frau Kinder gebären, vor Gefahr fliehen und wenn nötig den Nachwuchs verteidigen kann. Die meisten Männer bevorzugen eine schwerere, kräftigere Frau gegenüber einer schlanken, weil zusätzliches Fett beim Stillen hilft. Nur wenige Frauen wissen, dass eine der berühmtesten Sexbomben der Welt, nämlich Marilyn Monroe, die Konfektionsgröße 42 und sehr fleischige Beine hatte. Wenn es nach den Männern geht, wird ein unterernährtes Hascherl nie ein echtes Sexsymbol werden.

Sexueller Reiz Nummer 3: Großer Busen

Der Busen einer Frau auf dem Höhepunkt ihrer Fruchtbarkeit – (im Alter zwischen 18 und 22 Jahren) ist das Lieblingsobjekt der

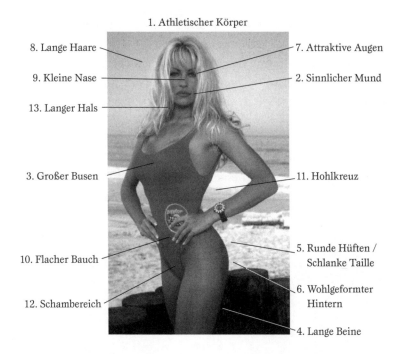

1. Athletischer Körper

8. Lange Haare

9. Kleine Nase

13. Langer Hals

3. Großer Busen

10. Flacher Bauch

12. Schambereich

7. Attraktive Augen

2. Sinnlicher Mund

11. Hohlkreuz

5. Runde Hüften / Schlanke Taille

6. Wohlgeformter Hintern

4. Lange Beine

Männer. Diesen Busen findet man in Männermagazinen, bei Stripperinnen und in der Werbung, die auf Sex setzt.

Der Busen besteht größtenteils aus Fettgewebe, das ihm seine runde Form gibt und nichts mit der Milchproduktion zu tun hat. Kinderlose Frauen haben rosa Brustwarzen, Mütter haben dunklere, bräunliche Brustwarzen. Affenweibchen haben gar keinen Busen. Die Brust von weiblichen Primaten vergrößert sich während der Schwangerschaft erheblich, bei den Menschen dagegen ist die weibliche Brust dauerhaft vergrößert und verändert sich während der Schwangerschaft nicht so stark. Meist dient der Busen nur einem einzigen, eindeutigen Zweck – als sexueller Reiz. Als die Menschen noch auf allen vieren gingen, zog vor allem ein runder, fleischiger Hintern die Männchen an, denn diese besprangen ihre Partnerin von hinten. Mit dem aufrechten Gang des Menschen wurde der Busen größer, um die Aufmerksamkeit des Mannes zu wecken, denn nun näherte er sich von vorne.

Tief ausgeschnittene Kleidung und Push-up-BHs betonen dieses Signal, indem sie den Busen zusammenpressen. Der Spalt zwischen den Brüsten erinnert an den Spalt zwischen den Pobacken. Manche Frauen sind entsetzt, wenn sie zum ersten Mal erfahren, was ihr Dekolleté symbolisiert, andere dagegen nutzen es zu ihrem Vorteil.

Machen Sie den Brusttest

Nur wenige Männer können den Unterschied zwischen der Nahaufnahme eines Hinterns und eines Busens erkennen.

Was ist der Busen und was der Hintern? Können Sie es unterscheiden?

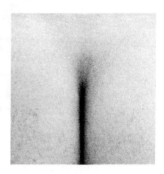

Der Zoologe Desmond Morris entdeckte, dass eine unter 200 Frauen mehr als zwei Brüste hat, ein Überbleibsel aus einer Zeit, als der Mensch wie viele andere Primaten mehr als ein Junges zur Welt brachte und daher größere Stillkapazitäten benötigte. Man kann sogar an der Statue der Venus von Milo über der rechten Brust in der Nähe der Achselhöhle eine dritte Brust erkennen.

WARUM HABEN MÄNNER PROBLEME, JEMANDEM IN DIE AUGEN ZU SEHEN? EIN BUSEN HAT KEINE AUGEN.

Die Brustwarze ist von einem rosa-bräunlichen Warzenhof umgeben. Dort befinden sich kleine Drüsen, die bei sexueller Aktivität einen Geruchsstoff abgeben, der vom männlichen Gehirn wahrgenommen wird. Das könnte erklären, warum ein Mann so gern sein Gesicht zwischen den Brüsten einer Frau vergräbt.

Umfragen ergeben immer wieder, dass Männer Busen in allen Formen und Größen lieben. Es spielt keine Rolle, ob die Brüste so groß wie Zitronen oder wie Wassermelonen sind – die meisten Männer begeistern sich für alle Größen und Formen.

Sexueller Reiz Nummer 4: Lange Beine

Der Anblick einer Frau, deren Beine fast bis unter die Achselhöhlen reichen, hinterlässt bei Männern immer einen bleibenden Eindruck. Die sexuelle Botschaft von Frauenbeinen ist einfach zu verstehen. Je mehr Bein ein Mann sehen kann, und je länger ihre Beine sind, desto attraktiver wirkt sie auf ihn, denn die Beine lenken seine Aufmerksamkeit auf den Bereich, wo ihr rechtes und linkes Bein zusammentreffen.

Wenn die Geschlechtsorgane einer Frau in ihren Achselhöhlen liegen würden, würde ein Mann ihre Beine keines Blickes würdigen.

Stattdessen würden ihm ihr schöner Bizeps und Trizeps auffallen. Deshalb erklärt kein Mann einer Frau, sie habe schöne lange Arme. Bei Babys sind die Beine im Vergleich zur Körpergröße relativ kurz. Dieses Verhältnis von Beinen zum Körper verändert sich auch bei kleinen Kindern kaum. Erst wenn ein Mädchen die Pubertät erreicht, Hormone ausgeschüttet werden und es zur Frau reift, wachsen seine Beine rasch. Die überlangen Beine sind ein deutliches nonverbales Signal, das Männern mitteilt, dass ein Mädchen sexuell reift und zur Fortpflanzung fähig ist. Deswegen werden lange Beine schon immer mit Sexualität in Verbindung gebracht.

FÜR EINE FRAU IST ES EINE LAUFMASCHE. FÜR EINEN MANN IST ES DIE HIMMELSLEITER.

Die Teilnehmerinnen an den Wahlen zur Miss World oder zur Miss Universum haben längere Beine als die durchschnittliche Frau. Bei Barbie-Puppen sind die Beine übertrieben lang, und die Hersteller von Strumpfwaren können ihren Absatz erhöhen, wenn sie die Strumpfhosen an Schaufensterpuppen mit unnatürlich langen Beinen zeigen. Auf Fotos in der Strumpfwerbung werden die Beine der Models trickreich verlängert. Mütter von Töchtern im Teenageralter bemängeln manchmal, dass ihre Töchter zu kurze Röcke tragen, doch dieser Eindruck beruht oft darauf, dass die Beine der Mädchen unverhältnismäßig lang sind. Wenn ein Mädchen zwanzig ist, hat der Körper die Beine im Wachstum eingeholt. Dann wirken seine Beine um bis zu 10 Prozent kürzer als in der Pubertät.

Die meisten Frauen verstehen unbewusst den Reiz extra langer Beine und lernen als Teenager schnell, wie man sie einsetzt. Oft tragen sie Schuhe mit hohen Absätzen, damit die Beine noch länger wirken, oder sie bevorzugen auch bei kaltem Wetter kurze Kleider. Sie nehmen die unbequemen hohen Absätze in Kauf, die langfristig gesehen zu Rückenschäden führen können, und riskieren eine

Lungenentzündung, nur um attraktiv zu wirken. Männer lieben es, wenn Frauen hohe Absätze tragen, weil diese dadurch wieder die langen, auf ihre hohe Fruchtbarkeit verweisenden Beine aus der Teenagerzeit haben.

Hohe Absätze betonen die sexuellen Schlüsselreize einer Frau, denn sie verlängern die Beine, der Rücken wird ins Hohlkreuz gebogen, der Hintern hervorgehoben, die Füße wirken kleiner und das Becken wird nach vorn geschoben. Daher sind Schuhe mit hohen Absätzen oder Stilettos mit Fesselriemchen immer noch die wirkungsvollsten Köder auf dem Markt.

Die meisten Männer ziehen Frauen mit runden, dickeren Beinen Frauen mit dünneren, muskulösen Beinen vor, weil zusätzliches Fett den geschlechtlichen Unterschied zwischen Männer- und Frauenbeinen hervorhebt und auf die Fähigkeit zu guter Milchbildung hinweist. Es gefällt Männern, wenn Frauenbeine sportlich wirken, ihnen vergeht jedoch die Lust, wenn die Frau aussieht, als könnte sie bei den Fußballweltmeisterschaften für die englische Nationalmannschaft spielen.

Untersuchungen haben gezeigt, dass die Rocklänge und die Höhe der Absätze abhängig vom Menstruationszyklus der Frau variieren. Unbewusst wählt eine Frau beim Eisprung kürzere Röcke und höhere Absätze. Vielleicht ist das eine nützliche Lektion für Eltern: Sperren Sie Ihre Töchter zwischen dem 14. und 18. Tag nach der Periode weg!

Sexueller Reiz Nummer 5:
Runde Hüften und schlanke Taille

Jahrhundertelang quälten sich Frauen mit Miedern, Korsetten und allen möglichen Vorrichtungen zum Einschnüren der Taille, um die perfekte Figur zu erreichen. Zu manchen Zeiten litten Frauen unter Verformungen des Brustkorbs, Atemnot, zusammengequetschten Organen und Fehlgeburten, manche ließen sich sogar Rippen entfernen – und das alles nur, um unwiderstehlich weiblich zu

Vorbereitungen
zum Ball um 1890.

wirken! Im 19. Jahrhundert trugen Frauen Gesäßpolster, so genannte Turnüren, um Hüften und Hintern zu betonen und auf ihre Gebärfähigkeit hinzuweisen. Ein Korsett betonte noch zusätzlich die Hüften und drückte den Bauch flach, um zu zeigen, dass die Frau nicht schwanger und damit verfügbar war.

Im 19. Jahrhundert galt in England für den idealen Taillenumfang die Faustregel: Alter der Frau mal 2,5. Ein achtzehnjähriges Mädchen sollte demnach einen Taillenumfang von 44 Zentimetern haben!

ICH BESCHLOSS, MICH IN FORM ZU BRINGEN.
DIE FORM, DIE ICH WÄHLTE, WAR RUND.
ROSEANNE

Bei einer gesunden Frau mit hoher Gebärfähigkeit beträgt das Verhältnis von Hüfte zu Taille 70 Prozent, das heißt, der Umfang ihrer Taille macht 70 Prozent ihres Hüftumfangs aus. In der gesamten Menschheitsgeschichte erwies sich dieses Verhältnis als das effektivste Mittel, um die Aufmerksamkeit von Männern zu erregen. Das Interesse lässt nach, wenn das Verhältnis über 80 Prozent beträgt. Je größer die Abweichung (sowohl nach unten als auch nach oben), desto mehr schwindet männliche Aufmerksamkeit. Frauen, bei denen Hüften und Taille nicht voneinander zu unterscheiden sind, wecken nur geringes Interesse, weil Fett im Bereich der Gebärmutter und Eierstöcke ein Hinweis auf eine geringe Fruchtbarkeit ist. Mutter Natur lagert überschüssiges Fett nicht in der Nähe lebenswichtiger Organe ab, daher findet man im Bereich von Herz, Gehirn und Genitalien kein Fett. Nach einer Totaloperation setzen Frauen oft ähnlich wie Männer am Bauch Fett an, weil sie keine Fortpflanzungsorgane mehr haben.

Professor Devendra Singh, Entwicklungspsychologe an der University of Texas, untersuchte über einen Zeitraum von 50 Jahren die körperliche Attraktivität von Teilnehmerinnen bei den Wahlen zur Miss America und von Playmates des Monats.

In einigen Ländern nutzen Frauen immer noch enge Mieder und Hüftpolster, es genügt jedoch bereits, die Hüfte einzuknicken und so das Verhältnis von Hüfte zu Taille von 70 Prozent zu betonen, wenn man die Aufmerksamkeit eines Mannes wecken will.

241

Er kam zu dem Ergebnis, dass sich das Gewicht eines idealen Sexsymbols in dieser Zeit um sechs Kilogramm verringert hatte, das Verhältnis von Hüft- zu Taillenumfang war dagegen unverändert geblieben. Singh stellte fest, dass Frauen mit einem Verhältnis zwischen 67 und 80 Prozent für Männer sexuell am attraktivsten sind.

Vor der Operation wird eine schöne Frau in den Vorbereitungsraum gerollt. Die Schwester verlässt den Raum, und die Frau liegt allein unter einem Leintuch, das kaum ihren kurvenreichen Körper verdeckt. Ein junger Mann im weißen Kittel kommt herein, lüftet das Tuch und betrachtet eingehend ihre wohlgeformte, üppige Figur. Dann holt er einen anderen Mann im weißen Kittel. Der Mann tritt an die Trage, zieht das Leintuch weg und betrachtet ebenfalls ihren nackten Körper. Als auch noch ein dritter Mann hinzukommt, wird die Frau unruhig.»Es freut mich ja, dass Sie noch eine zweite und dritte Meinung einholen, um wirklich sicherzugehen. Aber wann werde ich operiert?« Der erste Mann schüttelt den Kopf: »Keine Ahnung. Aber wir sind mit dem Streichen bald fertig.«

Professor Singh zeigte Männern Bilder von Frauen mit Untergewicht, Übergewicht und Normalgewicht und forderte sie auf, die Attraktivität der Frauen zu bewerten. Als besonders verführerisch wurden Frauen mit einem normalen Gewicht und einem Hüft-Taillen-Verhältnis von 70 Prozent eingestuft. Bei den Über- und Untergewichtigen entschieden sich die Männer für die Frauen mit der schmalsten Taille. Bemerkenswert ist an der Untersuchung, dass Männer auch extrem dicke Frauen sehr attraktiv fanden, wenn das Verhältnis von Hüfte zu Taille stimmte. Das erklärt die anhaltende Beliebtheit der Wespentaille. Coca-Cola ahmte mit der Colaflasche die typisch weibliche Form nach, um die Soldaten im Krieg anzusprechen. Auguste Renoir war berühmt für die üppigen Frauen auf seinen Bildern, die aussahen wie Mitglieder bei den Weight Watchers. Wenn man jedoch genauer hinschaut, erkennt man, dass die meisten das ideale Hüft-Taillen-Verhältnis haben.

Sexueller Reiz Nummer 6:
Ein wohlgeformter Hintern

Männer halten einen runden, pfirsichförmigen Hintern für besonders attraktiv. Der Hintern einer Frau speichert große Mengen Fett, die wie der Höcker eines Kamels als Reserve beim Stillen und als Notration für magere Zeiten dienen. Skulpturen und Bilder aus der Steinzeit stellen oft Frauen mit großen, weit ausladenden Hinterteilen dar, dem so genannten Fettsteiß, der immer noch bei einigen afrikanischen Stämmen zu finden ist. Ein ausladender Hintern ist ein uraltes Signal der weiblichen Sexualität. Im alten

Eine Frau im 19. Jahrhundert mit Turnüre am Kleid und eine
afrikanische Schönheit mit dem Original. Moderne Frauen können sich nur
schwer vorstellen, dass ein großer, ausladender Hintern lange als
attraktiv galt und es in einigen afrikanischen Ländern immer noch ist.

Griechenland wurde sogar ein Tempel für Aphrodite Kallipygos gebaut, die »Göttin mit dem schönen Hintern«.

Im 19. Jahrhundert wurde von Frauen erwartet, dass sie in der Öffentlichkeit ihren Körper komplett bedeckten. Junge Frauen, die Männer auf sich aufmerksam machen wollten, konnten durch das Tragen einer Turnüre ein großes Hinterteil nachahmen. Als gegen Ende des 20. Jahrhunderts überschüssiges Fett aus der Mode kam, weil man damit mangelnde Selbstbeherrschung und eine schlechte Gesundheit in Verbindung brachte, ließen sich Frauen das Fett absaugen. Auch das Tragen von Designerjeans ist beliebt, denn sie betonen den Hintern und geben ihm ein festes, rundes Aussehen. Hochhackige Schuhe veranlassen die Trägerin, ins Hohlkreuz zu gehen, betonen den Hintern und sorgen für einen wippenden Gang, der unweigerlich die Aufmerksamkeit der Männer auf sich zieht. Marilyn Monroe soll angeblich den Absatz ihres linken Schuhs um zwei Zentimeter gekürzt haben, um ihren hüftschwingenden Gang zu betonen.

Sexueller Reiz Nummer 10: Ein flacher Bauch

Frauen haben rundere Bäuche als Männer. Ein flacher, glatter Bauch vermittelt, dass eine Frau nicht schwanger und daher für männliche Interessenten noch zu haben ist. Aus diesem Grund drängen sich Frauen überall in Fitnessstudios und Yogakursen,

Bauchtanzkurse sind sehr beliebt, doch nur wenige Tänzerinnen kennen seinen erotischen Sinn.

machen Bauchgymnastik und versuchen, den perfekten Wasch-
brettbauch zu bekommen.

Bauchtanz ist seit kurzem wieder sehr beliebt, allerdings wissen
nur wenige Frauen, wie der Bauchtanz entstand. Er wurde ursprünglich von Haremsdamen für den Haremsherrn aufgeführt.
Die Tänzerin saß auf dem Haremsherrn und brachte ihn mit
Muskelkontraktionen zum Orgasmus. Hawaiische und tahitische
Beckentänze haben einen ähnlichen Ursprung und werden heute
unter dem harmlosen Deckmäntelchen des »traditionellen Volks-
tanzes« aufgeführt.

Sexuelle Reize Nummer 11 und 12:
Hohlkreuz und Schambereich

Kurven und Wölbungen stehen für Weiblichkeit und Fruchtbarkeit, geometrische Formen und Kanten künden von Männlichkeit. Weltweit lieben Männer kurvenreiche Frauen. Der obere Teil
des Rückens ist bei einer Frau schmaler als beim Mann, der untere Teil ist dagegen breiter, außerdem ist der untere Teil ihres Rück-

grats stärker geschwungen. Beim Hohlkreuz tritt der Hintern heraus und der Busen wird nach vorne geschoben. Wenn Sie eine beliebige Frau bitten, eine sexy Haltung einzunehmen, wird sie wahrscheinlich das Becken kippen und die Hüfte abknicken. Einen Arm oder sogar beide Arme legt sie auf die Hüften, um mehr Raum einzunehmen und damit auf sich aufmerksam zu machen. Wenn Sie Zweifel haben, brauchen Sie nur eine Frau zu bitten, aufzustehen und möglichst sexy zu wirken. Na los, versuchen Sie es!

Sexueller Reiz Nummer 13: Ein langer Hals

Der Hals des Mannes ist kürzer, dicker und stärker als der Hals einer Frau. Auch das ist entwicklungsgeschichtlich bedingt; bei der Jagd oder in der Schlacht sollte sich der Mann im wahrsten Sinne des Wortes nicht den Hals brechen. Dadurch wurde der längere, dünnere und sich verjüngende Hals der Frau zum Symbol für den Unterschied zwischen den Geschlechtern, das Männer gerne küs-

*Nofretete und Popeyes Freundin Olivia wurden für ihren
langen Hals bewundert. Auch heute noch haben Models einen
überdurchschnittlich langen Hals.*

*Glück ist für diese Frau vom
Karen-Stamm in Burma
die Gewissheit,
dass sie gut aussieht.*

sen und mit Juwelen schmücken.
Zeichner und Karikaturisten über-
treiben gern die Halslänge, um die
Weiblichkeit zu betonen.
Bei verschiedenen süd- und ost-
afrikanischen Stämmen wie zum
Beispiel den Ndebele, Zulu, Xhosa und Massai tragen die jungen
Mädchen silberne Ringe um den Hals, die mit zunehmendem Al-
ter und beginnender Geschlechtsreife ergänzt und angepasst wer-
den. Die Ringe verlängern den Hals, was in diesen Kulturen als Zei-
chen großer Schönheit gilt. Die Halsringe drücken mit ihrem
Gewicht auf den Hals und verformen das Schlüsselbein, so dass der
Hals in einem Winkel von 45 Grad nach unten gebeugt werden
kann. Wenn der metallene Halsschmuck entfernt werden würde,
könnte der verlängerte Hals den Kopf nicht mehr halten und die
Trägerin würde sich das Genick brechen.

Wie erregt das Gesicht Aufmerksamkeit?

Dass wir von attraktiven Gesichtern bei anderen Menschen angezogen werden, ist Teil unserer Psyche und erfolgt unabhängig von
kulturellen Zugehörigkeiten. Bei Frauen wird ein kleines Gesicht
mit kurzem Kinn, kaum hervortretendem Kiefer, hohen Wangen-
knochen, vollen Lippen und Augen bevorzugt, die im Verhältnis

zum Gesicht groß erscheinen. Allgemein gefallen uns ein breites Lächeln und ein argloser Ausdruck. Generell bevorzugen Menschen weltweit Gesichter, die darauf hindeuten, dass die Frau gesund und fortpflanzungsfähig ist. Auch für ein »hübsches« Frauengesicht gibt es eine gültige Formel: das Kindchenschema.

DIE ATTRAKTIVSTEN FRAUEN HABEN EIN KINDLICHES GESICHT.

Diese Signale lösen im Gehirn des Mannes starke väterliche Gefühle aus und wecken den Wunsch zu berühren, zu umarmen und zu beschützen. Frauen werden von mütterlichen Gefühlen zum Impulskauf von Plüschtieren verleitet, deren Hersteller diese Reaktion auf das »Kindchenschema« ausnutzen.

Untersuchungen haben ergeben, dass Männer am stärksten vom Gesicht eines Mädchens zwischen zwölf und vierzehn angesprochen werden, denn dieses verbindet die Verwundbarkeit der Jugend mit der Pubertät und damit dem Beginn sexueller Reife. Bei Frauen kann dieses Wissen große Angst vor dem Altern auslösen. Viele Frauen lassen heute Schönheitsoperationen ausführen, um

Ein Babygesicht sendet die gleichen, die Instinkte ansprechenden Signale, die auch den Verkauf von Plüschtieren zu überzogenen Preisen an Frauen erklären.

ihr jugendliches Aussehen zu erhalten oder später wiederzugewinnen. Schönheitschirurgen verwenden bei ihrer Arbeit manchmal sogar Schablonen von Babygesichtern.

Sexueller Reiz Nummer 2: Ein sinnlicher Mund

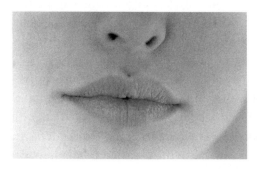

Der Mensch ist der einzige Primat mit Lippen auf der Außenseite des Gesichts, bei den anderen Menschenaffen befinden sich die Lippen im Innern des Mundes. Zoologen sind der Ansicht, dass sich die Lippen der Frau als Spiegelbild ihrer Genitalien entwickelten, denn sie haben die gleiche Größe und Dicke und schwellen in erregtem Zustand an. Diese Reaktion wird als »genitales Echo« bezeichnet und übermittelt männlichen Beobachtern ein deutliches Signal. Man vermutet, dass es sich in Zusammenhang mit dem aufrechten Gang entwickelte. Lippenstift wurde in den ersten Schönheitssalons vor 6000 Jahren im alten Ägypten erfunden, die Ägypter verwendeten ihn zur Betonung des genitalen Echos. Lippen werden seit jeher immer nur in einer Farbe geschminkt: rot. Männern gefällt es, wenn eine Frau Lippenstift und Augen-Make-up trägt, denn beide vermitteln das Signal, dass sie an ihm interessiert ist oder er sie erregt. Knallroter Lippenstift ist eines der stärksten sexuellen Signale, die eine Frau einsetzen kann, außerdem ist es immer die Farbe, die verwendet wird, wenn eine Frau als Sexsymbol posiert.

DAS GESICHT EINER FRAU IST EINE LEINWAND, AUF DIE SIE TÄGLICH EIN PORTRAIT IHRES FRÜHEREN SELBST MALT.

PICASSO

Erregung oder Bemerkungen über die Sexualität einer Frau lassen einer Frau das Blut in die Wangen schießen, sie errötet buchstäblich. Rouge erzeugt einen ähnlichen Effekt. Puder verleiht der Haut ein glattes, makelloses Aussehen, das von Jugend, Gesundheit und guten Genen kündet.

Jahrtausendelang galt die Länge der Ohrläppchen bei einer Frau als Maßstab für ihre Sinnlichkeit. Diese Vorstellung existiert heute noch in Afrika und auf Borneo beim Stamm der Kelabit und Kenyah. Moderne Frauen erzielen die gleiche Wirkung mit langen, baumelnden Ohrringen. Ein Test mit Computerbildern zeigte, dass Männer die Sinnlichkeit einer Frau umso höher bewerteten, je länger ihre Ohrringe waren.

Die Frauen der Kelabit auf Borneo haben verlängerte Ohrläppchen und gelten deswegen als attraktiv, andere Frauen erzielen den gleichen Effekt mit langen Ohrringen.

Feministinnen werden vielleicht die Ansicht vertreten, das alles seien gute Gründe, sich nicht zu schminken und niemals Ohrringe zu tragen. Eine Frau sollte jedoch auf jeden Fall die Wirkung dieser Signale auf Männer kennen. Warum sollte man sie nicht für romantische Anlässe nutzen? Andererseits sollten Frauen, wenn sie ernst genommen werden möchten, weniger Make-up und einen dezenten Lippenstift auftragen. Zu viel Schminke könnte in der Geschäftswelt männliche Kunden zu falschen Schlussfolgerungen verleiten und bei weiblichen Kunden Rivalität wecken.

Sexueller Reiz Nummer 7: Attraktive Augen

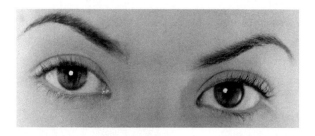

In nahezu jedem Land gelten große Augen als attraktiv. Mit Schminke wirken die Augen größer und kindlicher. Wenn die Augen im Verhältnis zur unteren Gesichtshälfte groß aussehen, wecken sie bei einem Mann den Beschützerinstinkt. Wenn eine Frau einen Mann attraktiv findet, weiten sich ihre Pupillen. Wimperntusche, Lidschatten und Eyeliner erzeugen künstlich einen permanent interessierten Ausdruck. Kontaktlinsen vermitteln die Illusion, dass die Augen der Frau glänzen und die Pupillen erweitert sind. Das erklärt, wie wir in unserem Buch *Body Language* dargelegt haben, warum Experimente mit Fotografien ergeben, dass ein Mann eine Frau »eigenartig attraktiv« findet, wenn sie Kontaktlinsen trägt. Insgesamt tendieren Männer zu Frauen mit einer hellen Augenfarbe, bei weißen Männern stehen kindliche blaue Augen ganz oben auf der Beliebtheitsskala.

In den Zwanzigerjahren traten Frauen in großer Zahl ins Arbeitsleben ein und begannen sich zu schminken. Seit dieser Zeit setzt die Wirtschaft mit Kosmetika und anderen Pflegeartikeln für die Frau jährlich 50 Billionen Dollar um – und das alles, um die Illusion sexueller Signale auf Gesichter zu zaubern.

Weibliche Prominente, die ungeschminkt von Fotografen erwischt werden, führt man gerne triumphierend in Frauenzeitschriften vor, weil sich die Leserinnen mit diesen Damen vergleichen. Leider sind geschminkte Gesichter inzwischen so alltäglich, dass sich viele Frauen ohne Make-up für hässlich halten. Sie verstecken sich hinter der Schminke wie hinter einer Maske, anstatt sie als einfache Hilfe zu benutzen, ihre Gesicht noch anziehender und geheimnisvoller zu machen.

Männer fühlen sich mehr zu Frauen mit einem natürlichen Make-up hingezogen als zu Frauen, die aussehen, als hätten sie die Schminke mit dem Spatel aufgetragen.

Sexueller Reiz Nummer 9: Eine kleine Nase

Auch eine kleine Nase wirkt kindlich und weckt in einem Mann beschützende und väterliche Gefühle.

Für Zeichentrickfilme wird diese Neigung stark ausgenutzt; die Zeichentrickfiguren mit ihren großen Augen und winzigen Knopfnasen sollen das Herz des Publikums gewinnen.

BAMBI, BARBIE UND MINNIE MAUS HABEN
ALLE KLEINE NASEN.

Man sieht nie ein weibliches Model mit großer Nase. Schönheits-chirurgen schaffen meist Nasen mit einer Neigung von 35 bis 40 Grad, die ein kindliches Aussehen erzeugen. Mittlerweile lassen sich auch männliche Schauspieler die Nase verkleinern, um dem neuen androgynen Look des Mannes im 21. Jahrhundert zu ent-sprechen.

Sexueller Reiz Nummer 8: Lange Haare

Wenn man sich nie die Haare schneidet, erreichen sie eine Länge von 110 Zentimetern. Die Lebensdauer eines Haares beträgt sechs Jahre. Wir verlieren 80 bis 100 Haare am Tag und bekommen im Gegensatz zu anderen Säugetieren kein Sommer- oder Winterfell. Blonde haben 140 000 Haare, Brünette 110 000 und Rothaarige 90 000. Blonde sind auch in anderer Hinsicht im Vorteil, denn blon-de Frauen haben einen höheren Östrogenspie-gel als brünette. Das spü-ren Männer, sie wittern dahinter eine höhere Fruchtbarkeit und füh-len sich davon angezo-gen. Könnte das der wahre Grund sein, wa-rum Blondinen be-sonders begehrt sind? Blondes Haar verweist außerdem auf die Ju-gendlichkeit einer Frau, denn das Haar wird dunkler, wenn sie Kin-der geboren hat. Bei ech-ten Blondinen sind auch die Schamhaare blond.

ECHTE BLONDE SIND WIE EIN GUTES HEMD: DER KRAGEN SOLLTE ZU DEN MANSCHETTEN PASSEN.

Jahrtausendelang waren lange Haare ein Zeichen von Weiblichkeit. Obwohl es keine erkennbaren anatomischen Unterschiede zwischen Männer- und Frauenhaar gibt, tragen wir es unterschiedlich lang. Schon der Apostel Paulus erklärte in einem Brief an die Korinther, dass Männer zum Ruhme Gottes die Haare kurz tragen sollten, Frauen dagegen sollten zum Ruhme des Mannes lange Haare haben. 2000 Jahre später ist dies auch in einer Zeit, die stark von der Gleichberechtigung geprägt ist, immer noch allgemein üblich. Die Mode mag kommen und gehen, doch insgesamt betrachtet tragen Männer die Haare kurz und Frauen die Haare lang.

Wir führten unter 5214 Briten eine Umfrage durch, ob sie lange oder kurze Haare bei Frauen sexuell attraktiver fänden. Das Ergebnis war vorhersehbar: 74 Prozent fanden Frauen mit langen Haaren sexuell attraktiver, 12 Prozent Frauen mit kurzen Haaren, der Rest wollte sich nicht festlegen. Früher war langes, glänzendes Haar ein Zeichen für einen gesunden, gut ernährten Körper und gab Auskunft über frühere Krankheiten und die Fortpflanzungsfähigkeit. Langes Haar, so dachte man, verlieh seiner Trägerin sinnlichen Reiz, kurzes Haar vermittelte eine ernsthaftere Haltung gegenüber dem Leben.

Daraus ziehen wir eine einfache Lehre: Eine Frau sollte lange Haare haben, wenn sie Männer anlocken will, und ihre Haare kurz tragen oder hochstecken, wenn es ums Geschäftliche geht. In manchen Bereichen oder in einem von Männern dominierten Beruf kann ein sinnliches Aussehen eine Belastung für eine Frau sein. Pamela Anderson und Anna Kournikowa gehören zwar zu den populärsten Frauen der Welt, sie werden jedoch nie Präsidentin werden!

Die Verbindung zwischen Attraktivität und Pornografie

Zielgruppe der Pornografie sind fast ausschließlich Männer. 99 Prozent der pornografischen Websites im Internet richten sich an Männer, und die meisten Bilder von nackten Männern haben als Zielpublikum schwule Männer. Frauen sollten verstehen, dass Männer im Internet nach den Reizen und Formen suchen, die das männliche Gehirn ansprechen. Wenn sich ein Mann ein pornografisches Bild von einer Frau ansieht, fragt er sich nie, ob sie kochen oder Klavier spielen kann oder für den Weltfrieden kämpft. Ihn sprechen allein die Rundungen und Formen und die Möglichkeit an, dass sie seine Gene weitergeben könnte. Er kommt nicht einmal auf die Idee sich zu fragen, ob die Frau nett ist.

Auch frühere Generationen von Männern weideten ihre Augen gern an erotischen Frauendarstellungen, nur waren es damals noch Gemälde. Künstler, die Skulpturen, Zeichnungen oder Gemälde von nackten Frauen schufen, waren fast ausschließlich Männer.

MÄNNER LIEBEN DIE RENAISSANCE ALS KÜNSTLERISCHE EPOCHE – UND NICHT WEGEN DER VIELEN NACKTEN FRAUENSTATUEN. EHRLICH.

Viele Frauen behaupten, dass sich moderne Männer, die sich für den künstlerischen Wert der Gemälde alter Meister begeistern, nur an den nackten Frauen darauf ergötzen. Schließlich ist Jessica Rabbit auch nur eine Zeichnung, doch ihre Kurven brachten Millionen halbwegs intelligenter Männer zum Sabbern. Für Männer sind die Formen alles.

Hentai-Comics

Mit den Informationen über die sexuellen Schlüsselreize von Frauen wird viel Geld gemacht. Ein Beispiel sind die so genannten Hen-

Ein typischer Hentai-Comic ist voller Signale, die das männliche Gehirn ansprechen: ein kindliches Gesicht, ein langer Hals, ein optimales Verhältnis von Hüfte zu Taille, pralle Brüste und ein flacher Bauch. Bei dieser Zeichnung sind die Beine so stark verlängert, dass sie 63 Prozent des Körpers ausmachen. Solche Beine dürfte es bei Frauen aus Fleisch und Blut kaum geben.

tai-Comics aus Japan. Dabei handelt es sich um Hardcore-Pornos in Comicform, die auf die weiblichen Signale der Körpersprache zurückgreifen. Die Augen der gezeichneten Frauen sind stets geweitet und doppelt oder dreifach so groß wie der Mund. Die Nase ist winzig, die untere Gesichtshälfte schmal und die Haare sind lang, oft auch mit Schleifen zu Zöpfen oder einem Pferdeschwanz zusammengefasst.

Die Comics zeigen den voll entwickelten Körper einer Frau mit dem Gesicht einer Zehn- bis Zwölfjährigen. Über 30 Millionen Männer lesen diese Comics.

Welche Wirkung hat die Kleidung einer Frau auf Männer?

Wenn man über die Wirkung des äußerlichen Erscheinungsbildes einer Frau spricht, sollte man die Funktion der Kleidung in der Vergangenheit kennen. Jahrhundertelang hatte die Kleidung einer Frau den Zweck, durch die Betonung ihrer weiblichen Merkmale den Blick eines potenziellen Verehrers auf sich zu ziehen.

Vor dem Beginn der Frauenbewegung in den Sechzigerjahren wählten Frauen ihre Kleider nach den altbekannten Prinzipien aus: Sie wollten Männer anlocken und andere Frauen übertrumpfen. Mit dem Aufkommen des Feminismus war es nicht länger wichtig, mit der Kleidung Männer anzulocken – nun zählte die innere Schönheit mehr als das Äußere. Die Idee sprach Millionen Frauen an. Sie glaubten, sie seien nun von der drückenden Pflicht befreit, für die Männer immer schön sein zu müssen.

Modestile wie Punk und Grunge setzten sich über das Gebot hinweg, sich für den Mann hübsch zu machen, und zeigten der Welt, dass Männer und Frauen gleich aussehen konnten. Diese mehr am Hässlichen als am Schönen orientierte Mode entwickelte sich sogar so weit, dass die Models in den Neunzigerjahren unweibliche, ausgezehrte Körper hatten und schwarzen Lippenstift und sogar dunkle Ringe unter den Augen trugen, als ob sie drogenabhängig wären. Dieser Look sprach Männer kaum an. Heterosexuelle Männer sehen sich selten Modeschauen an, wenn jedoch die Wahl zur Miss Universum stattfindet, sind über 70 Prozent der Zuschauer männlich. Sie wollen Frauen mit den bekannten Schlüsselreizen sehen, die uralte Reaktionen in ihren Gehirnen auslösen.

MÄNNER MÖGEN MODESCHAUEN NUR, WENN BADEMODEN GEZEIGT WERDEN.

Moderne Frauen haben im Grunde zwei Kleidungsstile: den Business-Dress und den Freizeitlook. Die Business-Kleidung stellt Männer und Frauen auf die gleiche Ebene in der Geschäftswelt, außerdem ermöglicht sie es ihrer Trägerin, andere Frauen auszustechen, denn Business-Kleidung kann Erfolg, Macht, Bedeutung und Attraktivität ausdrücken.

Das Geheimnis einer erfolgreichen Businesskleidung ist leicht zu lüften. Welches Aussehen erwartet die Person, die man beeinflussen will? Wie sollen Make-up, Schmuck, Frisur und Kleidung aussehen, damit man verlässlich, glaubwürdig und Vertrauen erweckend wirkt? Wenn Sie in einer Branche arbeiten, in der Sie Männern technisches Fachwissen oder Ihre Kenntnisse im Management vermitteln müssen, sind die meisten sexuellen Signale, über die wir gesprochen haben, eher hinderlich. Wenn Sie dagegen in einer Branche arbeiten, in der Sie ein feminines Image verkaufen, wie in den Bereichen Kosmetik oder Mode, können Sie viele Reize mit hervorragender Wirkung einsetzen.

Plastische Chirurgie

Eine wachsende Zahl von Menschen versucht heute, ihr Aussehen mit Hilfe der Schönheitschirurgie zu verbessern. Allein in Amerika legen sich jedes Jahr über eine Million Menschen unters Messer. Der wichtigste Grund für diese Entscheidung ist meist, dass sie ihr Selbstvertrauen aufbauen wollen, indem sie die beschriebenen Reize verstärken. Prominente gehören zu den häufigsten Patienten. Michael Douglas ließ sich die Augen richten, Pamela Anderson die Brüste vergrößern. Michael Jackson und Cher unterzogen sich einer Generalüberholung – daher sollten beide die Sonne meiden und sich von sonstigen Wärmequellen fern halten! Vielleicht versteckt sich die attraktivste Frau der Welt ja unter einer Burka in Afgha-

Michael Jackson behauptet immer noch, er habe sein Aussehen nicht gravierend verändert.

nistan, aber das werden wir nie erfahren. Nach dem zu schließen, was uns die Medien vermitteln, ist Attraktivität verknüpft mit Designerkleidern, Ernährungsberatern, Fitnesstrainern, Choreografen, raffinierten Fotografien und plastischer Chirurgie.

Der Natur nachzuhelfen ist nichts Neues. Jahrhunderte vor Silikonbusen und Geräten zum Fettabsaugen gab es schon gepolsterte Strümpfe für Männer mit zu dünnen Waden, ein 40 Zentimeter-Korsett für die Dame, wenn sie nicht dünn genug war, und Turnüren, um breitere Hüften und einen dickeren Hintern anzudeuten. Selbst König Heinrich VIII. trug einen Hosenbeutel, wörtlich übersetzt eine »Hodentasche«, um seine kleine, von der Syphilis geplagte Männlichkeit zu vergrößern. Er wollte so mit den französischen Königen konkurrieren, die ebenfalls Hosenbeutel trugen, und Heinrichs Beutel war sogar mit Juwelen und Stickereien verziert.

Ein Mensch sieht pro Woche im Durchschnitt 500 Bilder von »perfekten« Menschen in Zeitschriften, Zeitungen, auf Plakaten und im Fernsehen. Bei den meisten Bildern wurde der Schönheit auf die Sprünge geholfen, zum Beispiel mit viel Make-up, mit Hilfe des Computers oder speziellen Beleuchtungseffekten. Sie zeigen selten, wie jemand wirklich aussieht.

Falls Sie Aknenarben, ein Muttermal oder sonst körperliche Merkmale haben, die Ihnen missfallen, dann denken Sie vielleicht an eine kosmetische Operation. Die meisten Menschen, die sich solchen Operationen unterzogen haben, sind mit dem Ergebnis zufrieden.

Der Hosenbeutel Heinrichs VIII. kam zur Tür rein, bevor der König selbst eintrat.

LESEN SIE NIEMALS FRAUENZEITSCHRIFTEN, SIE FÜHLEN SICH DANACH NUR HÄSSLICH.

In Japan lassen sich Frauen häufig die Augen operieren, um sich ein »europäisches« Aussehen zu geben. Asiaten haben im Gegensatz zum europäischen Typus am Oberlid keine Lidfalte. Bei der Operation wird diese Lidfalte künstlich geschaffen. Jeder sollte sich allerdings darüber im Klaren sein, dass eine Schönheitsoperation einen Menschen nicht besser macht. Weder wird er mehr geliebt, noch lösen sich damit die Probleme im Leben. Jemand, der Sie nach Ihrem Äußeren beurteilt, hat ein niedriges Selbstwertgefühl und ist ohnehin nicht die Art von Mensch, mit der Sie verkehren wollen.

Die andere Seite der Attraktivität

In unserem Buch *Warum Männer nicht zuhören und Frauen schlecht einparken* stellen wir die Ergebnisse einer Umfrage bei 150 00 Männern und Frauen dar. Sie wurden gefragt, was sie von einem Partner erwarten. Hier sind die Ergebnisse:

Was erwarten Männer?

A. Bei der ersten Begegnung	B. In einer langfristigen Beziehung
1. Gutes Aussehen	1. Persönlichkeit
2. Guter Körperbau	2. Gutes Aussehen
3. Busen	3. Köpfchen
4. Hintern	4. Humor

Liste A zeigt, was wir bereits wissen. Männer orientieren sich mit den Augen und sehen sich gern attraktive Frauen an. Die meisten Frauen wissen das, und die Forschung beweist es immer wieder, auch wenn diese Erkenntnis vielleicht nicht »politisch korrekt« ist. Die meisten Frauenrechtlerinnen verabscheuen den Gedanken, dass eine Frau auf Grund ihres Aussehens beurteilt wird, und bezeichnen Männer daher als oberflächlich und dumm. Das ändert jedoch nichts an der Tatsache, dass Männer eine Frau bei der ersten Begegnung nach dem Äußeren beurteilen. Die Angaben der Liste A sind eindeutig vom Optischen bestimmt. Für ein kurzfristiges Abenteuer braucht man also keine inneren Werte. Anders verhält es sich mit der Liste B, denn »gutes Aussehen« ist dort das einzige optische Kriterium, das Männer in einer langfristigen Partnerschaft erwarten.

SEXUELLE ANZIEHUNGSKRAFT BESTEHT ZUR HÄLFTE
AUS DEM, WAS MAN HAT, UND ZUR HÄLFTE AUS DEM,
VON DEM ANDERE MEINEN, MAN HÄTTE ES.
ZSA ZSA GABOR

Damit wissen wir nun zweierlei. Zum einen richten sich Männer bei der ersten Begegnung mit einer Frau nach der Optik, wobei der Gesamteindruck wichtiger ist als ein schöner Körper. Wie sich eine Frau anzieht, wie sie sich schminkt, sich pflegt und wie sie sich präsentiert, ist wichtiger als ein paar Kilo zu viel, ein paar Pickel oder ein kleiner Busen. Andererseits ist ein Mann bei einer dauerhaften Beziehung mehr an der Persönlichkeit der Frau, ihrer Intelligenz und an ihrem Sinn für Humor als an ihrem Körper interessiert, ein »gutes Aussehen« rangiert allerdings noch weit oben auf der Liste. Die gute Nachricht dabei ist, dass Sie größtenteils selbst über Ihr Erscheinungsbild bestimmen und es durchaus auch verändern können, wenn Sie wollen.

WENN SIE WITZE ERZÄHLEN, GELTEN SIE NICHT ALS
FRAU MIT HUMOR, SIE MÜSSEN NUR ÜBER DIE WITZE
DER MÄNNER LACHEN.

Weil optische Reize für einen Mann so wichtig sind, sieht er unbewusst in dem, was eine Frau für ihr Aussehen tut, einen Maßstab für ihren Respekt und ihre Gefühle für ihn. Wenn sie Zeit auf ihr Äußeres verwendet, denkt er, sie mache sich schön für ihn. Bei Scheidungen klagen Männer häufig, dass ihre Frauen nach der Hochzeit ihr Äußeres vernachlässigten. Diese Männer hatten das Gefühl, dass ihre Frau ihr gepflegtes Äußeres dazu benutzte, sie anzulocken, und nach der Hochzeit meinte, das sei nicht mehr nötig. Die meisten Männer sind enttäuscht, wenn eine Frau sich nur für die Arbeit und ihre Kollegen zurechtmacht. Eine Frau wiederum kann nur mit Mühe verstehen, dass ein Mann so denkt, denn sie liebt ihn unabhängig von seinem Aussehen.

Lösung

Ihr Aussehen wirkt sich darauf aus, wie andere auf Sie reagieren und Sie behandeln. Es beeinflusst außerdem Ihr Selbstbild und eigenes Verhalten. Ihre Großmutter hat vielleicht gesagt:»Man soll ein Buch nie nach dem Umschlag beurteilen«, doch die Wirklichkeit sieht leider anders aus. Vieles an Ihrer äußeren Erscheinung können Sie mehr oder weniger selbst gestalten. Es gibt zahlreiche Kurse, in denen man lernen kann, wie man geht, sitzt, spricht, sich anzieht und schminkt. Buchhandlungen sind voll mit Ratgebern zu dem Thema. In großen Kaufhäusern gibt es oft Aktionen, bei denen man kostenlos geschminkt und einem gezeigt wird, wie man Kosmetika aussucht und verwendet, und auch in Bekleidungsgeschäften ist man gern bereit, Ihnen bei der Auswahl und Zusammenstellung Ihrer Kleidung zu helfen. Ein guter Friseur sagt Ihnen, wie Sie Ihre Haare am besten tragen, ein Kieferorthopäde kann Ihre Zähne richten und bei Dessous-Partys können Sie lernen, wie Sie Ihre körperlichen Vorzüge am besten zur Geltung bringen.
Auch Ihr Gewicht wird allein von Ihnen bestimmt. Wenn Sie Probleme haben, sollten Sie einen Ernährungsberater aufsuchen und ins Fitness-Studio gehen, um die Figur zu bekommen, die Sie sich wünschen. Wenn Sie es für unbedingt notwendig halten, lassen Sie

sich die Nase richten oder sich eine Busenvergrößerung zum Geburtstag schenken. Im 21. Jahrhundert gibt es keinen Grund mehr, nicht so auszusehen, wie man will.

»WIRST DU MICH AUCH NOCH LIEBEN, WENN ICH
ALT UND GRAU BIN?«, FRAGT SIE.
»ICH WERDE DICH NICHT NUR LIEBEN«, ANTWORTET ER,
»ICH WERDE DIR SOGAR SCHREIBEN.«

Wir möchten damit nicht sagen, dass eine Frau so besessen von ihrem Äußeren sein sollte, wie es leider viele Frauen sind. Doch es ist wichtig, sich um ein gutes Aussehen zu bemühen und das Beste aus sich zu machen.

ES GIBT KEINE HÄSSLICHEN,
SONDERN NUR FAULE FRAUEN.
HELENA RUBINSTEIN

Noch wichtiger ist, dass man attraktiver werden kann, wenn man neue Fertigkeiten erlernt und mehr über das Leben weiß. Jeder fühlt sich zu einem Menschen hingezogen, der über eine breite Palette an interessanten Themen plaudern kann.

Sie brauchen sich nur eine beliebige Hitparade mit Popsongs anzusehen: Die beliebtesten und meistverkauften Stücke werden normalerweise nicht von den besten Musikern der Welt geschrieben oder vorgetragen. Es sind die Produkte von Menschen, die herausfanden, was dem Publikum gefällt, die Musik und Text nach bewährten Mustern schrieben und das dann wie warme Semmeln verkauften. Die weltbesten Musiker sind unbekannt, sie sitzen daheim und warten darauf, dass sie entdeckt werden. Beliebt und attraktiv zu sein funktioniert nach eben diesen Spielregeln.

Männer schwärmen vielleicht für kecke Brüste und Frauen für einen stählernen Bizeps, doch die Forschung hat gezeigt, dass langfristige Beziehungen mehr mit Geist und weniger mit Materie zu tun haben. Der wichtigste Bestandteil ist die eigene Ausstrahlung, die Ausdruck des Selbstvertrauens ist, und zwar in sexueller, emotionaler und beruflicher Hinsicht. Anders gesagt: Werden Sie ein wirklich interessanter Mensch, dann werden Ihre körperlichen Schwächen übersehen.

Zusammenfassung

Es ist eine Tatsache, dass das Aussehen einer Frau einen Mann zu jedem beliebigen Zeitpunkt in einer Beziehung anziehen oder abstoßen kann. Viele Frauen macht das sehr wütend. Sie halten es für ungerecht, dass ein Mann mit Falten oder grauen Haaren als distinguiert und weise gilt, eine Frau dagegen einfach alt ist. Doch das ist nun einmal so. Man muss sich damit genauso abfinden wie mit schlechtem Wetter. Es ist absolut sinnlos, sich über Regen und Gewitter zu ärgern, sie als unfair oder ungerecht zu bezeichnen oder Demonstrationen dagegen zu veranstalten. Das Wetter ist nun einmal wie es ist, egal, ob es Ihnen passt oder nicht. Wenn Sie das akzeptieren, können Sie sich mit Regenschirm, Mantel, Handschuhen oder Sonnencreme wappnen. So können Sie bei jedem Wetter ins Freie und Spaß haben. Es hat keinen Sinn, im Zimmer zu hocken und über etwas zu klagen, was man doch nicht ändern kann. Genauso verhält es sich mit dem, was Männer denken. Bekämpfen Sie die Männer nicht, managen Sie sie.

Wenn Sie unzufrieden mit Ihrem Aussehen sind, verändern Sie es.

Sexappeal-Test
für Männer

Wie wirken Sie auf Frauen?

Was Männern passiert, die statt Bier Milch trinken.

Machen Sie den Test

Wo rangieren Sie auf der Attraktivitätsskala des anderen Geschlechts? Finden Frauen Sie anziehend – oder abstoßend? Hinreißend oder widerwärtig? Finden Sie mit Hilfe dieses Tests heraus, wie Sie bei Frauen ankommen.

Im nächsten Kapitel werden Sie dann das Geheimnis lüften, worauf Frauen bei einem Mann wirklich achten. Der Test basiert auf den von Aussehen und Auftreten abhängigen Punktzahlen, die Sie erreichen, wenn Sie einer Frau begegnen, und er wird Ihnen die Augen darüber öffnen, was Sie besser machen können. Wenn Sie diesen Test gemacht haben, dann bitten Sie ein paar Freundinnen, Sie nach den Fragen zu bewerten, und überprüfen Sie, ob die Ergebnisse ähnlich sind.

---

1. Sie nehmen an der Fernsehshow »Herzblatt« teil, und eine Kandidatin bittet Sie, Ihren Körpertyp zu beschreiben. Was antworten Sie?

a) V-Form

b) Rechteckig

c) Rund

---

2. Ich glaube, ein Mann sollte

a) Hundertprozentig monogam sein

b) Bindungsfähig sein, aber gelegentliche Seitensprünge können eine dauerhafte Beziehung nur weiterbringen

c) Ungebunden sein – offene Beziehungen sind der Trend der Zukunft

---

3. Was würden Frauen sagen, wenn man sie bitten würde, Ihr Hinterteil zu beschreiben?

a) Ausladend

b) Klein und fest

c) Dünn oder flach

---

4. Wie viel Haar haben Sie?

a) Etwa die Hälfte (z.B. Geheimratsecken)

b) Volles Haar

c) Kahl oder rasiert

5. Bitten Sie mehrere Frauen, Ihren Mund zu beschreiben. Wie lautet die Antwort?

a) Glücklich

b) Neutral oder herabgezogen

c) Freundlich / sanft

6. Haben Sie Sinn für Humor?

a) Bei Humor versage ich völlig.

b) Ich kann Mittelpunkt jeder Party sein.

c) Ich muss noch dran arbeiten.

7. Wie würde eine Frau Ihre Augen beschreiben?

a) Distanziert / kalt

b) Witzig / mutwillig

c) Freundlich / sanft

8. Sehen Sie in den Spiegel. Beschreiben Sie Ihr Kinn und Ihre Nase:

a) Durchschnittlich, sie passen irgendwie zum Gesicht

b) Ausgeprägte Nase, markantes Kinn

c) Eher kleine Nase und Kinn

9. Ihre Oberschenkel sind:

a) Muskulös / fest

b) Lang / schlank

c) Rund

10. Ihr Einkommen liegt:

a) Unter dem Durchschnitt, aber ich arbeite lieber Teilzeit

b) Im Durchschnitt für mein Alter und meine Ausbildung

c) Deutlich über dem Durchschnitt

11. Messen Sie Ihren Taillenumfang, teilen Sie die Zentimeterzahl durch Ihren Hüftumfang und multiplizieren Sie das Ganze mit Hundert. Wenn zum Beispiel Ihr Taillenumfang 92 cm beträgt und Ihr Hüftumfang 107 cm, dann ergibt sich daraus ein Quotient von 86 Prozent. Ihr Wert beträgt:

a) 100 Prozent oder mehr

b) 85–95 Prozent

c) Weniger als 85 Prozent

12. Wenn eine Frau mit der Hand über Ihren Bauch streichen würde, was würde sie fühlen?

a) Ein Fass oder den Michelin-Mann

b) Die Stränge fester Bauchmuskeln

c) Eine glatte Oberfläche

13. Ist Größe entscheidend? Ich glaube, dass Frauen denken, die Penisgröße sei:

a) Nicht wichtig

b) Irgendwie schon relevant

c) Sehr wichtig

14. Sie sind zu einer Party eingeladen und haben gehört, dass dort viele Frauen sind, auf die Sie gern Eindruck machen möchten. Was ziehen Sie an?

a) Maßgeschneiderte Hose und Hemd, auf Hochglanz polierte Schuhe

b) Jogginganzug mit Laufschuhen

c) Jeans und Hemd mit lässigen Schuhen

15. Wenn eine Frau durcheinander, traurig oder ängstlich ist:

a) Ist es unwahrscheinlich, dass ich es bemerke

b) Weiß ich es sofort

c) Merke ich es wahrscheinlich, wenn ich ein bisschen mit ihr geredet habe.

16. Ich trage gewöhnlich:

a) Einen Bart

b) Eine frische Rasur

c) Einen Drei-Tage-Bart

17.Wie breit ist Ihr Themen-Spektrum?

a) Ich weiß eine Menge über Menschen, Orte und Dinge.

b) Ich habe eine einigermaßen gute Themen-Streuung.

c) Auf meinem Gebiet bin ich Fachmann.

Ihre Punkte

Frage 1	*Frage 5*	*Frage 9*
A = 7 Punkte	A = 3	A = 5
B = 5 Punkte	B = 1	B = 3
C = 3 Punkte	C = 5	C = 1

Frage 2	*Frage 6*	*Frage 10*
A = 9	A = 1	A = 3
B = 1	B = 9	B = 5
C = 0	C = 4	C = 9

Frage 3	*Frage 7*	*Frage 11*
A = 3	A = 1	A = 3
B = 7	B = 4	B = 7
C = 5	C = 5	C = 5

Frage 4	*Frage 8*	*Frage 12*
A = 3	A = 3	A = 1
B = 5	B = 5	B = 5
C = 4	C = 1	C = 4

Frage 13	Frage 15	Frage 17
A = 5 Punkte	A = 1	A = 9
B = 3 Punkte	B = 9	B = 7
C = 1 Punkt	C = 7	C = 3

Frage 14	Frage 16
A = 5	A = 3
B = 1	B = 4
C = 3	C = 5

Zählen Sie jetzt Ihre Punkte zusammen und sehen Sie, wo Sie in Sachen Sexualität stehen.

90 Punkte oder mehr

Der coole Kater

Wahnsinn! Sie ziehen Frauen bestimmt an wie ein Magnet. Sie senden die richtigen Signale aus, und Sie wissen, wie Sie Ihre Vorzüge betonen, um auf sich aufmerksam zu machen. Achten Sie aber darauf, dass Ihr Aussehen nicht allzu perfekt wirkt, weil Frauen dann vielleicht vermuten, dass es nur Masche ist oder dass Sie zu selbstverliebt sind, und das mögen Frauen überhaupt nicht. Sie wollen keinen selbstgefälligen Mann. Eine Frau möchte auf keinen Fall mit ihrem Partner um den Platz vor dem Spiegel streiten.

47 bis 89 Punkte

Der Schmusekater

Die meisten Männer gehören zu dieser Gruppe. Sie erzielen eine mittelmäßige Wirkung bei dem Versuch, mit dem, was Sie haben, bei den Frauen zu landen. Wenn Sie näher an den 89 Punkten sind, müssen Sie nicht viel tun, um sich zu verbessern. Schauen Sie sich die Fragen an, bei denen Sie nicht so gut abgeschnitten haben, und lesen Sie das nächste Kapitel mit Ratschlägen, wie Sie sich steigern können. Wenn Sie näher an den 47 Punkten liegen, haben Sie die Basis, die Sie brauchen, um hart an einer Verbesserung zu arbeiten. Das nächste Kapitel wird Ihnen zeigen, wie.

Bis zu 46 Punkten

Der streunende Kater

Sie sind zufrieden damit, in den Seitenstraßen herumzustreifen, und glauben wahrscheinlich, dass jeder Mann, der Frauen einem schönen, kalten Bier vorzieht, schwul sein muss. Ihre Kumpel sind Ihnen wichtiger als Frauen. Aber wenn Sie attraktiv für Frauen sein möchten, brauchen Sie Hilfe! Frauen mögen Männer mit einer außergewöhnlichen Persönlichkeit, Männer, die sie zum Lachen bringen, die sensibel auf ihre Bedürfnisse reagieren und die den Ehrgeiz und die Intelligenz haben, es im Leben zu etwas zu bringen. Glücklicherweise können Sie das meiste davon lernen. Denken Sie doch einfach mal daran, wie viel Spaß Sie haben werden, wenn alle Frauen in Ihrem Leben Sie auf einmal mit neuen Augen sehen!

MÄNNLICHER SEXAPPEAL

WAS FRAUEN ANMACHT

1. Athletischer Körperbau

6. Freundliche Augen

7. Ausgeprägte Nase
und markantes
Kinn

11. Drei-Tage-Bart

2. Breite Schultern,
Brust und
muskulöse Arme

3. Kleiner, knackiger
Hintern

4. Volles Haar

5. Sinnlicher
Mund

9. Flacher Bauch

8. Schmale Hüften
und muskulöse
Beine

10. Großer Penis

Zunächst sollte Ihnen bei diesem Kapitel über das, was Frauen sexuell bei Männern anzieht, ins Auge fallen, dass es nur halb so dick ist wie das Kapitel über den Sexappeal der Frau. Wie bereits dargestellt hat sich der Körper der Frau im Laufe der Evolution zu einem sexuellen Signalgerät entwickelt, das den Mann ständig an ihr Potenzial als gesunde, erfolgreiche Trägerin seiner Gene erinnert. Weiblicher Sexappeal ist ein raffinierter, komplexer Prozess, männliche körperliche Anziehungskraft dagegen wirkt sehr viel elementarer und direkter.

Von Anbeginn der Zeiten fühlten sich Frauen vor allem von gesunden, starken Männer angezogen, die Nahrung beschaffen und sie und ihre Kinder beschützen konnten. Die Frau des 21. Jahrhunderts verlangt jedoch etwas mehr als ihre Vorfahrinnen: Sie will auch einen Mann, der ihre emotionalen Bedürfnisse befriedigt. Deshalb hat sich ihr Gehirn so entwickelt, dass sie nach zwei gegensätzlichen Anforderungen Ausschau hält: Härte und Sanftmut.

Härte heißt, dass der erwählte Partner Tugenden zeigen soll, die das bestmögliche genetische Erbe für ihre Nachkommenschaft liefern und ihr eine größere Überlebenschance sichern. Deshalb sucht sie vom Typ her einen harten Kerl wie John Wayne, Russell Crowe oder Bruce Willis. Dieser Charakterzug ist vor allem an der Kör-

persymmetrie eines Mannes erkennbar – an der Art, wie die linke Seite seines Körpers die rechte mit gleich langen Gliedmaßen widerspiegelt. Männer schauen Frauen ganz anders an. Sie achten auf symmetrische Gesichter, nicht so sehr auf symmetrische Körper. Dennoch betrachten beide Geschlechter diese Symmetrien als Indikatoren von Jugendlichkeit und Gesundheit, genauso wie symmetrisch aufgebaute Blüten

Bienen offenbar stärker anziehen, weil sie mehr Nektar haben, und Tiere mit symmetrischem Körperbau länger leben als solche mit asymmetrischem.

DIE KÖRPERSYMMETRIE EINES MANNES IST EINER FRAU WICHTIGER ALS SEINE GESICHTSSYMMETRIE – DESHALB SIND AUCH PROFIBOXER OFT FÜR SCHÖNE FRAUEN ATTRAKTIV.

Bei vielen Tieren und Insekten ist es genauso. Bei den Skorpionsfliegen will sich das Weibchen nur mit Männchen paaren, die symmetrische Flügel haben, da diese Männchen mehr Kraft und bessere Überlebenschancen haben. Diese Widerstandsfähigkeit liegt in den Genen des Männchens und kann zumindest teilweise an die Nachkommenschaft weitergegeben werden. Deshalb ist für Skorpionsfliegen Symmetrie eine Art Gesundheitszeugnis und folglich ein triftiger Grund für Weibchen, gerade diese Männchen als Partner auszuwählen. Bei Menschen allerdings kann die Anziehungskraft symmetrischer, also harter Männer schwanken, je nachdem, in welcher Phase des weiblichen Zyklus sich die Frau gerade befindet.

BEI EINER UNTERSUCHUNG IN SCHOTTLAND STELLTE SICH HERAUS, DASS DIE GESICHTSFORM, DIE EINE FRAU BEI MÄNNERN ATTRAKTIV FINDET, UNTERSCHIEDLICH SEIN KANN, JE NACHDEM, IN WELCHER PHASE DES ZYKLUS SIE SICH GERADE BEFINDET. WÄHREND DES EISPRUNGS FÜHLT SIE SICH VON MÄNNER MIT RAUEN, MÄNNLICHEN GESICHTSZÜGEN ANGEZOGEN. WÄHREND DER MENSTRUATION IST DIE WAHRSCHEINLICHKEIT HÖHER, DASS SIE EINEN MANN MIT WEICHEREN GESICHTSZÜGEN ATTRAKTIV FINDET.

Wenn die Chance, schwanger zu werden, am größten ist (etwa in der Mitte des weiblichen Zyklus), wählt eine Frau eher die Härte eines symmetrischen Mannes für eine kurze Beziehung. Mit anderen Worten, einmal im Monat wäre sie eine Kandidatin für einen One-Night-Stand mit Russell Crowe.

Als langfristige Partner allerdings suchen sich Frauen eher Männer aus, die in die Beziehung und die Kinder investieren werden, unabhängig davon, ob diese Männer symmetrisch sind oder nicht. Wenn es aber nur um ein attraktives Äußeres geht (wie hier in diesem Kapitel), dann spielt die Symmetrie eine herausragende Rolle bei den Auswahlkriterien der Frau. In England haben DNA-Untersuchungen bewiesen, dass 10 Prozent aller ehelich geborenen Kinder nicht die Nachkommen des Ehemannes sind. Ganz offenbar hat die Frau ihn wegen seiner Fürsorglichkeit ausgewählt und sich die guten Gene bei einem anderen Mann besorgt.

Ergebnisse der Wissenschaft

Forschungen in den USA haben gezeigt, dass attraktive Männer 12–14 Prozent mehr verdienen als ihre weniger attraktiven Kollegen (Hammermesh und Biddle). Bedenklicher ist, dass attraktive Individuen auch vor Gericht besser behandelt werden, kürzere Haftstrafen und niedrigere Geldstrafen bekommen (Castellow, Wuensch und Moore, 1990, und Downs und Lyons, 1990). In Pennsylvania wurde die Attraktivität von 74 männlichen Angeklagten untersucht, bevor ihre Kriminalprozesse begannen, und es stellte sich heraus, dass attraktive Angeklagte nicht nur die leichteren Strafen erhielten, sondern auch nur halb so oft ins Gefängnis mussten wie unattraktive. Dies erklärt auch ganz nebenbei, warum die hübschesten Betrüger auch die besten sind.

Eine Untersuchung zum Schadensersatz bei einer inszenierten Gerichtsverhandlung wegen Fahrlässigkeit ergab, dass das Opfer eine durchschnittliche Kompensation von 5623 Dollar erhielt, wenn der Angeklagte besser aussah als das Opfer. Wenn das Opfer jedoch attraktiver war, erhielt es eine Kompensation von 10 051 Dollar (Kulka und Kessler, 1978). Wenn alle im Gerichtssaal die Augen verbunden bekamen und die Angeklagten nicht sehen konnten, fielen die Ergebnisse signifikant anders aus. Das mag entmutigend klingen, aber positiv daran ist, dass wenigstens jeder die Chance hat, sein Aussehen zu verbessern. Jeder Mensch kann eine bewusste Entscheidung treffen und seine Attraktivität für andere erhöhen. Für Männer heißt das, dass die sexuellen Reaktionen von Frauen visuell von bestimmten Aspekten des männlichen Körpers ausgelöst werden. Hier sind sie, nach Priorität geordnet.

Was Frauen anmacht

1. Athletischer Körperbau
2. Breite Schultern, Brust und muskulöse Arme
3. Kleiner, knackiger Hintern
4. Volles Haar
5. Sinnlicher Mund
6. Freundliche Augen
7. Ausgeprägte Nase und markantes Kinn
8. Schmale Hüften, muskulöse Beine
9. Flacher Bauch
10. Großer Penis
11. Drei-Tage-Bart

Sexueller Reiz Nummer 1: Athletischer Körperbau

Ganz oben auf der Attraktivitätsliste von Frauen steht ein Mann mit einem athletisch aussehenden, V-förmigen Körper. Ein starker, athletischer Körper ist Zeichen guter Gesundheit und signalisiert das Potenzial, erfolgreich Fleisch heranzuschaffen und Feinde abzuwehren. Selbst in unserer Zeit angeblicher Geschlechtergleichheit, in der ein hüpfender Bizeps und eine breite Brust nur noch wenig praktischen Nutzen haben, stimulieren diese Signale das weibliche Gehirn, wenn es um die Bewertung passender Partner geht. Die V-Form spricht eine Frau auch an, weil sie so ganz anders ist als ihre Körperform; sie hat eine umgedrehte V-Form. Überall, wo sie weiche Kurven hat, hat der Männerkörper üblicherweise harte Kanten, und gerade dieser Unterschied macht die Attraktivität aus.

Sexueller Reiz Nummer 2:
Breite Schultern und Brust, muskulöse Arme

Der Oberkörper des jagenden männlichen Wesens ist breit und verjüngt sich zu den schmalen Hüften hin, während der weibliche Körper an den Schultern schmaler und an den Hüften breiter ist. Männer entwickelten diese Form, um schwere Speere über große Entfernungen zu werfen und ihre Beute nach Hause zu tragen. Breite Schultern sind ein maskuliner Reiz, der oft von Frauen nachgeahmt wird, die sich selbst behaupten wollen. Deshalb stützen sie die Hände auf die Hüften, um breiter in den Schultern zu wirken und mehr Platz einzunehmen. Frauen, die in ihrer Berufskleidung Schulterpolster tragen, gelten als durchsetzungsfähiger – das entspricht dem Status, den Epauletten einem Offizier verleihen. Der männliche Brustkorb entwickelte sich, um große Lungen zu beherbergen, die wiederum eine wirkungsvolle Verteilung des Sauerstoffs gewährleisten sollten, damit der Mann bei der Verfolgung des Wildes tiefer atmen konnte. Je größer sein Brustkorb, desto mehr Respekt und Macht forderte er ein. Wenn moderne Männer etwas leisten, dann »schwillt ihnen vor Stolz die Brust«, und männliche Teenager setzen einen gut gebauten Oberkörper noch immer mit Männlichkeit gleich.

Männer haben längere Unterarme als Frauen und können deshalb besser zielen und werfen, sind also die besseren Wildbeuter. Die behaarten Achselhöhlen von Männern sind immer ein starker Ausdruck von Männlichkeit gewesen. Das Achselhaar dient dazu, Gerüche aus den Schweißdrüsen festzuhalten, die ein nach Moschus riechendes Pheromon absondern, um das weibliche Gehirn sexuell zu stimulieren. Brust- und Schamhaare erfüllen dieselbe Funktion.

Frauen fühlen sich von einem gut durchgeformten männlichen Oberkörper sicher angezogen, aber die meisten mögen den »Muskelmann«-Bodybuildertyp nicht, weil sie das Gefühl haben, dass ein solcher Mann sich wahrscheinlich viel mehr für seine Schönheit interessiert als für ihre. Ein fittes, gesundes Aussehen macht sie an; der Arnold-Schwarzenegger-Typ stößt sie eher ab.

Auch die männliche Brust trägt die weibliche Stillausrüstung – Brustwarzen und Milchdrüsen –, weil die Erstausstattung des Menschen ihrer Struktur nach weiblich ist und deshalb auch männliche Kinder damit zur Welt kommen. Männliche Brustwarzen rangieren bei der Anziehungskraft unter ferner liefen, sind aber beim Sexspiel durchaus wichtig. Es gibt Tausende von bezeugten Fällen, in denen Männer in extremen Notlagen Milch zum Stillen produziert haben, wie etwa bei Mangelsituationen in den Konzentrationslagern des Zweiten Weltkriegs. Weil Männer diese weibliche Ausstattung immer noch mit sich herumtragen, ist jeder fünfzigste Brustkrebspatient ein Mann, und sie sterben schneller an dieser Krankheit als Frauen. Man hört selten davon, weil Männern, bei denen Brustkrebs diagnostiziert wurde, diese so typisch weibliche Krankheit zutiefst peinlich ist und sie nicht darüber reden.

Sexueller Reiz Nummer 3: Kleiner, knackiger Hintern

Affenmännchen haben keinen vorspringenden, halbkreisförmigen Hintern – das ist den Menschen vorbehalten. Als wir lernten, auf zwei Beinen zu gehen, wuchsen die Gesäßmuskeln dramatisch, um die Balance bei aufrechter Haltung zu verbessern. Der Hintern war immer gleichzeitig Gegenstand vieler Witze und großer Geringschätzung. Dreiundzwanzig Prozent aller Fotokopierer-Störungen weltweit werden von Menschen verursacht, die sich auf die

Glasplatte setzen, um ihren Hintern zu fotokopieren. Warum also sind viele Frauen so interessiert an männlichen Hinterteilen, wollen sie am liebsten tätscheln, wenn ihre Besitzer vorbeigehen, und bewundern gern Bilder von Männern mit knackigem Po? Ein kleiner, fester Hintern ist bei Frauen überall auf der Welt gern gesehen, aber nur wenige verstehen, warum er eine so magnetische Anziehungskraft besitzt.

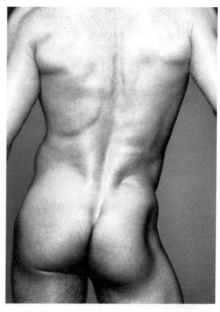

Das Geheimnis liegt darin, dass ein festes, muskulöses Hinterteil notwendig ist, um die starke, vorwärts stoßende Bewegung beim Sex auszuführen. Ein Mann mit einem fetten oder schlabbrigen Hintern hat Schwierigkeiten mit dieser Vorwärtsbewegung und wirft oft sein ganzes Körpergewicht in den Stoß. Für eine Frau ist das ganz und gar nicht ideal, da das Gewicht des Mannes ihr unbequem sein kann und Schwierigkeiten beim Atmen verursacht. Ein Mann mit einem kleinen, knackigen Po dagegen macht seine Sache vermutlich besser.

EIN KLEINER, KNACKIGER PO VERSPRICHT EINE
GRÖSSERE CHANCE AUF EMPFÄNGNIS.

Schläge auf den nackten Hintern sind lange eine bevorzugte Sexpraktik von Sadisten und Masochisten gewesen, und viele Männer und Frauen finden nicht allzu feste Hiebe sexuell erregend. Die Rötung des Hinterns signalisiert den Zustand sexueller Erregung einer Frau, und die verstärkte Stimulierung der vielen Nervenenden im Hinterteil setzt sich in den Genitalien fort. Mit anderen Worten: Wenn eine Frau einem Mann einen Klaps auf den Po gibt, fordert sie ihn im Grunde zu einer Erektion auf.

Sexueller Reiz Nummer 4: Volles Haar

Historisch gesehen galt das Kopfhaar immer als ein Kennzeichen roher männlicher Macht. Im Mittelalter glaubte man, dass Haar magische Kräfte besitze – abgeschnittene Locken wurden im Medaillon an der Brust des oder der Geliebten aufbewahrt oder in religiösen Zeremonien benutzt. Bei den Mönchen galt es als ein Zeichen der Demut vor Gott, dass sie sich eine Tonsur rasierten. Als Samson sein Haar verlor, verlor er auch seine legendäre Kraft. Volles Haar stand immer für männliche Stärke und Macht, und darin liegt noch heute seine Anziehungskraft.

Etwa 50 Prozent der Frauen legen großen Wert darauf, dass ein Mann volles Haar hat. Für die anderen 50 Prozent ist es nicht ganz so wichtig, viele finden auch Glatzen oder kahl geschorene Köpfe attraktiv.

Die männliche Kahlköpfigkeit ist erblich bedingt und wird durch eine Überproduktion an männlichen Hormonen hervorgerufen. Diese Hormone überfluten das System und schalten bestimmte Haarpapillen, vor allem oben auf dem Kopf, aus.

Wegen ihres höheren Hormonspiegels sind kahle Männer üblicherweise aggressiver und sexuell aktiver als ihre Brüder mit vollem Haar, und deshalb gilt Kahlköpfigkeit als Kennzeichen starker Männlichkeit. Das maskuline Signal, das von einer Glatze ausgeht, betont einen Unterschied zwischen den Geschlechtern und wirkt auf viele Frauen erregend.

FÜR MANCHE IST ES EINFACH EIN KAHLER KOPF. FÜR ANDERE IST ES EINE SOLARZELLE FÜR EINE SEX-MASCHINE.

Wir haben ein Experiment mit Bildern männlicher Köpfe durchgeführt, die durch Computerbearbeitung verschiedene Grade von Kahlheit aufwiesen. Versuchspersonen sollten ihre ersten Eindrücke von diesen Männern in einer Geschäftsumgebung formulieren. Dabei stellten wir fest, dass der Mann, je glatzköpfiger er wurde, umso mehr Macht und Erfolg zugesprochen bekam. Die Menschen setzen einem Kahlköpfigen offenbar auch weniger Widerstand entgegen, wenn er seine Autorität geltend macht. Die Männer mit Haar auf dem Kopf dagegen gelten als nicht so mächtig und nicht so gut bezahlt. Eine Glatze ist also ein sichtbares Zeichen für einen Testosteronüberschuss. Viele Männer machen sich Sorgen über ihre schon vorhandene oder bevorstehende Kahlköpfigkeit und sind frustriert, weil man wenig dagegen tun kann – der einzig sichere Weg, Kahlköpfigkeit zu vermeiden, ist die Kastration vor der Pubertät, und das ist nun wirklich nicht empfehlenswert. Aber sie sollten sich darüber im Klaren sein, dass eine größere Aura von Macht und Sexualität eine eindeutige Begleiterscheinung der Glatze ist.

Bei der Recherche für unseren Bestseller *The Ultimate Book of Rude and Politically Incorrect Jokes* stellten wir fest, dass nur Männer Witze über Glatzköpfe erzählen; bei Frauen sind solche Witze nicht sonderlich beliebt. Das liegt einerseits daran, dass Frauen vielleicht mit den erkahlten Männern Mitleid haben, andererseits vielleicht auch daran, dass ein kahler Kopf ein Zeichen von Männlichkeit ist. Viele Frauen sehen ihn also gar nicht als Schwäche, über die man Witze reißen sollte, ganz im Gegenteil. Sie finden ihn anregend und küssen oder streicheln den haarlosen Schädel des Mannes.

Sexuelle Reize Nummer 5 und 6:
Sinnlicher Mund und freundliche Augen

Wenn ein Mann die Lippen oder Augen einer Frau beschreibt, dann benutzt er Worte wie feucht, sexy, süß, einladend, voll und erotisch. Wenn eine Frau ausdrücken will, dass ein Mann einen sinnlichen Mund oder freundliche Augen hat, dann benutzt sie Worte wie fürsorglich, sensibel, verständnisvoll, schützend, liebevoll. Diese Ausdrücke sind allerdings nicht wörtlich gemeint, sie beschreiben nicht das Aussehen der Gesichtszüge. Eine Frau benutzt sie, um zu beschreiben, wie sie die *innere Einstellung* des Mannes wahrnimmt. Dies ist ein weiterer Beleg für die Unterschiede zwischen den Geschlechtern: Männer sehen die Gesichtszüge an sich, während Frauen hinter dem Äußeren nach dem Gefühl suchen.

Das weibliche Auge zeigt mehr Weißes als das männliche, weil das weibliche Gehirn als Werkzeug zur Kommunikation im Nahbereich organisiert ist. Das Weiße des Auges ist eine Hilfe bei der direkten Kommunikation von Angesicht zu Angesicht, da man an ihm die Blickrichtung des Gesprächspartners ablesen kann, was wiederum einen Hinweis auf seine Gesprächshaltung gibt. Die meisten anderen Tiere zeigen wenig oder kein Augenweiß, weil sie stattdessen die Körpersignale anderer Tiere über weitere Entfernungen hinweg beobachten. Eine Frau wird übrigens Männer mit dunkleren Augen vorziehen, weil helle Augen kindlich wirken.

Sexueller Reiz Nummer 7:
Ausgeprägte Nase und markantes Kinn

Ausgeprägte Nase, Kinn und Augenbrauen entwickelten sich beim Mann, um ihn beim Kampf oder bei der Jagd vor Schlägen ins Gesicht zu schützen, und sie sind deutliche Zeichen von Männlichkeit geblieben. Männchen mit hohem Testosteronspiegel haben ausgeprägtere, vorspringendere Kiefer als Männchen mit wenig Testosteron im Blut, und das Vorschieben des Kinns gilt als Trotzgeste.

Das Ziegenbärtchen vergrößert das Kinn in der Wahrnehmung, so dass ein Mann aussieht, als könne er »im Boxring einstecken«. Leider wird der Ziegenbart aber auch oft mit dem Teufel assoziiert, so dass der Mann Schwierigkeiten haben kann, in seinem Job Anerkennung und Vertrauen zu gewinnen. Das Kinn nach hinten zu ziehen, wird als Angst interpretiert und ist bei Frauen nicht beliebt.

Seit römischer Zeit ist die Größe der Nase mit der Größe des Penis gleichgesetzt worden, aber sehr zu Pinocchios Enttäuschung bestätigt die Forschung diesen Mythos nicht. Mit dem Penis hat die Nase nur gemein, dass sie vorn am Körper herausragt. Man hat allerdings festgestellt, dass die Nase des Mannes bei sexueller Erregung durch eine erhöhte Blutzufuhr anschwillt und bis zu sechs Grad wärmer wird – genau wie sein Penis.

Sexueller Reiz Nummer 8:
Schmale Hüften und muskulöse Beine

Die starken, festen männlichen Beine sind die längsten aller Primaten, und seine schmalen Hüften erlauben dem Mann, geschmeidig lange Strecken zu laufen, um Wild zu jagen.

Die breiten Hüften der Frau machen vielen Frauen Schwierigkeiten beim Laufen, da ihre Unterschenkel und Füße sich oft nach außen drehen, um das Körpergewicht auszubalancieren. Der führende amerikanische Neurobiologe Devendra Singh stell-

te fest, dass Frauen männliche Hüften bei einem Verhältnis von 90 Prozent zwischen Hüfte und Taille am ansprechendsten finden – das gleiche Verhältnis, das auch »weibliche« Lesbierinnen bei »männlichen« Lesbierinnen bevorzugen. Die Beine von Männern sind für Frauen allerdings nur als Symbole männlicher Kraft und Ausdauer attraktiv.

Sexueller Reiz Nummer 9: Flacher Bauch

In früheren Zeiten waren Nahrungsmittel meist knapp, und ein dicker Bauch war ein Statussymbol, weil sein Besitzer reich genug war, so viel zu essen, wie er wollte.

In der heutigen westlichen Gesellschaft, in der Nahrungsmittel im Überfluss vorhanden sind, gilt ein vorstehender Schmerbauch als Folge von Maßlosigkeit und mangelndem Gesundheitsbewusstsein. Gut geformte Bauchmuskeln waren nie ein wesentliches Merkmal der bewunderten männlichen Anatomie. Sie sind ein Produkt der Gesundheitsklubs und Ausstatter von Fitness-Studios, die uns verzweifelt einzureden versuchen, dass wir ohne gut sichtbare Bauchmuskelstränge nicht leben können. Herkules und He-Man sind so ziemlich die einzigen Helden, die je mit so etwas protzen konnten – Superman und Batman waren auch ohne nicht zu schlagen. Natürlich schoben sie keinen Bierbauch vor sich her, aber wie ein Waschbrett sah er eigentlich auch nie aus.

Sexueller Reiz Nummer 10:
Großer Penis

Das menschliche Männchen hat den größten Penis aller Primaten. Jahrtausendelang wurde die Länge des Penis mit Stärke und Potenz assoziiert, aber das ist eigentlich eher Mythos als Realität. Einmal abgesehen vom digital vergrößerten Frauenbeglücker, den man überall im Internet findet, maß der längste offiziell gemessene Penis 35,5 Zentimeter, und es gibt keine Relation zwischen Körpergröße, Nasenlänge, Schuhgröße und Penislänge. Der durchschnittliche männliche erigierte Penis ist 14 Zentimeter, der Vaginalkanal der meisten Frauen 9 Zentimeter lang, wobei die ersten 5 Zentimeter bis etwa zum G-Punkt am empfindlichsten sind. In Wirklichkeit kann ein Mann mit einem 7,5 Zentimeter langen erigierten Penis bessere Dienste tun als ein Mann mit einem 18-Zentimeter-Teil, da der kürzere genauer die richtigen sensiblen Stellen stimuliert. Frauen, die von der Länge eines Penis erregt werden, reagieren eher auf die angebliche männliche Kraft des Organs als auf seine tatsächlichen körperlichen Leistungen.

Frauen in einer glücklichen Beziehung denken selten überhaupt über Penislängen nach, doch bei einem bitteren Bruch der Beziehung werfen sie ihrem Partner vielleicht aus Rache vor, er sei von der Natur nicht gerade übermäßig bedacht worden.

DER JUNGE MANN HATTE ANGST VOR DEM ERSTEN MAL, WEIL ER MEINTE, SEIN PENIS SEI ZU KLEIN. SCHLIESSLICH WURDE IHM KLAR, DASS ER ES NICHT LÄNGER HINAUSSCHIEBEN KONNTE, UND NERVÖS LUD ER SEINE FREUNDIN ZU SICH NACH HAUSE EIN. ZÖGERND BEGANN ER SICH AUSZUZIEHEN, DANN DREHTE ER DAS LICHT HERUNTER. VORSICHTIG BEGANN ER SIE AUSZUZIEHEN UND ZU STREICHELN. NERVÖS LEGTE ER IHR SCHLIESSLICH SEINEN ERIGIERTEN PENIS IN DIE HAND UND HOFFTE, DASS SIE SEINE GRÖSSE NICHT WAHRNEHMEN WÜRDE. »NEIN DANKE«, SAGTE SIE, »ICH RAUCHE NICHT.«

Die Evolution hat die Frauen nicht darauf programmiert, vom Anblick der männlichen Genitalien sexuell erregt zu werden, ganz im Gegensatz zu Männern, die nackte Frauen betrachten. Pornozeitschriften für Männer zeigen Frauen mit gespreizten Beinen, stehend oder liegend, mit Ansichten von vorn und hinten, während die Versuche, pornografische Bilder von Männern an die Frau zu bringen, immer wieder gescheitert sind. Erfolgreich sind sie nur bei schwulen Lesern.

WENN EIN MANN EINE NACKTE FRAU SIEHT, VERSCHLÄGT ES IHM DIE SPRACHE. WENN EINE FRAU EINEN NACKTEN MANN SIEHT, BRICHT SIE MEIST IN SCHALLENDES GELÄCHTER AUS.

Offenbar rangiert die Penislänge des Mannes auf Platz 10 auf der Prioritätenliste, weil er historisch mit männlicher Macht gleichgesetzt wird – je größer das Organ, desto größer der Respekt, den der Besitzer vermutlich bei anderen Männern genießt. In Neuguinea

stecken Männer ihren Penis in ein ein Meter langes Penisfutteral, das sie mit einem Band um den Hals stützen, und paradieren damit in den Dörfern herum.

Eingeborene in Neuguinea mit zeremoniellem Penisfutteral und Männer mit Speedo-Badehose. Unterschiedlicher Ansatz, gleiche Botschaft.

Westliche Männer ahmten dieses Gehabe mit Penis betonenden Badehosen nach. Keine modische Verirrung einer Frau kann jemals mit der Speedo-Badehose der Männer konkurrieren.

Sexueller Reiz Nummer 11: Drei-Tage-Bart

Was stimmt nicht in diesem Bild?

Männer sind die einzigen Primaten, denen im Gesicht deutlich längeres Haar wächst als am Rest des Körpers. Affen haben ein Fell von gleicher Länge überall am Körper. Sie werden nie einen Affen mit Vollbart sehen, und auch Cheetah hatte keinen Knebelbart. Die männlichen Hormone sorgen für den starken Haarwuchs im Gesicht. Je höher der Testosteronspiegel eines Mannes am jeweiligen Tag, desto schneller wächst der Bart. Deshalb dient der Drei-Tage-Bart als ein deutlich sichtbares Zeichen von Männlichkeit, besonders wirkungsvoll eingesetzt von Männern, die sonst vielleicht eher jungenhaft auf Frauen wirken. Die meisten Frauen würden zum Beispiel zustimmen, dass Tom Cruise mit ein paar Stoppeln am Kinn bedeutend attraktiver aussieht als glatt rasiert. Stress und Krankheit unterdrücken das Testosteron, weshalb ein kranker oder angespannter Mann sich nicht so oft rasieren muss. Der Mann dagegen, der schon mittags einen 5-Uhr-Schatten hat, erweckt den Eindruck, er sei ganz wild auf Sex.

Tom Cruise im
Macho-Drei-Tage-Bart-Look.

Was Frauen auf lange Sicht bevorzugen

Hier sind die Umfrageergebnisse dazu, wonach Frauen bei einem Mann suchen

1. Persönlichkeit
2. Humor
3. Einfühlungsvermögen
4. Köpfchen
5. Guter Körperbau

Männer haben zwei Listen: eine für den ersten Eindruck und eine für die Lebenspartnerin, Frauen dagegen haben immer nur eine Liste. Sie wollen einen fürsorglichen, intelligenten, humorvollen, loyalen und verständnisvollen Mann, während Männer das Aussehen bewerten.

Wenn ein Mann einen tollen Körper hat, dann betrachtet sie dies als Bonus, aber dieser Punkt rangiert – abgesehen von den ein oder zwei Tagen, an denen Russell Crowe ganz oben auf ihrer Liste steht – unter ferner liefen.

Anders als der Mann benutzt sie das Aussehen und das gepflegte Auftreten eines Mannes nicht als Maßstab für die Gefühle, die er ihr entgegenbringt. Stattdessen misst sie seine Liebe daran, wie er sie behandelt.

Wenn ein Mann seine Kleidung vernachlässigt oder allmählich einen Schmerbauch entwickelt, den sie eigentlich nicht mag, dann ist das für die Frau selten ein großes Problem. Dieser fundamentale Unterschied zwischen Männern und Frauen verursacht viele Enttäuschungen und Missverständnisse auf beiden Seiten. Frauen müssen verstehen, dass ihr Aussehen für einen Mann wichtig ist und ihre Beziehung ernsthaft beeinflussen kann. Männer müssen lernen, dass eine Frau die Intensität ihrer Beziehung danach bemisst, wie er sich ihr gegenüber verhält.

EINE FRAU WILL EINEN MANN, DER WEICH, FÜRSORGLICH, VERSTÄNDNISVOLL IST UND KOMMUNIZIERT, DABEI ABER STARK, RAU UND MÄNNLICH WIRKT. ABER SIE KRIEGT IHN NICHT, WEIL ER SEINEN FREUND LIEBT.

Meinungsumfragen und Untersuchungen zeigen immer wieder, wie wichtig Männern die körperliche Attraktivität einer Frau ist, besonders beim ersten Kennenlernen, bei dem er ihr Aussehen in weniger als zehn Sekunden bewertet. Für die langfristige und dauerhafte Partnerwahl dagegen benutzt er eine andere Werteskala. Eine Frau hat es gern, wenn ihr Mann gut aussieht, aber die Körperform und das Aussehen sind nicht entscheidend für seinen beruflichen Erfolg oder seinen sozialen Status, es sind nur zusätzliche Extras. Wie sonst könnte man Gérard Depardieus Erfolg erklären? Frauen verwenden bei der Partnerwahl von Anfang bis Ende dieselbe Liste. Wenn ein Mann eine Frau zum Lachen bringen kann, eine Antenne für ihre Bedürfnisse hat, über eine breite Themenpalette reden kann, Ziele im Leben hat und begeistert heterosexuell ist, wird er immer eine Verabredung haben.

Lösung

Um als Mann attraktiver zu werden, müssen Sie zuerst an Ihren Kommunikations- und Beziehungsfähigkeiten arbeiten. In überall angebotenen Seminaren können Sie lernen, wie Sie zu einem guten Kommunikator werden, wie Sie Freunde gewinnen, Menschen beeinflussen und Ihren Sinn für Humor entwickeln. Wie Sie an der Liste ablesen können, lieben Frauen Männer, die sie zum Lachen bringen. Kaufen Sie Bücher, die Ihnen zeigen, wie Frauen denken und fühlen. Wir empfehlen unser Buch *Warum Männer nicht zuhören und Frauen schlecht einparken* (Ullstein) und *Männer. Was jede Frau wissen sollte* von Barbara De Angelis als herausragende

Handbücher. Dann überwinden Sie Ihre Bequemlichkeit und bemühen Sie sich um einen besseren Job. Frauen fühlen sich von Männern angezogen, die zeigen, dass sie vorankommen und ihre Position im Leben verbessern wollen. Selbst eine finanziell unabhängige Frau findet einen Mann attraktiv, der sich als guter Beschützer und Versorger profiliert. Auch wenn seine Ressourcen sie vielleicht nicht so interessieren, ist ihr Gehirn doch so ausgelegt, dass ein solcher Mann sie beeindruckt. Er muss nicht Donald Trump sein, er muss nur Pläne und Ziele haben und sie auch wirklich verfolgen. Belegen Sie einen Volkshochschulkurs, um Ihr Allgemeinwissen zu verbessern. So können Sie mit Frauen über eine große Palette von Themen reden. Männer haben Frauen jahrtausendelang mit Nahrungsmitteln beliefert, also lernen Sie kochen – das stimuliert einen primitiven Teil des weiblichen Gehirns. Tanzen war immer eine weibliche Form des Vorspiels, also nehmen Sie so schnell wie möglich Tanzstunden. Ein Mann, der kochen und tanzen kann (nicht notwendigerweise beides gleichzeitig) gehört sicher zu den beliebtesten Männern der Stadt.

MAN KANN IMMER PROBLEMLOS SAGEN, WANN EIN MANN SEIN BESTES JAHR HATTE. SEIN HAARSCHNITT VERRÄT ES.

Und schließlich gehen Sie in ein Fitness-Studio und bringen Sie sich in Form. Ändern Sie ihren Haarschnitt mindestens alle drei Jahre. Die Frisur und die Bartform eines Mannes haben sich oft in dem Jahr zum letzten Mal geändert, in dem er sich am besten gefühlt hat, und das ist meist so um die Zwanzig.
Es gibt heute keinen Grund mehr für einen Mann, Dinge, die er vom Leben erwartet, nicht zu haben oder zu tun, es gibt allenfalls faule Ausreden. Jammern Sie nicht – packen Sie es an!

»Macht mich das Kleid dick?«

Warum Männer lügen

Frauen – wandelnde Radarstationen

Ein Mann unterzieht sich dem ultimativen Test am Lügendetektor.

Ihr neuer Freund schwört Ihnen, er sei über seine Ex hinweg, aber Sie wissen, dass er im Büro in seinem Schreibtisch ein Bild von ihr liegen hat. Ihr weiblicher Instinkt sagt Ihnen, dass etwas nicht stimmt, aber Sie können nicht genau sagen, was.

Ihre neue Freundin kam gestern Abend nicht wie versprochen vorbei. Sie sagt, ihr oder ihrem Hund oder ihrer Mutter sei nicht gut gewesen. Aber Sie wissen, dass sie nie krank wird, ihre Mutter tot ist und sie keinen Hund hat. Sie sind misstrauisch. Werden Sie angelogen?

Lüge, *Substantiv:* Handlung, bei der eine Person eine andere bewusst täuscht.

Wer lügt?

Jeder lügt. Am meisten wird gelogen, wenn man einander zum ersten Mal begegnet, weil sich dann jeder im besten Licht präsentieren will. Die meisten Lügen sind harmlose Lügen. Sie ermöglichen es uns, ohne Gewalt und Aggressionen zu leben, denn oft wollen wir lieber eine beschönigte Version der Wahrheit hören als die harten, kalten Fakten. Wenn man eine extrem lange Nase hat, möchte man nicht die Wahrheit wissen – man hört lieber, dass die Nase normal aussieht, andere sie gar nicht bemerken oder sie im Verhältnis zum Gesicht die richtige Größe hat.

SAG IMMER DIE WAHRHEIT – UND DANN HAU AB.
SPRICHWORT

Wenn Sie jedem, dem Sie letzte Woche begegnet sind, die reine Wahrheit gesagt hätten, wo wären Sie dann jetzt? Im Krankenhaus? Oder vielleicht im Gefängnis? Wenn Sie genau das ausgesprochen hätten, was Ihnen durch den Kopf gegangen wäre, wie hätte Ihr Gegenüber wohl reagiert? Eines ist sicher: Sie hätten keine Freunde mehr und wären wahrscheinlich arbeitslos. Stellen Sie sich folgendes Gespräch vor:

»Hallo Maria. Du siehst unmöglich aus. Warum trägst du mit deinem Hängebusen keinen BH?«
»Hallo Adam. Du solltest mit diesen ekligen Pickeln im Gesicht wirklich mal zum Hautarzt gehen. Du lässt dich furchtbar gehen. Warum schneidest du dir nicht die Nasenhaare?«
»Das ist wirklich ein schönes neues Auto, Michelle. Deine zwei ungezogenen Gören werden es in Nullkommanichts demolieren. Als Mutter bist du eine absolute Versagerin.«

In den Beispielen wurde die Wahrheit gesagt. Die Lügen hätten gelautet:
»Hallo Maria, du siehst toll aus.«
»Hallo Adam, du alter Herzensbrecher.«
»Du bist so eine gute Mutter, Michelle.«

Wann haben Sie das letzte Mal gelogen? Vielleicht haben Sie ja auch gar nicht richtig gelogen, sondern nur zugelassen, dass jemand anhand dessen, was Sie gemacht oder auch nicht gesagt haben, eine falsche Schlussfolgerung zog. Oder Sie haben nur ein bisschen geschwindelt, um die Gefühle des anderen nicht zu verletzen. Möglicherweise war es nur eine harmlose kleine Lüge – Sie sagten, dass Sie den Haarschnitt, die Einrichtung oder den neuen Partner eines Menschen mögen, obwohl es gar nicht stimmt. Oder Sie wollten nicht die Überbringerin der schlechten Nachricht sein. Vielleicht haben Sie auch bei einem Kreditgespräch oder Vorstellungsgespräch ein bisschen übertrieben, um sich selbst besser darzustellen. Wenn Sie Ihr Auto verkaufen, vergessen Sie möglicherweise zu erwähnen, dass der Motor ständig Öl verliert, und erklären nur, das Auto sei in einem guten Zustand. Als Sie Ihr Haus zum Verkauf ausschrieben, vergaßen Sie zu sagen, dass es direkt in einer Einflugschneise liegt. Vielleicht färben Sie Ihr Haar, um sieben Jahre jünger auszusehen, oder Sie kämmen die wenigen noch verbliebenen Strähnen über Ihre kahle Stelle und hoffen, Sie könnten immer noch volles Haar vortäuschen. Haben Sie je hohe Absätze getragen, damit Ihre Beine länger wirken, Schulterpolster, um imposanter zu wirken, Make-up oder künstliche Fingernägel benutzt? Haben Sie über Ihr Alter oder Ihr Gewicht die Unwahrheit gesagt? Wir belügen einander ständig. Eltern lügen ihren Kindern über Sex etwas vor, und Teenager belügen ihre Eltern über ihr Sexualleben. Egal wie Sie es nennen – es sind Lügen.

> NUR FEINDE SAGEN DIE WAHRHEIT. FREUNDE UND
> GELIEBTE MENSCHEN SIND GEFANGEN IM NETZ
> DER VERPFLICHTUNGEN UND LÜGEN UNAUFHÖRLICH.
> STEPHEN KING

Wir lügen aus zwei Gründen – um einen Vorteil zu erlangen oder Schmerzen zu vermeiden. Glücklicherweise empfinden die meisten Menschen Schuld, Reue oder Unbehagen, wenn sie lügen, und können das kaum verbergen. Daran können andere Menschen erkennen, ob man sie belügt oder ihnen die Wahrheit sagt. Mit ein wenig Übung erkennt man leicht die Signale im Verhalten und lernt, wie man sie entschlüsselt.

Fallbeispiel: Die Geschichte von Sheelagh und Dennis

Sheelagh wurde von Dennis zum Abendessen zu sich nach Hause eingeladen. Sorgfältig überlegte sie, was sie anziehen könnte, um ihn zu beeindrucken. Nachmittags ging sie zum Frisör und ließ sich Strähnchen machen, sie schminkte sich, zog das sexy Kleid an, das ihre Figur zur Geltung brachte, schlüpfte in Schuhe mit hohen Absätzen, steckte sich Ohrringe an und tupfte sich einige Tropfen teures französisches Parfüm hinter die Ohren. Als sie bei Dennis ankam, war sie von seinen Vorbereitungen für den Abend beeindruckt. Er hatte das Licht gedämpft, sanfte Musik aufgelegt und ein Feuer im Kamin gemacht. Im Esszimmer überreichte er ihr einen wunderschönen Blumenstrauß und führte sie zu dem mit Kerzen geschmückten Tisch, wo er ihr ein Glas Champagner einschenkte. Während sie alles genießerisch in sich aufnahm, fiel ihr auf, dass er das Aftershave benutzt hatte, das sie besonders gerne mochte. All ihre Sinne waren stimuliert. Die beiden plauderten locker über ihre Arbeit und die Ereignisse des Tages. Dennis hörte aufmerksam zu, lächelte, blickte ihr in die Augen und ermutigte sie zu erzählen. Sheelagh war völlig überwältigt von seiner aufmerksamen und einfühlsamen Art – er war so anders als die Männer, mit denen sie bisher ausgegangen war. Sheelagh nahm an, dass er genauso empfand.

Höflich ausgedrückt bezeichnet man dieses Szenario als ein romantisches Candle-Light-Dinner. In Wirklichkeit ist es jedoch ein Geflecht von Lügen und Täuschungen, mit dem beide Seiten nur auf ihren Vorteil aus sind. Dennis will lediglich Sheelagh beeindrucken. Champagner, gedämpftes Licht und sanfte Musik gehören nicht zu seinem alltäglichen Lebensstil, und sein Lieblingsthema ist eigentlich Sport. Das ganze Arrangement ist sorgfältig ausgetüftelt. Dennis will Sex. Wilden, ungestümen Sex. Er ist erfahren genug, um zu wissen, dass er mit dieser Show eine erheblich größere Chance hat.
Sheelagh lügt jedoch genauso wie Dennis. Sie hat sich nur schön gemacht, um Dennis anzumachen und seinen Testosteronspiegel zu heben. Bewusst hat sie die sexuellen Reize eingesetzt, die wir in Kapitel 9 besprochen haben, weil sie seine Aufmerksamkeit wecken will. Alles, was die beiden an jenem Abend sagten und taten, hatte ihren persönlichen Vorteil zum Ziel. Kurz gesagt, der ganze Abend basierte auf Lügen und Täuschungen. Hätte man die beiden jedoch mit dieser Behauptung konfrontiert, hätten sie das bestimmt empört bestritten.

Formen der Lüge

Es gibt vier Formen der Lüge – die harmlose Lüge, die wohlmeinende Lüge, die böswillige Lüge und die täuschende Lüge. Wie bereits erwähnt, ist die harmlose Lüge Teil unseres Sozialverhaltens und verhindert, dass wir einander mit der kalten, harten und schmerzlichen Wahrheit verletzen oder beleidigen. Die wohlmeinende Lüge wird von jemandem benutzt, der damit anderen helfen will. Wenn zum Beispiel ein Bauer, der Juden vor den Nazis versteckte, log, gilt das heute als heroische Tat. Der Feuerwehrmann, der ein Kind aus einem brennenden Fahrzeug birgt und lügt, Mama und Papa gehe es gut, schützt das Kind für einige Zeit vor einem weiteren Schock. Auch Ärzte, die einem Patienten auf dem Sterbebett nicht die Wahrheit sagen, um ihn zu schonen, oder die unwirksame Medikamente, so genannte Placebos, verschreiben, sind streng genommen Lügner.

DIE FORSCHUNG HAT GEZEIGT,
DASS 30 BIS 40 PROZENT DER PATIENTEN,
DIE PLACEBOS ERHALTEN,
EINE LINDERUNG IHRER LEIDEN SPÜREN.

Gefährlich ist vor allem die täuschende Lüge, weil der Lügner damit das Opfer zu seinem eigenen Vorteil schädigen oder benachteiligen will. Unsere Freundin Gerri zum Beispiel wurde einmal von einer Freundin vor einem Mann gewarnt, der Interesse an ihr zeigte.

Gerri war eine allein erziehende Mutter, die nicht oft ausging, daher war sie hocherfreut, als sie in der Spielgruppe ihres Sohnes einen allein stehenden Vater kennen lernte, der nett, einfühlsam, intelligent und witzig war. Margie bereitete der aufkeimenden Romanze jedoch schnell ein Ende. Sie erzählte Gerri, der Mann sei ein bekannter Frauenheld, der sich darauf spezialisiert habe, Frauen das Herz zu brechen. Gerri war ohnehin vorsichtig mit Männern, weil sie nicht wollte, dass ihr Kind sich zu sehr an einen Freund von ihr band, und mied ihn daher sofort. Einen Monat später traf sie ihn zufällig im Einkaufszentrum – Arm in Arm mit einer strahlenden Margie.

Es gibt zwei Anwendungsformen der täuschenden Lüge: Die Wahrheit wird entweder verheimlicht oder verfälscht. Beim Verheimlichen lügt man nicht direkt, man hält nur Informationen zurück. Beim Verfälschen präsentiert man falsche Informationen als wahr. Margie informierte Gerri falsch über einen Mann, um sie als Rivalin auszuschalten. Nehmen wir nun an, dass Gerri später von einer anderen Freundin erfahren hätte, dieser Mann habe früher eine Freundin dazu gebracht, ihm ihr ganzes Geld zu überschreiben, und sei dann mit dem Geld auf und davon gegangen. Man würde Gerri schwerlich verurteilen, wenn sie das Margie nicht erzählen würde. Margie würde ihr wahrscheinlich ohnehin nicht glauben. Wenn Gerri jedoch Margie nichts sagen würde, dann wäre sie ebenfalls eine Lügnerin, weil sie ihr eine wichtige Wahrheit vorenthielte.

Diese Formen der Lüge sind keineswegs Versehen, denn wir wenden sie bewusst an. Böswillige Lügen werden entweder aus Rache oder zum eigenen Vorteil eingesetzt. Bekannte Menschen wie Schauspieler und Politiker sind häufig Zielscheiben für böswillige Lügen, aus denen sich Profit schlagen lässt. Journalisten, die solche Geschichten an Boulevardzeitungen verkaufen, obwohl sie wissen, dass sie nicht wahr sind, können genauso davon profitieren wie die Rivalen der Betroffenen in der Wirtschaft, der Politik und im Showgeschäft.

Böswillige Lügen oder das Ausstreuen von Gerüchten werden oft als Waffen im Konkurrenzkampf eingesetzt. Böswillige Lügner versuchen, den Charakter und den Ruf ihres Opfers nachhaltig zu schädigen. Ein Unternehmen kann zum Beispiel das Gerücht verbreiten, sein wichtigster Konkurrent befinde sich in finanziellen Schwierigkeiten. In der Politik setzt man gelegentlich Gerüchte über sexuelle Verfehlungen des Gegenkandidaten in die Welt.

Stellen Sie sich die Wirkung vor, wenn einer von zwei Männern, die um die Zuneigung der gleichen Frau buhlen, die Lüge verbreitet, der andere habe eine Geschlechtskrankheit oder sei pädophil. Böswillige Lügen leben davon, dass in diesen Schlammschlachten immer etwas hängen bleibt, so übertrieben oder unwahrscheinlich die Lüge auch sein mag.

Arten von Lügnern

Ein »geborener« Lügner ist jemand, der zwar ein Gewissen hat, aber von seiner Fähigkeit zur Täuschung anderer überzeugt ist. Oft haben solche Lügner schon als Kinder die Eltern angelogen, um schwere Strafen zu vermeiden, die sie erhalten hätten, wenn sie die Wahrheit gesagt hätten. Viele geborene Lügner schlagen als Erwachsene aus ihrer Fähigkeit Kapital und werden Rechtsanwälte, Vertreter, Unterhändler, Schauspieler, Politiker oder Spione.

Das Gegenteil des geborenen Lügners ist jemand, der als Kind von seinen Eltern überzeugt wurde, dass er nicht lügen könne, seine Eltern und andere würden es sofort merken. Diese armen Trottel gehen durchs Leben und sagen jedem die Wahrheit. Dabei beharren sie auf dem Satz: »Ich könnte nie jemanden belügen« und verursachen überall Ärger und Probleme.

Einer der gefährlichsten Lügner, mit dem es eine Frau zu tun bekommen kann, ist der romantische Lügner. Bei ihm haben die wenigsten Frauen eine Ahnung, was er tatsächlich im Sinn hat. Einige romantische Lügner verschleiern, dass sie verheiratet sind, andere geben sich als Rechtsanwälte, Ärzte oder erfolgreiche Geschäftsleute aus, um ihr Ansehen zu steigern und sexuell attraktiv zu wirken. Die einzige Grenze für diese Lügner ist die eigene Fantasie. Folglich können sie Frauen großen emotionalen, psychischen und finanziellen Schaden zufügen. Ziel des romantischen Lügners ist es meist, von einer arglosen Frau Geld, eine billige Wohnmöglichkeit, Sex und andere Vorteile zu bekommen. Zum Ausgleich gibt er vor, ihr Liebe und Aufregung zu bieten.

Die Wartezimmer von Therapeuten sind voll mit intelligenten, begüterten Frauen, die auf einen romantischen Lügner hereingefallen sind. Sogar sehr kluge Frauen entpuppen sich dabei geradezu als Serienopfer, die immer wieder auf den gleichen Typ Mann hereinfallen. Der emotionale Schaden und der Verlust an Selbstachtung, die solche Beziehungen mit sich bringen, sind meist viel schwerwiegender als der finanzielle Verlust. Bei manchen Frauen entstehen so tiefe Wunden, dass sie nie wieder einem Mann vertrauen.

DER ROMANTISCHE LÜGNER HÄLT SICH IM STILLEN FÜR JAMES BOND.

Romantische Lügner gibt es überall, doch besonders zahlreich sind sie in Internet-Chatrooms vertreten, wo die meisten Leute lügen und alles möglich ist. Viele glauben, dass Frauen, die auf einen romantischen Lügner hereinfallen, leichtgläubig oder sogar dumm sind, aber das stimmt nicht. Der romantische Lügner hat das Talent, eine plausible Lüge lange genug aufrechtzuerhalten, bis sein Opfer unsterblich in ihn verliebt ist. Dann ist eine Frau für die Lüge blind oder verschließt die Augen vor ihr, selbst wenn ihre Freunde und ihre Familie sie warnen.

Es ist hilfreich, wenn eine Frau mit einem engen Freund oder einer Freundin vereinbart, dass dieser heimlich die Finanzen und das Leben des »Kandidaten« überprüft. Wenn er sich irgendwo für eine Vertrauensstellung bewerben würde, wäre diese Praxis Standard, warum sollte man sie nicht anwenden, wenn die eigenen Ersparnisse und Gefühle auf dem Spiel stehen? Eine Frau, die auf diesen Vorschlag mit dem Aufschrei: »Die Liebe wird alles überwinden« reagiert, wird vermutlich immer wieder auf einen romantischen Lügner hereinfallen.

Wenn jemand abgenommen hat, nicht mehr trinkt, keine Drogen mehr nimmt oder einen Job angenommen hat, um anziehender zu wirken, will man etwas über seine Motive wissen. Wenn man mit diesem Mann eine Beziehung eingeht, bleibt er dann auch wirklich dünn, nüchtern, drogenfrei und behält seine Arbeit? Leoparden wechseln selten die Flecken. Beziehungen, die auf Ehrlichkeit basieren, sind langfristig gesehen die Einzigen mit Bestand.

DAUERHAFTE VERÄNDERUNGEN, DIE WIR AN UNS SELBST VORNEHMEN, SIND DIE EINZIGEN DAUERHAFTEN.

Wenn Sie Personalchef eines Unternehmens wären und jemand würde sich um eine Vertrauensstellung bewerben, dann würden Sie so viel wie möglich über ihn und seine Vergangenheit erfahren wollen. Das Gleiche sollte bei einer langfristigen Beziehung gelten.

Die beste Informationsquelle ist der letzte Partner. Wenn Sie oder eine Freundin der Ex »zufällig« begegnen, ist sie meist sehr mitteilsam.

Für manche ist das vielleicht Schnüffelei, doch in Japan sind solche Erkundigungen Standard. Eine Familie überreicht der Familie des angehenden Schwiegersohns oder der Schwiegertochter einen Lebenslauf der Tochter oder des Sohnes. Vor der ersten Verabredung werden dann noch Gespräche und Verhandlungen geführt. So wird vermieden, dass einer der Partner ein paar Leichen im Keller hat. Man sollte bei jedem Produkt, das man länger behalten will, die Vorgeschichte prüfen. Werden Sie nicht das Opfer romantischer Klischees oder wild gewordener Hormone!

Wer lügt am meisten?

Die meisten Frauen werden energisch behaupten, dass Männer weit häufiger lügen als Frauen. Wissenschaftliche Untersuchungen und Experimente haben jedoch ergeben, dass Männer und Frauen etwa gleich häufig lügen. Nur der Inhalt ihrer Lügen unterscheidet sich. Frauen lügen oft, damit andere sich besser fühlen, Männer lügen, um gut dazustehen. Frauen lügen, um eine Beziehung zu schützen. Am schwersten fällt es Frauen, bei Gefühlen zu lügen. Männer lügen, um Streit zu vermeiden, außerdem prahlen sie gern damit, was für tolle Kerle sie in ihrer Jugend waren.

EINE FRAU LÜGT, DAMIT ANDERE SICH BESSER FÜHLEN.
EIN MANN LÜGT, UM SELBST BESSER
VOR ANDEREN DAZUSTEHEN.

Das ist der Hauptunterschied zwischen männlichen und weiblichen Lügen. Eine Frau wird lügen und sagen, dass ihre Freundin in dem neuen Kleid toll aussieht, auch wenn sie denkt, die Gute habe darin eine Figur wie ein Sack Kartoffeln. Unter den gleichen Umständen wird der Mann die Freundin meiden, damit er nicht lügen muss. Er wird nur lügen, wenn er gezwungen wird, seine Meinung zu sagen. Dann murmelt er, das Kleid sei »interessant« oder »nett«, oder er lügt indirekt, indem er sagt: »Was soll ich sagen?« oder »Mir fehlen die Worte«. Oder er lügt doch und sagt, dass es ihm sehr gefällt. Aber wenn ein Mann lügt, erkennen das die meisten Frauen schnell. Ein Mann kann behaupten, er sei bei einer internationalen Firma der zweitwichtigste Mann für die Versorgung mit Nahrungsmitteln, wenn er als Ausfahrer für eine Pizzeria arbeitet.

BEI WELCHER FRAGE WERDEN MÄNNER VON
FRAUEN AM HÄUFIGSTEN BELOGEN?
BEI DER FRAGE: »WIE WAR ICH?«

Im Jahr 2002 beobachtete Robert Feldman von der University of Massachusetts in Amherst 121 Paare bei der Unterhaltung mit einer dritten Person. Ein Drittel der Teilnehmer wurde aufgefordert, sich liebenswert zu benehmen, ein Drittel sollte kompetent wirken und der Rest sollte sich wie immer verhalten. Danach mussten sich alle Teilnehmer auf Video ansehen und sagen, wann sie gelogen hatten. Einige Lügen waren harmlos, etwa wenn man sagte, man möge jemanden, obwohl es nicht stimmte. Andere waren dreister, etwa die Behauptung eines Teilnehmers, er sei Star in einer Rockband. Insgesamt erzählten 62 Prozent der Teilnehmer im Durchschnitt zwei bis drei Lügen in zehn Minuten.

> DIE WAHRHEIT IST BEFREIEND,
> ABER ZUERST KOTZT SIE DICH AN.
> MAL PANCOAST

Die häufigste Form der Lüge ist die Selbsttäuschung. Ein Mensch kann zwei Schachteln Zigaretten am Tag rauchen und trotzdem behaupten, er sei nicht süchtig, oder er kann sich selbst einreden, ein kalorienreicher Nachtisch mache nichts, obwohl er gerade auf Diät ist.

Die Belege sind eindeutig – Frauen lügen genauso oft wie Männer, sie lügen nur anders. Weil Frauen so ein feines Gespür für Körpersprache und Untertöne in der Stimme haben, werden Männer beim Lügen häufiger erwischt. Deswegen behaupten Frauen, Männer würden häufiger lügen. Das trifft jedoch nicht zu.

Häufige Lügen von Männern

»*Ich bin nicht betrunken.*«   Diese Lüge lässt sich leicht aufdecken, vor allem, weil der Satz meist klingt wie »Ich bnn nich bedrunggnnn.« Es gibt keinen Grund, warum jemand behaupten sollte, er sei nicht betrunken – es sei denn, er ist betrunken.

»Mit dieser Frau lief überhaupt nichts.« Ein Mann, der seine Partnerin betrogen hat, wird lügen, auch wenn es längst keinen Grund
mehr dafür gibt, denn seiner Ansicht nach hat er mit der Wahrheit
nichts zu gewinnen.

»Der Sex mit meiner Ex war mies.« Sex ist eine der Konstanten im
Leben eines Mannes – Sex ist immer gut, egal wann, wo oder mit
wem. Wenn ein Mann behauptet, der Sex mit seiner Ex sei schlecht
gewesen, lügt er definitiv. Wenn er sagt, der Sex mit seiner Ex sei
besser gewesen als mit Ihnen, lügt er auch, wahrscheinlich will er
Sie damit ärgern. Für ihn ist Sex immer gleich – gut.

»Wir sind nur gute Freunde.« Er sagt, er kenne sie schon ewig und
habe überhaupt kein Interesse an ihr. Aber er hält sie von Ihnen
fern und will nicht, dass Sie sich kennen lernen. Weitere Variatio-
nen davon sind: Sie ist lesbisch, sie braucht nur einen guten
Freund, sie braucht jemanden, mit dem sie reden kann, sie macht
gerade eine schwierige Phase durch, und ich will ihr nur helfen, sie
ist krank, und ich muss mich um sie kümmern, sie empfindet
nichts für mich – sie ist nur schüchtern. Deswegen will die Dame
nicht, dass Sie zu Hause sind, wenn sie zu Besuch kommt.

Warum versagen Lügen?

Die meisten Lügen haben kurze Beine, weil sie in der Regel von
starken Gefühlen begleitet werden, die als optische und verbale
Warnsignale fungieren. Je mehr Gefühle beteiligt sind, desto mehr
Hinweise gibt der Lügner preis. Beim Versuch, diese Hinweise zu
verbergen, gerät man mit seinen Gefühlen leicht in einen Zwie-
spalt. Je näher man jemandem steht, desto schwerer fällt es, den
anderen anzulügen, weil Gefühle im Spiel sind. So hat ein Ehemann zum Beispiel Schwierigkeiten, seine Frau anzulügen, wenn
er sie wirklich liebt, aber keine Probleme, wenn er im Krieg den
Feind belügen muss. Das ist auch der Schlüssel zum pathologi-
schen Lügner – er hat keine emotionale Bindung, daher ist Lügen

für ihn immer einfach. Ob man die Signale jedoch erkennt, ist wieder eine andere Frage.

Warum erkennen Frauen Lügen so gut?

Die meisten Männer wissen, wie schwierig es ist, einer Frau auch die harmloseste Lüge direkt ins Gesicht zu sagen, ohne entlarvt zu werden. Wenn ein Mann einer Frau eine Lüge auftischen will, sollte er das am Telefon tun. Die meisten Frauen haben weniger Schwierigkeiten, einen Mann rundweg anzulügen – und kommen häufig ungeschoren davon.

Gehirn-Scans zeigen, dass bei einer Frau im Durchschnitt 14 bis 16 Schlüsselbereiche in beiden Gehirnhälften aktiviert sind, wenn sie mit jemandem von Angesicht zu Angesicht kommuniziert. Die Bereiche werden zur Entschlüsselung von Wörtern, Veränderungen des Tonfalls und Körpersignalen verwendet und sind die Voraussetzungen der »weiblichen Intuition«. Ein Mann aktiviert normalerweise nur 4 bis 7 dieser Bereiche, weil das männliche Gehirn mehr auf das räumliche Vorstellungsvermögen als auf Kommunikation ausgelegt ist.

Das weibliche »Über-Bewusstsein« hat einen Zweck – als Nesthüterin verteidigt sie ihr Gebiet gegen Fremde und kommuniziert mit den Kindern. Eine Frau braucht die Fähigkeit, nach ihrem Nachwuchs zu sehen, und muss rasch den Unterschied zwischen Schmerz, Angst, Hunger, Verletzung, Trauer und Glück erkennen. Sie muss die Einstellung eines Menschen einschätzen können, der sich ihrem Nest nähert – ist er freundlich oder aggressiv? Wenn sie diese lebenswichtigen Fähigkeiten nicht hätte, wäre sie auf den Kampf ums Dasein schlecht vorbereitet und gefährdet. Aus dem gleichen Grund kann eine Frau sogar die Gefühle von Tieren erkennen. Sie kann beurteilen, ob ein Hund fröhlich, traurig, wütend oder verlegen ist. Die meisten Männer können sich nicht einmal vorstellen, wie ein verlegener Hund aussieht. Aufgabe des jagen-

den Mannes war stets, seine Beute genau zu treffen, er wollte sich
nicht mit ihr unterhalten, sie beraten oder gar verstehen.

**EIN MANN MUSS SEINE BEUTE NUR GENAU TREFFEN,
ER MUSS KEIN TIEF SCHÜRFENDES GESPRÄCH MIT IHR FÜHREN.**

Wie wir bereits gesagt haben, ist das Gehirn der Frau mehrspurig
strukturiert, daher kann sie mit verschiedenen Informationen
gleichzeitig umgehen. Frauen haben so zusätzlich den Vorteil,
dass sie Körpersignale deuten, zuhören und gleichzeitig reden
können. Männer mit ihrem einspurigen Gehirn konzentrieren
sich nur auf eine Information und empfangen daher viele Körpersignale nicht.

FBI-Agenten werden geschult, so genannte »Mikro-Ausdrücke« zu
analysieren – flüchtige Gesichtsausdrücke, die in einem Bruchteil
von Sekunden beim Lügen über das Gesicht huschen. Dafür verwendet man meist Aufzeichnungen in Zeitlupe. Bill Clinton zum
Beispiel zeigte für den Bruchteil einer Sekunde ein Stirnrunzeln,
bevor er die Fragen zu Monica Lewinsky beantwortete. Das Gehirn
einer Frau ist so strukturiert, dass sie diese Signale sofort erkennt.
Das erklärt nicht nur, warum Frauen viel schwieriger hinters Licht
zu führen sind, sondern auch, warum sie oft aufmerksamere Be-
obachterinnen sind.

Warum Frauen sich immer erinnern

Erik Everhart, Assistant Professor für Psychologie an der East Ca-
lifornia University, und seine Kollegen von der State University of
New York in Buffalo fanden heraus, dass Jungen und Mädchen im
Alter von acht bis elf Jahren unterschiedliche Bereiche ihres Gehirns benutzen, um Gesichter und Gesichtsausdrücke zu erkennen.
Jungen benutzten mehr die rechte Gehirnhälfte, Mädchen mehr die
linke. Mädchen können dadurch leichte Veränderungen im Ge-

sichtsausdruck feststellen und die Stimmung ihrer Mitmenschen besser wahrnehmen. Anhand des Mundes oder der Augen etwas zu erkennen erfordert eine feinere Beobachtungsgabe, als wenn man die Emotionen im ganzen Gesicht abliest.

Frauen erinnern sich sehr gut daran, welche Lüge sie wem erzählt haben, Männer dagegen vergessen ihre Lügen oft. Der Hippokampus – der Teil des Gehirns für das Speichern, Wiederauffinden des Erinnerten und die Sprache – ist mit Östrogen-Rezeptoren ausgestattet und wächst bei Mädchen schneller als bei Jungen. Frauen haben daher bei Themen, die mit Emotionen verknüpft sind, ein besseres Gedächtnis.

Ein guter Rat für Männer

Vergeuden Sie nicht Ihre Zeit, lügen Sie einer Frau nicht direkt ins Gesicht. Es ist viel zu schwierig. Rufen Sie sie an oder schicken Sie ihr eine E-Mail. Frauen sind Ihnen nicht nur überlegen, Lügen zu erkennen, sondern können sich noch lange daran erinnern und sie als Munition bei künftigen Auseinandersetzungen verwenden.

Junge Menschen lügen, betrügen und stehlen mehr

Je jünger ein Mensch ist, desto eher neigt er dazu, andere zu täuschen. In den USA zeigte eine Umfrage bei 9000 Teenagern und Erwachsenen, dass eine erhebliche Anzahl der Fünfzehn- bis Dreißigjährigen bereit ist, zu lügen, zu betrügen und zu stehlen.

Das Meinungsforschungsinstitut mit Sitz in Kalifornien zog seine Erkenntnisse aus einer Umfrage unter 3242 Highschoolschülern, 3630 Collegestudenten und 2092 Erwachsenen. Bei der Umfrage gaben 33 Prozent der Highschoolschüler und 16 Prozent der Collegestudenten zu, dass sie im vergangenen Jahr einen Ladendiebstahl begangen hatten.

Etwa ein Drittel der Schüler und Studenten gab an, sie seien bereit, beim Lebenslauf, in einer Bewerbung oder bei einem Bewerbungsgespräch zu lügen, um ihren Traumjob zu bekommen. 16 Prozent der Highschoolschüler sagten, sie hätten das bereits mindestens einmal getan.

61 Prozent der Highschoolschüler und 32 Prozent der Collegestudenten gaben zu, im vergangenen Jahr einmal in der Prüfung gemogelt zu haben.

>>KANN ICH ÄRGER BEKOMMEN, WEIL ICH ETWAS NICHT
GEMACHT HABE?<<, FRAGTE DER SCHÜLER.
>>NEIN<<, ANTWORTETE DER REKTOR.
>>GUT – ICH HABE NÄMLICH MEINE HAUSAUFGABEN
NICHT GEMACHT.<<

Die Umfrage ergab auch, dass 83 Prozent der Highschoolschüler und 61 Prozent der Collegestudenten ihre Eltern im vergangenen Jahr angelogen hatten.

Die Meinungsforscher stellten fest, dass Lügen und andere unmoralische Verhaltensweisen bei den über Dreißigjährigen weniger häufig waren. Bei den Geschlechtern gab es keinen Unterschied, Männer und Frauen logen gleich häufig.

Beunruhigenderweise sagten 73 Prozent der Fünfzehn- bis Dreißigjährigen aus, dass ihrer Ansicht nach »die meisten Leute betrügen oder lügen, wenn es notwendig ist, um das zu bekommen, was sie wollen«.

Nach dieser Untersuchung könnte man leicht behaupten, alle Amerikaner seien ausgemachte Lügner und Betrüger, doch ähnliche Umfragen in Europa zeigen den gleichen Trend – und dabei erreichen diese Länder bei der Ehrlichkeit höhere Punktzahlen als andere. Leider ist diese Entwicklung ein Symptom der moralischen Krise, die die Gesellschaften überall erfasst hat und in der sich ein unverkennbarer Wertewandel spiegelt. Eltern bringen ihren Kindern bei, Ehrlichkeit sei das Beste, sagen ihnen aber auch, es sei höflich, sich über ein Geburtstagsgeschenk zu freuen, auch wenn es einem nicht gefällt. Kindern wird das Lügen auch mit den folgenden oder ähnlichen Sätzen beigebracht: »Schau mich nicht so an!«, »Lächle, wenn deine Oma dich küsst«, »Guck nicht so traurig, mach ein fröhliches Gesicht.«

Die Beurteilung des Lügens ist für Kinder nicht eindeutig, und das wirkt sich auf ihr Verhalten als Erwachsene aus. Kindermund tut Wahrheit kund, doch dafür werden die Kinder oft gescholten. Wenn zum Beispiel ein Kind auf der Straße einen dicken Mann sieht, fragt es vielleicht seine Mutter laut: »Warum ist der Mann so dick?«

Den wenigsten Eltern ist bewusst, dass ihre Strafen einer der Hauptgründe sind, warum aus ihren Kindern später so gewitzte Lügner werden. Die meisten Verhaltensmuster werden im Kindesalter geprägt und im Erwachsenenalter von Autoritätspersonen ausgelöst.

Wenn alle Sie anlügen

Es gibt Menschen, die glauben, man könnte niemandem trauen und die Welt sei voller Lügner. Meist ist ihre Denkweise auf einen der beiden folgenden Gründe zurückzuführen: Entweder sind sie selbst notorische Lügner und nehmen an, dass alle anderen auch so sind. Oder ihr Verhalten veranlasst andere, sie anzulügen. Anders ausgedrückt, sie machen es anderen schwer, ihnen die Wahrheit zu sagen, weil sie aggressiv oder emotional reagieren. Wenn andere merken, dass man wütend, verletzt oder rachsüchtig wird, vermeiden sie die Wahrheit um jeden Preis. Wer schnell beleidigt ist, wird nie erfahren, was andere wirklich von ihm denken, denn sie verbergen die Wahrheit, um eine negative Reaktion zu vermeiden. Wenn man von Kindern verlangt, dass sie einem die Wahrheit sagen, und sie dann dafür bestraft, weil die Wahrheit unangenehm ist, bringt man ihnen bei, aus Selbstschutz zu lügen.

Wenn Sie das Gefühl haben, dass jeder Sie anlügt, sollten Sie zunächst Ihr eigenes Verhalten überprüfen – der andere ist immer nur die Hälfte der Gleichung.

Warum schmerzen die Lügen von Freunden und Angehörigen am meisten?

Je enger eine Beziehung ist, desto schmerzlicher ist es, wenn man getäuscht wird, weil man auf diese Person in seinem Leben eigentlich nicht verzichten will. Eine täuschende Lüge von den Eltern oder den eigenen Geschwistern schmerzt, weil wir einer Person umso mehr vertrauen und uns ihr öffnen, je näher sie uns steht. Die Lüge des Bruders, der Schwester oder des eigenen Kindes schmerzt mehr als die eines Bekannten, doch ebenso vergibt man sie leichter, weil der andere immer der Bruder, die Schwester oder das Kind bleiben wird.

Die Lüge eines guten Freundes ist ebenfalls verletzend, doch ihn können wir zumindest zeitweise aus unserem Leben verbannen, indem wir den Kontakt zu ihm abbrechen. Andererseits erwarten wir, dass uns ein Gebrauchtwagenhändler anlügt, und sind nicht überrascht, wenn er es tut. Wir müssen ihn ja nie wieder sehen, wenn wir nicht wollen.

Wie enttarnt man einen Lügner?

Die meisten Menschen fühlen sich beim Lügen unbehaglich und versuchen instinktiv, sich von der Lüge zu distanzieren. Diesen nützlichen Hinweis entdeckte das FBI vor kurzem in den Vereinigten Staaten bei der Analyse der Aussagen von Verdächtigen, die ein Alibi vortäuschten. Die Lügner vermieden es, sich in der Lüge auf sich selbst zu beziehen und verzichteten auf Wörter wie »ich« oder »mich«. Betrachten wir einmal das Beispiel, dass Sie mit jemandem ein Treffen vereinbart haben, der Betreffende aber nicht gekommen ist. Wenn er Sie später anruft und sagt: »Das Auto hatte eine Panne und der Akku des Handys war leer«, sollten Sie instinktiv misstrauischer sein, als wenn er sagt: »**Mein** Auto hatte eine Panne, und **ich** konnte dich nicht anrufen, weil der Akku **meines** Handys leer war.« Lügner vermeiden auch den Namen der Person, über die sie Lügen verbreiten. Sie sagen lieber: »Ich hatte keine sexuelle Beziehung mit dieser Frau« als »Ich hatte keine sexuelle Beziehung mit Monica«.

Lügner und Elefanten

Wie ein Elefant vergisst ein notorischer Lügner nie etwas. Er ist die Lüge in seinem Kopf mehrmals durchgegangen und bietet meist eine erstklassige Vorstellung. Sie brauchen nur jemanden zu fragen, was er letztes Wochenende gemacht hat, und er wird vermutlich ungeordnetes Zeug reden wie: »Äh … ich ging nach dem Frühstück zu meinem Bruder und dann … ah … nein, ich ging nach dem Mittagessen zu ihm, weil ich zuerst mein Auto in die Werkstatt bringen musste …«

HÜTE DICH VOR PERFEKTEN AUFTRITTEN.
CHINESISCHES SPRICHWORT

Wenn man sich die Ereignisse eines Tages ins Gedächtnis ruft, springt man normalerweise hin und her und wechselt die Richtung, um die Ereignisse in die richtige Reihenfolge zu bringen. Bei einem Lügner ist das anders. Er hat eine perfekt einstudierte Fassung des Ablaufs der Ereignisse und verhaspelt sich nur selten.

Einmal und noch einmal

Wenn Sie glauben, Sie werden angelogen, sollten Sie so tun, als würden Sie jedes Wort glauben. Der Lügner wird sich schließlich selbst verraten, weil er übertrieben selbstsicher wird. Bitten Sie den Lügner dann, Ihnen die Lüge noch einmal zu erzählen. Gute Lügner haben ihre Antwort einstudiert und präsentieren Ihnen noch einmal die identische Aussage. Machen Sie nun eine Pause, damit der Verdächtige denkt, er sei damit durchgekommen, und bitten Sie ihn dann, die Aussage erneut zu wiederholen. Weil er damit nicht gerechnet hat und bereits ganz entspannt ist, wird er beim dritten Mal nicht die vorbereitete Antwort geben. Seine Geschichte klingt dann vielleicht ein bisschen anders.

Wegen der Anspannung beim Lügen klingt die Stimme des Lügners etwas höher. Wenn er auf dem Anrufbeantworter eine Nachricht von Charlotte hat und Ihnen erklärt, das sei eine falsche Nummer oder er habe nie von ihr gehört, und Ihnen fällt auf, dass er dabei flötet wie ein Kanarienvogel, sollten Sie der Liste der Verdachtsmomente gegen ihn einen weiteren Punkt hinzufügen.

Wie liest man zwischen den Zeilen?

Ging es Ihnen schon einmal bei einem Gespräch so, dass der Redende überzeugend klang, Sie ihn jedoch immer weniger überzeugend fanden, je länger er sprach? Betrachten wir doch einmal häufig benutzte Wörter und Formulierungen, die signalisieren, dass jemand versucht, die Wahrheit zu verschleiern oder den Zuhörer irrezuführen, wenn er ein Gefühl vorzutäuschen versucht, das er gar nicht empfindet. Die Wörter »ehrlich«, »im Ernst« und »ganz offen« deuten darauf hin, dass der Sprecher keineswegs vorhat, so ehrlich, ernst oder offen zu sein, wie er behauptet. Aufmerksame Menschen dechiffrieren derartige Formulierungen unbewusst und haben das unbestimmte Gefühl, der Sprecher versuche, sie zu täuschen. Zum Beispiel: »Ganz ehrlich, ein besseres Angebot kann ich Ihnen nicht machen« heißt eigentlich: »Das ist nicht das beste Angebot, das ich Ihnen machen kann, aber vielleicht glauben Sie es ja«. »Ich liebe dich« ist glaubwürdiger als »ich liebe dich wirklich«. »Zweifellos« gibt Anlass zu Zweifeln, und »ohne jeden Zweifel« ist ein eindeutiges Warnsignal.

»Glaub mir, wenn ich dir sage« bedeutet oft: »Wenn ich dich dazu bringen kann, das zu glauben, wirst du tun, was ich will«. Die Häufigkeit, mit der jemand »glaub mir« sagt, verhält sich proportional zum Ausmaß der Täuschung. Der Sprecher spürt, dass man ihm nicht glaubt oder dass das, was er sagt, unglaubwürdig klingt, und deshalb stellt er vor seine Aussagen ein »glaub mir«. Weitere Versionen sind »ich scherze nicht« oder »würde ich dich je belügen?«.

Wenn man ehrlich, offen und glaubwürdig ist, muss man niemanden davon überzeugen, das Verhalten zeigt es bereits.

MAL LÜGEN SIE DEN FINANZBEAMTEN AN UND MAL IHRE FRAU. WAS IST DER UNTERSCHIED, WENN ES HERAUSKOMMT? DER FINANZBEAMTE WILL IHNEN IMMER NOCH DIE HOSEN AUSZIEHEN.

Manche Menschen haben es sich angewöhnt, diese Floskeln immer zu benutzen. Unbewusst leiten sie mit ihnen auch ehrliche Aussagen ein, doch diese klingen nun unglaubwürdig. Fragen Sie Ihre Freunde, Verwandten und Kollegen, ob ihnen eine dieser Phrasen bei Ihnen aufgefallen ist. Wenn das der Fall ist, wissen Sie, warum manche Menschen keine vertrauensvolle Beziehung zu Ihnen aufbauen konnten.

Formulierungen wie »O.K.« und »stimmt's« zwingen den Zuhörer, der Ansicht des Sprechers zuzustimmen. »Du siehst das auch so, stimmt's?« Der Zuhörer muss zustimmen, auch wenn er nicht zwangsläufig mit dem Redenden einer Meinung ist. »Stimmt's?«

zeigt außerdem, dass der Sprecher zweifelt, ob der Gesprächspartner das Gesagte aufgenommen und verstanden hat.

»Nur« und »bloß«

Die Begriffe »nur« und »bloß« vermindern die Bedeutung der nachfolgenden Worte, sie schwächen die Schuld ab oder weisen unerfreuliche Folgen anderen zu. »Ich nehme nur fünf Minuten Ihrer Zeit in Anspruch« behaupten Nervensägen und andere, die Sie eine Stunde in Beschlag nehmen, »ich benötige fünf Minuten« ist dagegen genauer und glaubwürdiger. Die Floskel »zehn Minuten« bezeichnet normalerweise eine unbestimmte Zeitspanne zwischen 20 und 60 Minuten. »Nur 9,99 Euro« und »nur eine Anzahlung von 40 Euro« werden benutzt, um Käufer zu überzeugen, dass der Preis niedrig ist. »Ich bin auch nur ein Mensch« ist das Schlagwort von jemandem, der für seine Fehler keine Verantwortung übernehmen will. Hinter »ich wollte dir nur sagen, dass ich dich liebe« verbirgt sich ein schüchterner Liebhaber, der »ich liebe dich« nicht über die Lippen bringt. Und keine Frau glaubt einem Mann, wenn er von einer anderen sagt: »Sie ist bloß eine gute Freundin.«
Wenn jemand »nur« oder »bloß« benutzt, sollten Sie überlegen, warum derjenige die Bedeutung seiner Aussagen herunterspielt. Hat er nicht genug Selbstvertrauen, um das zu sagen, was er wirklich empfindet? Will er Sie bewusst täuschen? Versucht er, sich der Verantwortung zu entziehen? Eine genaue Betrachtung von »nur« und »bloß« in Zusammenhang mit dem Kontext führt oft zur eigentlichen Aussage.

»Ich werde es versuchen«

»Versuchen« wird häufig von Menschen benutzt, die hinter den Erwartungen zurückbleiben und im Voraus ankündigen, dass sie ihre Aufgabe wahrscheinlich nicht erfüllen werden. Oft rechnen sie sogar mit ihrem eigenen Versagen. Wenn jemand gebeten wird, in einer Beziehung treu zu sein, und er antwortet »ich werde es versuchen« oder »ich werde mein Bestes tun«, deutet das auf ein Scheitern hin. Übersetzt heißen diese Phrasen: »Ich habe Zweifel, ob ich dazu in der Lage bin.«

Wenn derjenige schließlich scheitert, sagt er: »Nun, ich hab's versucht«, und bestätigt damit, dass er ohnehin nur halbherzig bei der Sache war oder wenig Vertrauen in seine Fähigkeiten hatte. Benutzt jemand diese Phrasen im Gespräch mit Ihnen, sollten Sie denjenigen auffordern, sich zu einer Einstellung durchzuringen, mit der er es schaffen will oder nicht. Es ist besser, wenn jemand etwas nicht macht, als wenn er es »versucht« und scheitert. »Versuchen« ist so Vertrauen erweckend wie ein »definitives Vielleicht«.

»Bei allem Respekt« bedeutet, dass der Sprecher wenig oder gar keinen Respekt für den Zuhörer hat oder ihn sogar verachtet. »Ich schätze Ihre Meinung, aber darf ich sagen, dass ich bei allem Respekt anderer Ansicht bin?« Damit drückt man umständlich aus, dass man das Gesagte für ausgemachten Blödsinn hält und vorhat, dem Gesprächspartner eins auszuwischen, gleichzeitig sorgt man aber für einen weichen Fall.

Die folgende Liste enthält geläufige Redewendungen, mit denen der Sprecher seine Zuhörer zu überzeugen versucht, dass er die Wahrheit sagt. Bedenken Sie aber, dass keine Wendung zwangsläufig auf Unehrlichkeit hindeutet, man muss sie stets im Zusammenhang verstehen.

»Vertrau mir!«
»Ich habe keinerlei Grund zu lügen.«
»Um die Wahrheit zu sagen ...«
»Warum sollte ich dich anlügen?«
»Um ganz ehrlich/offen/fair zu dir zu sein ...«
»Würde ich so was jemals tun?«

Beliebt ist bei Lügnern auch der Trick, sich in Zusammenhang mit einer höheren Macht zu bringen, die über jeden Verdacht erhaben ist.

Einige Beispiele:

> *»Ich schwöre beim Grab meiner Mutter ... «*
> *»Gott ist mein Zeuge!«*
> *»Ich schwöre bei Gott!«*
> *»Der Blitz soll mich treffen!«*

Wir sprechen hier nicht von tiefgläubigen Menschen oder einer religiösen Überzeugung. Gläubige Leute nutzen ihren Glauben nicht, um andere davon zu überzeugen, dass sie ehrlich sind, sie leben einfach nach den Regeln ihres Glaubens. Der Papst sagt niemals: »Ich schwöre beim Grab meines Vaters, und der Herr soll mich mit Blindheit schlagen, wenn ich lüge.«

Ähnlich kann man auch andere Organisationen, denen man angehört, eine Auszeichnung, die man erhalten hat, oder seine Erziehung anführen, um andere von seiner Ehrlichkeit zu überzeugen.

Vielleicht kommen Ihnen einige Beispiele bekannt vor:

> *»So haben mich meine Eltern nicht erzogen.«*
> *»Ich bin ein loyaler Mitarbeiter.«*
> *»Ich bin Mitglied bei (Gruppe/Club).«*
> *»So einer bin ich nicht.«*
> *»Ich würde mich nie für so etwas hergeben.«*
> *»Ich habe den XY-Preis bekommen.«*

Menschen mit Charakter und Moral haben es nicht nötig, anderen ständig etwas zu beweisen, sie leben nach ihren Werten, und das merkt man.

Die oben aufgeführten Floskeln werden benutzt, um eine Frage nicht direkt beantworten zu müssen.

Der Lügendetektor

Fortschritte in der Computertechnologie haben drei interessante Möglichkeiten hervorgebracht, mit denen man Lügnern auf die Schliche kommt. Am bekanntesten ist der Lügendetektor. Er misst den Blutdruck, den Puls, die Hautfeuchtigkeit und die Atmung. Die Lüge wird anhand der physiologischen Schwankungen erkannt, die bei einer bewussten Täuschung auftreten. Dazu zählen ein erhöhter Puls und ein erhöhter Blutdruck, Veränderungen bei der Atmung und der Schweißbildung. Wenn jemand die Wahrheit sagt, sollte sich in diesem Bereich nichts verändern. Allerdings ist die Beweiskraft von Tests mit dem Lügendetektor umstritten. Laut der American Polygraph Association wurden in den vergangenen 25 Jahren über 250 Untersuchungen zur Beweiskraft solcher Tests durchgeführt, die zeigten, dass die Resultate verlässlich sind. Aktuelle Untersuchungen zeigen, dass die neuen computerisierten Lügendetektoren Lügen zu nahezu 100 Prozent entlarven. Im amerikanischen Fernsehen kann man diese neuen Geräte in Talkshows sehen, bei denen die Gäste die Schuld, Unschuld oder Treue ihrer Partner beweisen wollen. Der Test mit dem Lügendetektor ist in Deutschland nicht als Beweismittel vor Gericht zugelassen. Erfahrene Lügner zeigen weniger Anspannung als Neulinge und bestehen manchmal den Test mit dem Lügendetektor, während andere, ehrliche Menschen möglicherweise eingeschüchtert sind und deswegen als Lügner »entlarvt« werden. Auch physiologische Unterschiede können zu zweifelhaften Testergebnissen führen.

Was sagen die Stimmbänder?

Die »Voice Stress Analysis« ermittelt mit elektronischen Mitteln die Anspannung in der Stimme, die auf eine Lüge hinweist. Dabei werden physiologische Hinweise wie die automatische Reaktion, »zu kämpfen oder zu fliehen« gemessen. Die Technologie soll auch bei Telefongesprächen oder Tonbandaufnahmen funktionieren, nach Angaben der Hersteller werden acht von zehn Lügen erkannt. Das tragbare Gerät kostet 50 Dollar. Mit Hilfe der Technik wird das Maß an Anspannung in der menschlichen Stimme mathematisch berechnet. Sie verändert sich, weil sich beim Lügen der Blutstrom zu den Stimmbändern verringert. Bei den Fernsehdebatten zwischen den Präsidentschaftskandidaten Al Gore und George W. Bush analysierten Reporter des *Time Magazine* mittels eines solchen Geräts die Stimmen der beiden. Die Analyse ergab: In den drei Debatten log Bush 57 Mal und Gore 23 Mal.

Fotografien des lügenden Gehirns

Ruben Gur und Daniel Langleben, Professoren für Psychiatrie an der Pennsylvania School of Medicine, untersuchten bei einer Studie das Gehirn mit Hilfe der Kernspintomographie und stellten fest, dass es bei Ehrlichkeit und Lüge unterschiedlich arbeitet. Achtzehn Versuchspersonen erhielten eine Spielkarte (zum Beispiel Herzass) und 20 Dollar. Dann wurde bei jedem die Gehirntätigkeit gemessen. Während das Gehirn gescannt wurde, zeigte man den Freiwilligen verschiedene Spielkarten. Wenn der Computer die richtige Karte zeigte (in diesem Fall das Herzass), sollten die Versuchspersonen lügen und sagen, es sei die falsche Karte.

Den Teilnehmern wurde gesagt, sie würden mehr Geld bekommen, wenn sie den Computer hereinlegten und ihn dazu brächten, ihnen zu glauben. Allerdings wusste der Computer schon im Voraus, welche Karte sie hatten und wann sie lügen würden.

Die Gehirn-Scans der Teilnehmer zeigten beim Lügen eine verstärkte Aktivität im zingulären Kortex, der etwa 7,5 Zentimeter hinter der Stirn sitzt, und im linken prämotorischen Kortex, der einige Zentimeter weiter im Schädelinneren in der Nähe des linken Ohrs liegt.

Gur und Langleben glauben, dass diese Entdeckung das Ende des Lügendetektors bedeutet, denn mit Hilfe der Gehirn-Scans kann man zwischen verschiedenen Gedanken unterscheiden. Auf dem Lügendetektor sehen zum Beispiel die Gehirnsignale ähnlich aus, wenn jemand lügt oder wenn er voller Reisefieber an seinen kommenden Urlaub denkt, obwohl die Gedanken grundlegend verschieden sind. Gehirn-Scans bieten räumliche Darstellungen, die zeigen, welcher Bereich des Gehirns aktiv ist. So kann eine Lüge sofort erkannt werden.

Dr. Jia-Hong Gao, Professor am Research Imaging Center in San Antonio, führte ähnliche Experimente durch. Seine Ergebnisse zeigten, dass die rechte und die linke Gehirnhälfte beteiligt waren, wenn jemand vortäuschte, er habe das Gedächtnis verloren. Die bildgebenden Daten ergaben vier Hauptgebiete der Gehirnaktivität – im vorderen Stirnlappen und in der Stirnregion, in der Scheitelregion, der Schläfenregion und im Bereich unter der Hirnrinde. Die Scheitelregion ist das Rechenzentrum des Gehirns.

Hinweise in der Stimme

Drei Elemente der Stimme können einen Lügner verraten – Höhe, Geschwindigkeit und Lautstärke. Wenn jemand unter Stress steht, verursacht die damit verbundene Anspannung, dass sich die Stimmbänder zusammenziehen. Die Stimme klingt piepsig, außerdem spricht man schneller und lauter. Untersuchungen haben ergeben, dass etwa 70 Prozent der Menschen höher sprechen, wenn sie lügen. Überdenkt der Lügner dagegen seine Lüge, um sie effektiv zu präsentieren, spricht er langsam und leise. Wenn jemand wider Erwarten beim Lügen erwischt wird, ist das Gesagte oft voller »ähs«, »öhs«, »hms«, Stottern und Pausen, weil er nicht genug Zeit hatte, die Lüge einzustudieren. Bei Männern merkt man das schneller als bei Frauen, weil ihr Gehirn weniger darauf ausgelegt ist, die Sprache zu kontrollieren. Ein Mann, der die Worte halb verschluckt, lügt wahrscheinlich, denn in seinem Kopf laufen verschiedene Vorgänge gleichzeitig ab und er versucht, allen gerecht zu werden.

Sie sollten allerdings bedenken, dass die Signale, die wir hier besprechen, zwar von Anspannung künden, allerdings muss das nicht zwangsläufig heißen, dass jemand auch lügt. Außerdem gibt es einen geringen Prozentsatz an Menschen, die beim Lügen kein schlechtes Gewissen haben. Sie zeigen keine Signale der Anspannung. Wiederum andere, zum Beispiel politische oder religiöse Fanatiker, glauben ihre eigenen Lügen und zeigen daher auch keinerlei Anzeichen, die auf eine Täuschung hindeuten. Den meisten Menschen sieht man jedoch das Lügen an.

Die Deutung der Körpersprache

In unserem Buch *Body Language* erklärten wir, dass Körpersignale 60 Prozent der Botschaften ausmachen, die zwischen den Menschen hin- und hergehen. Wir empfehlen Ihnen, das Buch zu lesen, weil wir hier nicht ausführlich darauf eingehen können. Allerdings werden wir einige Signale besprechen, die jemand beim Lügen zeigt. Wir haben beobachtet, dass Frauen und Männer verstärkt ihr Gesicht mit der Hand berühren, wenn sie Zweifel haben, unsicher sind, übertreiben oder lügen. Die Gesten von Männern erkennt man leichter, weil sie deutlicher und häufiger sind. Typische Körpersignale sind: sich in den Augen und an der Nase reiben, am Ohr ziehen oder am Kragen nesteln. Bill Clinton zum Beispiel berührte seine Nase und sein Gesicht 26 Mal, als er vor Gericht Fragen über seine Beziehung zu Monica Lewinsky beantworten musste.

Achten Sie auf Häufungen

Eine Geste sollte man nie unabhängig von anderen Gesten oder den Umständen deuten. Wenn sich jemand im Auge reibt, kann er auch einfach müde sein, oder das Auge juckt oder ist wund. Lügen kommen meist in Gruppen, so genannten Clustern, vor. Man muss mindestens drei Signale erkennen, bevor man von einer Lüge ausgehen kann. Wenn sich jemand an den Mund oder die Nase fasst, im Auge reibt, am Ohr zieht, am Hals kratzt, die Finger an den Mund legt oder die Nase reibt, heißt das nicht automatisch, dass er lügt. Sie wissen dann aber, dass etwas in ihm vorgeht, das er Ihnen nicht sagt. Er lügt nicht unbedingt, aber er verbirgt wahrscheinlich etwas vor Ihnen. Wenn jemand sich ständig im Gesicht anfasst und dabei sagt: »Vertrau mir«, »glaub mir«, »um ganz ehrlich zu sein« und »bei allem Respekt«, können Sie davon ausgehen, dass Sie angelogen werden.

Lächeln

Männer und Frauen lächeln genauso häufig, wenn sie lügen oder die Wahrheit sagen. Ein echtes Lächeln kommt jedoch schnell und ist symmetrisch – die linke Seite des Gesichts ist das genaue Spiegelbild der rechten. Ein falsches Lächeln entsteht langsam und ist ungleichmäßig. Wenn man versucht, ein Gefühl zu zeigen, das man nicht empfindet, ist der Gesichtsausdruck nicht symmetrisch. Anders ausgedrückt, man zeigt ein verzerrtes Lächeln.

Schau mir in die Augen, Kleines

Vermutlich wurde Ihnen beigebracht, dass einem ein Lügner nie in die Augen blickt. Das trifft für westliche und europäische Kulturen zu, wo die Mutter dem Kind sagt: »Ich weiß, dass du lügst, weil du mir nicht in die Augen sehen kannst.« In vielen asiatischen und südamerikanischen Ländern gilt ein ausgiebiger Augenkontakt aber als unhöflich oder aggressiv, dort trifft diese Regel nicht zu. Außerdem sind geübte Lügner in der Lage, beim Lügen Augenkontakt zu halten. Ein verringerter Augenkontakt weist daher nur eingeschränkt auf eine Täuschung hin. Verstärktes Blinzeln ist ein wichtiges Signal, denn es kündet von Anspannung, wenn die Augen des Lügners vom erzwungenen Augenkontakt austrocknen. Anhand der Richtung, in die sich die Augen bewegen, wenn man jemandem eine Frage stellt, kann man ebenfalls einen Lügner erkennen, denn sie zeigt, welcher Bereich des Gehirns beansprucht wird. Dieses Signal kann man nur schwer kaschieren. Wenn Rechtshänder sich an ein tatsächliches Ereignis erinnern, arbeitet ihre linke Gehirnhälfte und sie blicken dann meistens nach rechts. Wenn sie eine Geschichte erfinden, arbeitet die rechte Gehirnhälfte und sie schauen nach links. Einfach ausgedrückt: rechtshändige Lügner blicken auf ihre linke Hand, linkshändige Lügner auf ihre rechte. Diese Beobachtung ist nicht absolut zuverlässig, aber ein deutliches Signal für eine Täuschung.

Der Pinocchio-Effekt

Spezialkameras, die den Blutfluss im Körper abbilden, zeigen, dass beim Lügen die Nase eines Menschen größer wird. Erhöhter Blutdruck lässt die Nase anschwellen und bringt die Nervenenden in der Nase zum Kribbeln. Unwillkürlich reibt man mit der Hand an der Nase, weil sie »juckt«. Das Gleiche geschieht, wenn man aufgebracht oder wütend ist. Wissenschaftler der Smell and Taste Treatment Foundation in Chicago haben herausgefunden, dass beim Lügen chemische Stoffe, die »Katecholamine«, ausgeschüttet werden, die das Gewebe im Naseninnern anschwellen lassen. Man kann die Schwellung mit dem bloßen Auge nicht erkennen. Interessant ist in diesem Zusammenhang, dass auch der

Penis eines Mannes beim Lügen anschwillt. Wenn Sie sich nicht sicher sind, ob ein Mann lügt oder nicht, sollten Sie ihm die Hose runterziehen.

Die folgende Liste enthält weitere Hinweise darauf, ob ein Mann lügt.

1. Muskelzucken im Gesicht. Das Gehirn versucht zu verhindern, dass das Gesicht eine Reaktion zeigt.
2. Fehlender Augenkontakt. Er meidet Ihren Blick. Wenn das Zimmer eine Tür hat, blickt er dorthin.
3. Verschränkte Arme und/oder übereinander geschlagene Beine. Das ist der Instinkt, sich zu verteidigen.
4. Gepresstes Lächeln: Ein gezwungenes Lächeln wird von beiden Geschlechtern benutzt, um Offenheit vorzutäuschen.
5. Die Pupillen verengen sich.
6. Schnelles Sprechen. Ein Lügner will es schnell hinter sich bringen.
7. Der Kopf bewegt sich zu einem »Nein«, wenn der Lügner »Ja« sagt und umgekehrt.
8. Versteckte Hände. Männer meinen, es sei einfacher, mit den Händen in der Tasche zu lügen.
9. Wörter werden falsch ausgesprochen oder gemurmelt. Ein Lügner glaubt, dass er dann nicht lügt.
10. Übertriebene Freundlichkeit/gekünsteltes Lachen. Er möchte, dass Sie ihn mögen und ihm deswegen glauben.

Wie vermeidet man, dass man belogen wird?

1. Setzen Sie sich auf einen höheren Stuhl. Das ist eine subtile Form der Einschüchterung.
2. Schlagen Sie nicht die Beine übereinander. Öffnen Sie die Arme und lehnen Sie sich zurück. »Öffnen« Sie sich der Wahrheit.

3. Sagen Sie nie, was Sie wirklich wissen – der Lügner braucht nicht zu wissen, dass Sie ihn durchschaut haben.

4. Rücken Sie dem anderen auf die Pelle. Wenn Sie dicht bei ihm stehen, fühlt er sich unbehaglich.

5. Ahmen Sie die Stellung und die Bewegungen des anderen nach. Dadurch entsteht eine enge Bindung, und der andere hat Schwierigkeiten, Sie anzulügen.

6. Achten Sie darauf, wie der andere denkt, und ahmen Sie seinen Sprechstil nach. Wenn der andere Formulierungen verwendet wie »ich habe *gehört*« oder »das *klingt* gut«, wissen Sie, dass er auditiv denkt, also quasi »mit den Ohren«. Wenn er sagt: »ich hätte das kommen *sehen* sollen« oder »ich *sehe*, was du meinst«, wissen Sie, dass er visuell orientiert ist. Erklärt er: »das traf mich wie ein *Schlag* ins Gesicht« oder »ich war wie *erstarrt*«, wissen Sie, dass er gefühlsorientiert denkt. Sprechen Sie mit ihm auf die gleiche Weise. Ein guter Test ist es auch, den anderen zu bitten, das Alphabet aufzusagen. Manche starren in die Luft, als ob sie auf das Alphabet blicken würden, das in der Grundschule über der Tafel hing (visuell), andere singen das Alphabet regelrecht (auditiv), und wieder andere trommeln die Buchstaben mit den Fingern (gefühlsorientiert). Wenn Sie Ihre Denkweise anpassen, entwickelt sich sofort eine Bindung.

7. Geben Sie dem anderen eine »Auszeit«. Sie müssen es ihm leicht machen, die Wahrheit zu sagen. Tun Sie so, als hätten Sie ihn nicht richtig verstanden, oder sagen Sie, Sie hätten den Satz akustisch nicht verstanden. Lassen Sie ihm immer ein Schlupfloch, damit er seine Worte widerrufen und die Wahrheit sagen kann.

8. Bleiben Sie ruhig. Zeigen Sie nie, dass Sie überrascht oder schockiert sind. Behandeln Sie alles mit der gleichen Wichtigkeit. Sobald Sie negativ reagieren, verlieren Sie jede Chance, dass er Ihnen die Wahrheit sagt.

9. Keine Anschuldigungen. Aggressive Fragen wie »Warum hast du nicht angerufen?« oder »Triffst du dich mit einer anderen?« können dazu führen, dass der Lügner sich in seiner Position bestätigt

sieht. Verwenden Sie weiche Fragen wie »Wo sagtest du noch, bist du gewesen?« und »Um welche Zeit sagtest du noch gleich, warst du im Restaurant?«.

10. Geben Sie ihm eine letzte Chance. Ignorieren Sie die Lüge und sagen Sie: »Was können wir tun, damit das nicht noch einmal passiert?« Wenn er glaubt, er sei damit durchgekommen, wird er sich eher bessern. Im schlimmsten Fall hat er eine eigene Lösung parat, die Lüge nicht mehr zu verwenden.

Wir baten unsere Leserinnen, uns Formulierungen zu schicken, die ihre Männer verwenden, wenn sie eigentlich etwas ganz anderes sagen wollen.

Wörterbuch männlicher Sprachmuster

Was er sagt – die Lüge	Was er meint – die Wahrheit
»Ich kann es nicht finden.«	Ich sehe es nicht, es fiel mir nicht gleich in die Hände, daher kann es gar nicht existieren.
»Das ist etwas für Männer.«	Damit ist kein rationales Denkmuster verbunden. Außerdem erklärt man damit ein Verhalten, das sich sonst nicht rechtfertigen ließe.
»Kann ich dir mit dem Abendessen helfen?«	Warum steht es noch nicht auf dem Tisch?
»Ich will mich ein bisschen mehr bewegen.«	Die Batterien in der Fernbedienung sind leer.

Was er sagt – die Lüge	Was er meint – die Wahrheit
»Wir werden zu spät kommen.«	Ich habe einen vernünftigen Grund, wie ein Wahnsinniger zu fahren.
»Mach ne Pause, Liebling, du arbeitest zu viel.«	Ich kann den Fernseher wegen des Staubsaugers nicht hören.
»Das ist interessant, Liebling.«	Redest du immer noch?
»Liebling, wir müssen uns unsere Liebe doch nicht mit materiellen Dingen beweisen.«	Ich habe schon wieder unseren Hochzeitstag vergessen.
»Das ist wirklich ein guter Film.«	Ein Film mit Schießereien, schnellen Autos und nackten Frauen.
»Du weißt doch, was für ein schlechtes Gedächtnis ich habe.«	Ich erinnere mich an den Text des Titelsongs von *Gilligans Insel*, an die Adresse des ersten Mädchens, das ich küsste, und an jedes Autokennzeichen, das ich einmal hatte, aber ich habe deinen Geburtstag vergessen.
»Ich habe gerade an dich gedacht und dir dann spontan diese Rosen gekauft.«	Das Mädchen, das sie an der Ecke verkauft hat, war ein steiler Zahn mit Wahnsinnskurven, die ich mir aus der Nähe ansehen wollte.

Was er sagt – die Lüge	Was er meint – die Wahrheit
»Ruf den Notarzt! Ich sterbe!«	Ich habe mir gerade in den Finger geschnitten.
»Ich verstehe.«	Ich habe nicht die geringste Ahnung, worüber du sprichst, aber du kannst jetzt aufhören.
»In dem Kleid siehst du wirklich umwerfend aus.«	Probier bitte nicht noch eins an, ich bin am Verhungern.
»Ich hab dich vermisst.«	Ich finde meine Socken nicht, die Kinder haben Hunger und das Klopapier ist aus.
»Ich habe mich nicht ver-fahren, ich weiß genau, wo wir sind.«	Wir werden spurlos verschwinden.
»Toller Pullover«	Toller Busen
»Ich liebe dich.«	Lass uns Sex haben.
»Möchtest du tanzen?/ Darf ich dich mal anrufen?/ Möchtest du mit mir ins Kino/ Essen gehen?«	Ich hätte gern Sex mit dir.
»Willst du mich heiraten?«	Ich möchte, dass der Sex mit anderen illegal für dich wird. Oder: Ich brauche einen Mutterersatz.

Was er sagt – die Lüge	Was er meint – die Wahrheit
»Du wirkst angespannt. Komm, ich massiere dich.«	Ich will in den nächsten zehn Minuten Sex mit dir.
»Lass uns reden.«	Ich versuche dich zu beeindrucken, indem ich zeige, dass ich ein tiefsinniger, aufrichtiger Mann bin, damit du dann vielleicht Sex mit mir hast.
»Ich helfe im Haushalt.«	Ich habe einmal ein schmutziges Handtuch in die Nähe des Wäschekorbs geworfen.
»Sie ist eine dieser militanten, feministischen Lesben.«	Sie wollte keinen Sex mit mir.

MÄNNER WERDEN FRAUEN NIE VERSTEHEN
UND FRAUEN WERDEN MÄNNER NIE VERSTEHEN.
UND GENAU DAS WERDEN MÄNNER UND FRAUEN
NIE VERSTEHEN.

KAPITEL 13

WENN EIN MANN DIE BÜCHSE AN DEN NAGEL HÄNGT – DER RUHESTAND

In den Industriestaaten nimmt die Anzahl der Menschen, die auf das Rentenalter zusteuern, in erschreckendem Maße zu. Auf Grund der Fortschritte in der Medizin erreicht heute nicht nur ein größerer Anteil der Bevölkerung das Rentenalter, auch die Zahl derjenigen, die den Renteneintritt um mindestens zehn Jahre überleben, hat sich in den vergangenen 60 Jahren verdoppelt.

Vor 1940 wurde nur ein kleiner Prozentsatz der Bevölkerung älter als 65. Diejenigen, die keine finanzielle Unabhängigkeit erreicht hatten, lebten entweder in Armut, arbeiteten, bis sie starben, oder wurden von ihren Kindern unterstützt.

Von den Vierzigerjahren des 20. Jahrhunderts bis zu den Zwanzigerjahren des 21. Jahrhunderts wird die Lebenserwartung um mehr als 50 Prozent gestiegen sein, und zwar von 46 auf 72 Jahre. Im Jahr 2020 wird über eine Milliarde Menschen 60 Jahre alt sein.

Das »Babyboomer«-Problem

Nach dem Zweiten Weltkrieg explodierte mit einer neuen, als die »Babyboomer« bekannten Generation weltweit die Geburtenrate. Von den Babyboomern – den zwischen 1946 und 1964 Geborenen – erreichen nun 76 Millionen das Rentenalter.

IN JEDEM ÄLTEREN MENSCHEN LEBT EIN JÜNGERER,
UND DER FRAGT SICH,
WAS ZUM TEUFEL PASSIERT IST.

Die Industriestaaten sind gezwungen, einen immer größeren Teil ihrer Haushalte für die Versorgung dieser alternden Bevölkerung aufzuwenden.

In vielen Ländern wurden Pflichtbeiträge zu einer Rentenversicherung eingeführt, das Problem ist jedoch das Verhältnis zwischen der arbeitenden Bevölkerung, die diese Beiträge leistet, und denjenigen, die in Rente gehen. In den USA zum Beispiel ist dieses Verhältnis seit 1952 von 9 : 1 auf 4 : 1 gefallen. In Japan werden im Jahr 2010 auf jeden Ruheständler weniger als zwei in einem Beschäftigungsverhältnis Stehende kommen. Verschärft wird das Versorgungsproblem durch die Tatsache, dass die Japaner inzwischen die weltweit höchste Lebenserwartung haben. Bei 1993 geborenen japanischen Frauen wird sie auf 82,51 Jahre geschätzt, bei den im gleichen Jahr geborenen Männern auf 76,25 Jahre.

Überall ergreifen die Regierungen Maßnahmen, um dieses Problem in den Griff zu bekommen. Kreditinstitute verkaufen mehr und mehr private Altersvorsorge. Die Regale der Buchläden sind voll gestopft mit Büchern über finanzielle Unabhängigkeit und Rentenplanung. Rentenberatung ist das große Geschäft geworden. Doch zwei Problemen wird weniger Aufmerksamkeit geschenkt: Erstens, wie Männer den Ruhestand psychisch verkraften, und zweitens, wie Frauen mit ihren Partnern und den Auswirkungen des Ruhestandes auf ihre Beziehungen zurecht kommen.

Fallbeispiel: Grahams Geschichte

Graham glaubte, ein Alterssitz an der Küste wäre gleichbedeutend mit einem einzigen langen Urlaub. Er wollte ein idyllisches Leben führen: in der Sonne liegen, schwimmen, Essen gehen, lange schlafen und sich erholen. Und in den ersten Monaten tat er genau das. Aber dann litt er unter einer Altersdepression – und zwar gewaltig.

Er und seine Frau Ruth hatten ein wunderschönes, geräumiges Haus mit Garten und Pool nahe der Küste gekauft und waren zwei Wochen, nachdem Graham in den Ruhestand getreten war, dort eingezogen. Sie freuten sich auf die Art Ausgelassenheit, die sie im Urlaub immer genossen, aber Graham war der Unterschied zwischen einem Urlaub, der einem voll gepackten Terminkalender abgerungen war, und einem, der für den Rest des Lebens andauern würde, noch nicht klar.

Wie bei den meisten Männern im Rentenalter war die Arbeit der Mittelpunkt seines Lebens gewesen. Über 40 Jahre hatte er schon beim Aufstehen genau gewusst, wie sein Tagesablauf aussehen würde. Nun hatte er zum ersten Mal in seinem Leben keine Aufgabe. Und er fragte sich, wie er die freie Zeit füllen sollte. In der Geschäftswelt war er bekannt und angesehen gewesen. Er hatte einen wichtigen Posten gehabt, an Meetings teilgenommen, neue Mitarbeiter ausgebildet und jedermanns Probleme gelöst. Am Strand hingegen kannte ihn niemand, und kein Mensch wollte seine Meinung hören. Er hatte seine Stellung in der Gesellschaft verloren und vermisste den Umgang und den geistigen Austausch mit den Menschen an seinem Arbeitsplatz. Die Zeit des Problemlösens war vorbei. Plötzlich begriff Graham, dass er von einem Eilzug abgesprungen und auf eine Bimmelbahn am Strand aufgesprungen war. Statt zwei oder drei Dinge gleichzeitig zu tun, um Zeit zu sparen, zog er nun, um die Zeit auszufüllen, alles in die Länge. Vergeblich wartete er auf den Anruf von Unternehmen, die unbedingt seine Dienste in Anspruch nehmen wollten. Eine Weile hielt er Kontakt zu Arbeitskollegen, doch deren Anrufe wurden immer seltener. Gestern war er »der Boss« – heute »der Mann ohne Gesicht«.

Graham litt sehr unter seinem abrupten Identitätsverlust. Schon bald forderte er immer mehr Aufmerksamkeit von Ruth, stand ihr dauernd im Weg und redete ihr in ihre Angelegenheiten hinein. Sein täglicher Lieblingsausspruch war: »Was gibt's zum Mittagessen?« Vor Grahams Pensionierung hatte Ruth tun und lassen können, was sie wollte. Nun musste sie sich den ganzen Tag mit ihm befassen. Die Beziehung litt schon bald unter dieser Belastung.

Im Lauf der Zeit gewöhnten sie sich schließlich an ihre Situation und lernten neue Freunde kennen. Tatsächlich hatten sie so viele Verabredungen zum Mittag- oder Abendessen, dass Graham Gewichtsprobleme bekam. Es langweilte ihn, in der Sonne zu liegen, er schwamm wenig und arbeitete selten im Garten. Leider wurde er nun der Typ Mensch, den er früher verachtet hatte. Graham dachte täglich an seine Arbeit und träumte nachts oft von seinem Berufsleben. Er vermutete, dass seine Gesundheit angegriffen war, sprach aber mit niemandem darüber, nicht einmal mit seinem Arzt.

Achtzehn Monate nachdem er den Traum-Ruhestand angetreten hatte, erlitt Graham einen schweren Herzinfarkt.

EIN SEHR ERFOLGREICHER GESCHÄFTSMANN WAR AUF EINER COCKTAILPARTY, DEM ERSTEN GESELLSCHAFTLICHEN EREIGNIS, ZU DEM ER NACH ANTRITT DES RUHESTANDS EINGELADEN WORDEN WAR. ER BLICKTE SICH IM RAUM UM, ENTDECKTE EINE SEHR ATTRAKTIVE FRAU UND GING SCHNURSTRACKS AUF SIE ZU. »HALLO«, SAGTE ER UND STRECKTE IHR DIE HAND ENTGEGEN. »SIE WISSEN BESTIMMT, WER ICH BIN.« SIE SAH IHN VERSTÄNDNISLOS AN. »NEIN«, ANTWORTETE SIE. »ABER WENN SIE DEN GASTGEBER FRAGEN, KANN ER ES IHNEN SICHER SAGEN.«

Sex und Ruhestand

Die Art und Weise, wie Männer und Frauen mit dem Älterwerden umgehen, verdeutlicht abermals die Unterschiede ihrer Gehirnstruktur.

Da Frauen heute 40 bis 50 Prozent der arbeitenden Bevölkerung ausmachen, sollte man erwarten, dass Frauen mit dem Ruhestand die gleichen psychischen Probleme haben wie Männer. Auf Grund ihrer unterschiedlichen Gehirnstruktur und der unterschiedlich ausgeprägten Gehirnbereiche, erleben Männer und Frauen diese Zeit jedoch völlig anders. Für Männer ist der Ruhestand ein Desaster, das zum vorzeitigen Tod beitragen kann. Das Gleiche gilt für Männer, die im Lotto gewinnen oder große Geldsummen erben. Und je jünger sie sind, desto schlimmer ist die Erfahrung.

DIE MEISTEN MÄNNER, DIE VIEL GELD ERBEN ODER IM LOTTO GEWINNEN, GEHEN PLEITE, WERDEN KRANK UND STERBEN FRÜHER.

Es gibt zahlreiche Bücher und Studien zu den Problemen von Männern, die in den Ruhestand treten, aber kaum Untersuchungen zu nicht berufstätigen Frauen oder Rentnerinnen, weil ihr Hauptproblem darin besteht, mit gerade in Rente gegangenen Männern fertig zu werden.

Wenn ein Jäger nicht mehr jagt

Mindestens hunderttausend Jahre lang standen Männer morgens auf und zogen los, um Nahrung für ihre Familien zu beschaffen. Der Beitrag des Mannes zum Überleben der Menschheit war klar und einfach – finde ein essbares Ziel und triff es. Und so hat sich in seinem Gehirn eine bestimmte Region ausgebildet, die es ihm ermöglichte, diese Aufgabe erfolgreich zu erfüllen. Diese Region wird der visuell-räumliche Bereich genannt. Man braucht ihn, um Geschwindigkeiten, Winkel, Entfernungen und räumliche Koordinaten zu messen, und es ist auch der Bereich, den moderne Männer nutzen, wenn sie rückwärts einparken, Karten lesen, sich in den Verkehr einfädeln, einen Videorekorder programmieren, Ballsportarten betreiben oder ein bewegliches Ziel treffen.

Einfach gesagt, es ist der Teil des Gehirns, der bei der Jagd aktiv ist. Die folgenden Abbildungen, die auf den Gehirn-Scans von 50 Männern und 50 Frauen basieren, zeigen (in Schwarz) die aktiven, für das räumliche Vorstellungsvermögen verantwortlichen Gehirnbereiche.

Jahrtausendelang war die Jagd das Betätigungsfeld der Männer, und so macht es Sinn, dass das Gehirn des heutigen Mannes genauso strukturiert ist wie auf der obigen Abbildung. Frauen waren

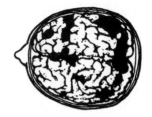

Weiblich   Männlich

Die Bereiche des Gehirn, die bei der Jagd aktiv sind.
Institute of Psychiatry, London 2001.

Nesthüterinnen, die das Überleben der nächsten Generation sicherstellten. Um dieser Aufgabe gerecht zu werden, bildeten sich in ihrem Gehirn andere Bereiche stärker aus. Aus 30 Metern Entfernung mit einem Speer ein Zebra zu treffen war nie ihre Aufgabe. Das ist eine Erklärung dafür, warum bei Frauen das räumliche Vorstellungsvermögen weniger ausgeprägt ist.

Wie der Jäger von einst überflüssig wurde

Am Ende des 18. Jahrhunderts machten fortschrittliche landwirtschaftliche Techniken die Jagd für die Ernährung überflüssig. Um damit fertig zu werden, nicht mehr jagen und ein Ziel treffen zu müssen, schufen die Männer sich zwei Arten von Ersatz: Arbeit und Sport. Beide enthalten alle Elemente des Jagens: sich anpirschen, jagen, das Ziel anvisieren und treffen.
Neunzig Prozent aller modernen Ballsportarten entwickelten sich zwischen 1800 und 1900 als Äquivalent für das Jagen. Deswegen sind die meisten Männer im Unterschied zu den meisten Frauen von ihrer Arbeit und ihrem Sport besessen.

DER MODERNE SPORT IST EINE ART
ERSATZ FÜR DIE JAGD.

337

Das zwanzigste Jahrhundert versetzte Männern einen noch härteren Schlag: den Ruhestand. Nicht nur, dass sie nicht mehr nach Jagdbeute Ausschau halten mussten, sie wurden überhaupt nicht mehr gebraucht. Und darin liegt in der heutigen Zeit das Problem für aus dem Arbeitsleben ausgeschiedene Männer. Ihr noch immer auf das Jagen programmiertes Gehirn ist buchstäblich arbeitslos. Der Mann steht zu Jagd und Kampf bereit, aber er hat kein Ziel. Noch schlimmer, er sitzt an einem abgelegenen Strand, wo ihn keiner kennt und sich niemand für ihn interessiert.

WENN DU ALLE ANTWORTEN KENNST, ABER NIEMAND DIR FRAGEN STELLT, DANN BIST DU IM RUHESTAND.

Wie Frauen mit dem Ruhestand fertig werden

Verglichen mit Männern vollzieht sich bei Frauen der Übergang in den Ruhestand in der Regel problemlos. Sie »leben ihr Leben einfach weiter«. Männer definieren sich seit jeher über ihre Arbeit und über *Leistungen*, Frauen beurteilen gewöhnlich ihren Selbstwert nach der Qualität ihrer *Beziehungen*. Untersuchungen zu männlichen und weiblichen Werten zeigen, dass weltweit 70 bis 80 Prozent der Männer die Arbeit als den wichtigsten Teil ihres Lebens ansehen und 70 bis 80 Prozent aller Frauen ihre Familie. Deswegen halten Frauen auch im Ruhestand noch immer das soziale Gefüge aufrecht, das sie sich geschaffen haben, oder integrieren sich leicht in neue soziale Systeme. Sie verbringen die gewonnene Freizeit mit Dingen, die sie immer getan haben, oder nehmen neue Herausforderungen an, für die sie während des Arbeitslebens keine Zeit hatten.

MÄNNER SCHÄTZEN LEISTUNG, FRAUEN SCHÄTZEN BEZIEHUNGEN.

Im Ruhestand schließen sich viele Frauen Gruppen an, um ihre Hobbys oder ihre Interessen intensiver zu pflegen. Sie gehen wieder zur Universität, verbringen mehr Zeit damit, sich um andere zu kümmern oder treten einem Sportverein bei. Ihre Aktivitäten umfassen fast immer die Interaktion mit anderen Menschen. Eine Frau kann nach Belieben Verdienerin, Fürsorgende, Mutter, Großmutter, Hausfrau, Gefährtin, Ehefrau und Geliebte sein, und häufig ist sie alles gleichzeitig. Wenn das Arbeitsleben einer Frau endet, bleiben ihr die vielen anderen Facetten ihres Lebens. Mit anderen Worten, eine Frau behält ihre Identität. Die Situation ist für sie kein Drama. Sie macht einfach weiter und geht nie in Rente.

Fallbeispiel: Peter und Jennifer

Jennifer hatte sich sehr darauf gefreut, gemeinsam mit ihrem Mann Peter in den Ruhestand zu gehen. Endlich konnten sie all die Dinge gemeinsam tun, zu denen sie nie Zeit gehabt, von denen sie aber schon immer geträumt hatten. Um die Kinder, die erwachsen und verheiratet waren, brauchten sie sich keine Sorgen mehr zu machen. Jetzt wollten Jennifer und Peter ihr eigenes Leben leben. Obwohl die beiden seit 20 Jahren verheiratet waren, hatte Jennifer oft das Gefühl, ihren Mann gar nicht richtig zu kennen. Er arbeitete viel und verbrachte die Abende und Wochenenden in Meetings oder pflegte seine Geschäftskontakte. Manchmal kam er Jennifer vor wie ein Fremder. Jetzt aber würden sie Zeit haben, sich noch einmal ganz neu kennen zu lernen. Sie bereiteten sich auf die zweiten Flitterwochen vor.

Jennifer sah dem Ruhestand voller Erwartung entgegen. Sie hatte die meiste Zeit ihres Lebens als Krankenschwester gearbeitet und ihren Beruf, der wenig Aufstiegsmöglichkeiten bot, als anstrengend und schlecht bezahlt empfunden. Außerdem hatte sie nebenher noch ihre Familie versorgen müssen, so dass ihr wenig Zeit für sich selbst geblieben war. Nun fühlte sie sich endlich frei.

Als Peter schließlich in Rente ging, wirkte er jedoch vom Aufstehen bis zum Ins-Bett-Gehen schlecht gelaunt. Er hatte nie Lust, etwas zu unternehmen, saß einfach nur zu Hause rum und jammerte darüber, wie gut seine Firma ohne ihn lief und wie selten seine alten Kollegen ihn anriefen, um von seinem Rat und seiner Erfahrung zu profitieren. Jennifer wusste, dass er deprimiert war, konnte ihn aber nicht dazu bewegen, über seine Gefühle zu sprechen. Es kam ihr vor, als hätte er sie nun völlig aus seinem Leben ausgeschlossen. Anfangs blieb sie bei ihm zu Hause und hoffte, dass er sie eines Tages um Hilfe bitten würde. Aber nach einigen Monaten ärgerte sie sich, dass er es schaffte, auch ihr den Ruhestand zu verderben. Sie begann, mehr mit ihren Freundinnen zu unternehmen. Dreimal in der Woche ging sie mit einer Gruppe zum Schwimmen, spielte an zwei Tagen Tennis und besuchte Kunstkurse. Später lernte sie an der Volkshochschule Italienisch. Jennifer verbrachte immer weniger Zeit zu Hause.

»Weißt du«, erzählte sie einer engen Freundin, »es gefällt mir, nicht mehr arbeiten zu müssen. Die Freiheit … Es ist einfach wunderbar. Das Einzige, was mir nicht gefällt, ist abends wieder nach Hause zu müssen. Ich frage mich langsam, was ich je an Peter gefunden habe. Jetzt, wo wir das erste Mal in unserem Leben Zeit miteinander verbringen, merke ich, dass wir keine Gemeinsamkeiten haben, und ich frage mich, ob wir sie je hatten. Ich weiß nicht einmal mehr, ob ich ihn noch liebe oder überhaupt noch mit ihm zusammen sein will.«

Mit einem Mann im Ruhestand zurecht zu kommen ist oft das größte Problem im Leben einer Frau. Die Situation kann zu Auseinandersetzungen, Tränen und sogar zur Trennung führen. Der Mann scheint der Frau ständig »im Weg herumzustehen« und versucht vielleicht sogar, das Kommando zu übernehmen. Er behandelt sie so wie früher seine Angestellten und geht ihr mit unerwünschtem Rat und Lösungsvorschlägen auf die Nerven. Nicht selten gibt er ihr die Schuld an seiner Misere.

Ein siebzigjähriges Paar erfreute sich bester Gesundheit, weil die Frau immer auf gesunder Ernährung und Sport bestanden hatte. Eines Tages starben beide bei einem Autounfall. An der Himmelstür nimmt Petrus sie in Empfang und führt sie in ihr neues Leben im Himmel ein.

Er zeigt ihnen eine fantastische Villa. »Aber was kostet die?«, fragt der Mann. »Nichts«, antwortet Petrus. »Sie kostet nichts. Wir sind hier im Himmel.«

Dann zeigt er ihnen den wunderbaren Golfplatz hinter der Villa. »Wie viel kostet der Klubbeitrag?«, fragt der Mann. »Nichts«, antwortet Petrus. »Er kostet nichts. Wir sind hier im Himmel.«

Schließlich bringt er die beiden zum Klubrestaurant und zeigt ihnen die Speisekarte mit den köstlichsten Gerichten, alle mit schweren Sahnesoßen. »Aber wir essen nur fettarme, salzarme, milchfreie, cholesterinarme Gerichte«, sagt der Mann. »Mach dir keine Sorgen«, sagt Petrus. »Wir sind hier im Himmel. Im Himmel gibt es keine Kalorien. Du kannst essen, so viel du willst, und bleibst trotzdem fit und gesund.«

Der Mann lässt einen Schrei los und dreht sich zu seiner Frau um. »Du verdammte Hexe!«, brüllt er sie an. »Wenn du nicht darauf bestanden hättest, dass wir diesen gesunden Fraß essen und Sport treiben, könnten wir seit zehn Jahren hier sein!«

Warum Männer am Ruhestand verzweifeln

In den Ruhestand zu gehen ist für viele Männer ein großes Problem. Oft beginnt jetzt eine der stressigsten Phasen ihres Lebens. Nicht der Verlust der Arbeitsstelle ruft so viel Stress hervor. Es geht um etwas viel Wichtigeres: um den Verlust ihrer Identität.

Wenn das Rentenalter näher rückt, möchten viele Männer am liebsten leugnen, dass ihr Arbeitsleben bald enden wird. Sie haben das Gefühl, sich so viel Wissen angeeignet zu haben und so viel Erfahrung zu besitzen, dass ihre Arbeitgeber und Kollegen unmöglich ohne sie auskommen können. Die Tatsache, dass diese jedoch meinen, es zu können, und es sicher auch werden, ist dann in der Regel ein schwerer Schlag.

Unfähig, den Tatsachen ins Auge zu sehen, trösten sich viele Männer mit der Vorstellung, stattdessen als Berater tätig zu werden. Das erscheint ihnen als lohnenswerter Kompromiss. Einerseits werden sie nicht mehr so viele Stunden arbeiten müssen, andererseits werden sie wichtige Räder im Getriebe bleiben. Sie werden »auf Abruf« zur Verfügung stehen, um die Probleme zu lösen, die allein sie auf Grund ihres Wissens und ihrer Erfahrung lösen können. Selbst wenn ihnen ihre Arbeit nie wirklich gefallen hat, möchten sie, dass die Jagdgemeinschaft sie braucht, um die Jagd fortzusetzen.

Ein Mann will glauben, dass ihn die Horde der Jäger noch braucht.

Das ist jedoch nur selten der Fall. Die nachfolgenden Generationen haben eigene Ideen und Lösungen und fühlen sich nun frei, diese umzusetzen und neue Wege auszuprobieren, ohne dabei von jemandem beraten zu werden.

Am letzten Arbeitstag machen Männer oft Witze darüber, dass ihnen klar wurde, wie nah das Ende war, als die Kollegen ihr Büro ausmaßen, der alte Computer gegen ein brandneues Spitzenmodell ausgetauscht wurde und ihre Assistentin auf Anweisungen mit »na klar« reagierte. Und dennoch ist ihnen selten bewusst, dass das »Lebewohl« nach der Abschiedsparty tatsächlich Lebewohl bedeutet.

Warum viele Männer so schnell abbauen

Einige Männer nehmen die Tatsache, dass sie nun im Ruhestand sind, gelassen hin. Sie sind überzeugt, dass sie keine Probleme damit haben werden, gehen die Sache ruhig an und tun, was sie möchten und wann immer sie es möchten. Wenn sie sich aber nicht sorgfältig auf diese Phase vorbereitet haben, ist die Schonzeit meist schnell vorbei. Der plötzliche Verlust ihrer Freunde und Kollegen, ihres Status und des Gefühls, wichtig zu sein, löst früher oder später Depressionen aus.

Der Identitätsverlust eines Mannes gleicht in vieler Hinsicht dem Tod eines geliebten Menschen. Die erste Reaktion ist das *Leugnen*, gefolgt von *Depressionen, Wut* und zuletzt – hoffentlich – dem *Annehmen der Situation*.

Die Depressionen können einsetzen, ohne als solche erkannt zu werden. Zunächst wird der aus dem Arbeitsleben ausgeschiedene Mann von seinem neuen Leben enttäuscht sein. Vielleicht zieht er sich zurück, verliert seine Vitalität und seine Libido, fühlt sich abgelehnt und wertlos. Häufig isst er zu viel und trinkt zu viel Alkohol oder nimmt Medikamente. Er hat regelmäßig Erkältungen oder kleinere Wehwehchen. Oft denkt er, zutiefst enttäuscht, an die Dinge, die er nicht erreicht hat. Es ist ganz wichtig, diese Phase zu erkennen und professionelle Hilfe in Anspruch zu nehmen, wenn man es nicht alleine schafft, wieder aus ihr herauszukommen, weil die Depression sonst zum Dauerzustand werden kann. Die Folge ist dann ein unglückliches, apathisches und verkürztes Leben.

WENN MÄNNER IHREN RUHESTAND NICHT GEPLANT HABEN, SIND SIE STÄNDIG KRANK.

Zorn ist gewöhnlich das erste Anzeichen, dass die Depression vorübergeht. In dieser Phase gibt der Mann anderen die Schuld für sein eigenes Dilemma. Oft greift er seine Partnerin oder die Familie an, weil »sie nicht verstehen, wie ich mich fühle«. Dem ehemaligen Arbeitgeber wirft er vor, ihn nicht auf den Ruhestand vorbereitet zu haben. Er versteht nicht, wie der Arbeitgeber es ablehnen konnte, ihn wieder halbtags oder als Berater einzustellen, und empfindet dies als schändlichen Mangel an Loyalität. Die Wut findet oft ihr Ventil in dem Wunsch, die Führung des Haushalts zu übernehmen, vor allem die Finanzen und die Planung gesellschaftlicher und familiärer Aktivitäten. Der Mann möchte jetzt der Vorstand der Familie sein.

Das kann für seine Partnerin sehr frustrierend sein und führt in vielen Fällen zu ständigem Streit.

Fallbeispiel: Yvonne

Barry schloss im Alter von zwanzig Jahren seine Ausbildung als Installateur ab und machte sich mit fünfundzwanzig selbständig. Er war immer versessen darauf gewesen, alles genau zu untersuchen, liebte Fakten und Zahlen und war sehr erfolgreich mit seinem Zeitmanagement. Als er mit fünfzig beschloss, in Rente zu gehen, hatte er einen florierenden Installateurbetrieb aufgebaut, war der Boss und hatte das Gefühl, der Beste auf seinem Gebiet zu sein. Immer hatte ihn der Gedanke motiviert, dass Yvonne und er eines Tages all ihre Zeit mit Reisen und mit ihren Kindern und Enkeln verbringen könnten. Als es dann so weit war, wurde der Ruhestand für Yvonne innerhalb von vier Wochen zum schlimmsten Alptraum.

Barry versuchte nun, den Hausherrn zu spielen. Und nicht nur das – er wollte Yvonne und alles, was sie tat, kontrollieren! Er übernahm die Finanzplanung für die Familie, er setzte ein Haushaltsgeld fest und wollte wissen, warum sie so viel Geld für Dinge ausgab, die er für überflüssig hielt. Die beiden hatten keine Geldprobleme, aber Barry verlangte Rechenschaft über jeden einzelnen Cent. Er machte Yvonne wahnsinnig.

Yvonne kaufte gerne ein, aber nun beschloss Barry, dies gemeinsam zu tun. Er machte einen Plan, wo und was sie einkaufen sollten. Wenn Yvonne in ein Geschäft ging, das nicht auf seinem Plan stand, wollte Barry genau wissen, warum sie dies tat – hatte sie nicht schon genug Kleider und Schuhe? Einmal brauchte Yvonne einen neuen BH, und Barry saß vor der Umkleidekabine. Sie probierte in großer Eile viele BHs an, damit Barry nicht lange warten musste.

In der Zwischenzeit quetschte Barry Verkäufer und Kundinnen über BHs aus – wie viele sie besaßen, warum Frauen so viele brauchten, warum sie so teuer waren, wie lange ein BH hielt und so weiter – und gab seine Kommentare dazu ab. Eine Analyse der erhaltenen Informationen brachte ihn zu dem Schluss, dass Yvonne nur zwei BHs brauche und jeder weitere Geldverschwendung sei. Für Yvonne war die Situation unerträglich. An diesem Tag kaufte sie keinen BH – sie wollte es ein andermal alleine tun.

Barry war der Ansicht, dass Yvonne mit einem effektiven Zeitmanagement ihre Tage erfolgreicher gestalten könne und bat sie, über ihre Aktivitäten mit genauer Zeitangabe, beginnend um 8 Uhr morgens, Buch zu führen. Yvonne kam sich vor wie eine Angestellte in einem Gefängnis. »Was machst du morgen?«, war die übliche Frage. »Ich gehe zum Arzt«, antwortete sie. »Das dauert nicht den ganzen Tag – was tust du morgen also als Erstes?« – »Vielleicht Staub saugen, waschen und was sonst noch so anfällt.«

Das war für den disziplinierten Barry, bei dem alles durchorganisiert sein musste, schwer zu verstehen. Sie konnte ihre Arbeit doch unmöglich ohne einen Plan machen?

Eines Tages sagte sie, um ihm seinen Willen zu lassen: »Ich mache als Erstes die Dusche sauber.«

Als das um 10 Uhr noch immer nicht erledigt war – Yvonne hatte beschlossen, erst die Wäsche zu machen –, wurde er unruhig. Barry konnte nicht damit umgehen, wenn Yvonne sich nicht strikt an seinen Plan hielt. Sein Leben war völlig durchstrukturiert gewesen, und Dinge einfach zu tun, wann es einem passte, lief seinen Vorstellungen zuwider. Allerdings fiel ihm auf, dass Yvonne am Ende des Tages alles Anstehende und sogar mehr erledigt hatte, ohne sich an einen Zeitplan zu halten. Yvonne begann, sich aus dem Haus zu stehlen, um Barry und seinen Tagesplänen zu entkommen. »Er soll sein Leben selbst in die Hand nehmen«, sagte sie ihren Freundinnen, »und ich will meins zurückhaben!«

*Ein Rentnerehepaar saß beim Abendessen und unterhielt sich
über das Alter.* »*Das Schlimmste*«, *sagte die Frau*, »*ist die
Vergesslichkeit.*«
»*Was meinst du damit?*«, *fragte der Mann.*
»*Dass ich ständig irgendetwas anfange und dann vergesse, was ich
eigentlich tun wollte*«, *antwortete sie.* »*Letzte Woche stand ich zum
Beispiel oben an der Treppe und fragte mich, ob ich gerade nach
oben gegangen war oder nach unten gehen wollte.*«
»*Was?*«, *sagte der Mann.* »*Das Problem habe ich nie.*«
Die Frau lächelte betrübt. »*Und gestern saß ich im Auto und fragte
mich, ob ich gerade eingestiegen war, um irgendwo hinzufahren, oder
nach Hause gekommen war und aussteigen wollte.*«
Der Mann triumphierte: »*Nein, so was ist mir wirklich noch nie
passiert. Mein Gedächtnis funktioniert tadellos, toi, toi, toi.*«
*Er klopfte dreimal auf den Tisch, blickte dann überrascht drein
und rief:* »*Herein!*«

Die Schattenseiten des Ruhestandes

Kommt es zu Streitereien wegen der unterschiedlichen Fähigkeiten eines Paares und der verschiedenen Rollen, die die Partner spielen, kann dies gefährlich werden, denn das Gefühl entsteht, dass sie nicht mehr zueinander passen. Frauen ärgern sich über die Einmischung in ein ihrer Meinung nach glückliches und geordnetes Leben. Vielleicht sehen sie ihren Mann zum ersten Mal in ihrer Ehe beim Frühstück, Mittagessen und Abendessen. Sie erleben, dass er trotz seiner vielen freien Zeit nie anbietet, ihnen im Haushalt zu helfen. Ihr Ärger und ihre Wut wachsen. Verschlechtert sich die Situation dramatisch, können Trennung, Scheidung und sogar Selbstmord die Folgen sein. Männer, die die ersten drei Stadien des Ruhestandes überleben, akzeptieren gewöhnlich ihre neue Lebensphase und nehmen die Herausforderung an, einen glücklichen und sinnvollen Lebensabend zu gestalten.

Diese Phasen zu erkennen ist entscheidend. Hat ein Mann seinen Ruhestand nicht sorgfältig geplant, kann es viele Jahre dauern, sie zu durchlaufen. Ziehen sich diese Phasen zu sehr in die Länge, sollte man professionelle Hilfe in Anspruch nehmen, damit negative Einstellungen nicht zum Dauerzustand werden und zu Einsamkeit und Unzufriedenheit führen.

MÄNNER, DIE EINEN SEHR ANSTRENGENDEN BERUF AUSÜBTEN, STERBEN FRÜH, WENN SIE IM RUHESTAND NICHT AKTIV BLEIBEN.

In westlichen und europäischen Ländern beträgt die Lebenserwartung eines Mannes, der sich nach seinem Ausscheiden aus dem Berufsleben völlig zur Ruhe setzt, fünf Jahre, für Männer mit sehr anstrengenden Berufen, wie Manager und Ärzte, nur zwei Jahre und fünf Monate. Diese Männer treten aus einer sehr disziplinierten und organisierten Umgebung ins Nichts.

Ein Mann verbringt dreißig bis vierzig Jahre des Arbeitslebens in einer strukturierten, zielorientierten Umgebung, daher sollte er seinen Ruhestand ebenso gestalten. Der Trend, vorzeitig in den Ruhestand zu gehen, eine steigende Lebenserwartung und verbesserte Gesundheitsvorsorge verlängern die Ruhestandszeit, so dass sie noch sorgfältiger geplant werden muss. Der entscheidende Unterschied zwischen den beiden Lebensphasen ist der, dass der Mann nun ganz alleine das Steuer in der Hand hat. Er hat die Chance, alle Entscheidungen für den Rest seines Lebens selbst zu treffen.

Ein Aktionsplan

Schon Jahre, bevor Sie in Rente gehen, sollten Sie mit der Planung beginnen. Verlieren Sie vorzeitig Ihren Arbeitsplatz, ist dies natürlich nicht möglich. Vielleicht sind Sie bereits Rentner und durchlaufen gerade die zuvor beschriebenen Phasen. Grundsätzlich gilt jedoch: Je früher Sie planen, desto besser.

JE FRÜHER SIE IHREN RUHESTAND PLANEN,
DESTO BESSER WIRD IHR GESUNDHEITSZUSTAND SEIN
UND DESTO LÄNGER WERDEN SIE LEBEN.
DAS HAT DIE FORSCHUNG BEWIESEN.

Sie müssen an Ihren Ruhestand genauso herangehen wie an jedes andere große Projekt. Fangen Sie damit an, einen Geschäftsplan aufzustellen, möglichst mit der Hand. Beginnen Sie mit einem Überblick, wie Sie sich Ihr zukünftiges Leben vorstellen, und gehen Sie dann detailliert auf jeden einzelnen Punkt ein. Besprechen Sie Ihren Plan mit Ihrer Partnerin, weil sie wohl diejenige ist, die daran am meisten teilhat. Vorauszuplanen wird Ihnen helfen, für das, was vor Ihnen liegt, bereit zu sein – und für alles, was schief gehen könnte.

Eine ältere Frau rettete einer Fee das Leben. Als Dank gewährte die Fee ihr drei Wünsche.
Als Erstes wünschte sich die Frau, wieder jung und schön zu sein –
und plötzlich war sie es. Als Zweites wünschte sie sich, reich
zu sein – und plötzlich war sie es. Als Drittes zeigte sie auf ihren
geliebten Kater und bat darum, ihn in einen schönen Prinzen zu
verwandeln – und plötzlich war er ein Prinz.
Die Fee löste sich in Luft auf und der schöne Prinz trat zu der Frau
heran und lächelte. »Nun«, sagte er und nahm ihre Hand, »tut es dir
nicht Leid, dass du mich hast kastrieren lassen?«

Gesellschaftliche Aktivitäten

Hier geht es darum zu planen, was ein Mann und eine Frau für sich alleine, was mit Freunden und was sie gemeinsam unternehmen könnten. Der Mann entschließt sich vielleicht dazu, alleine einen Kapitalanlagekurs bei seiner Hausbank zu besuchen und mit einigen Freunden in einen Golfklub einzutreten. Die Frau belegt vielleicht einen Kunstkurs und geht jede Woche mit ihren Freundinnen ins Kino. Es ist wichtig, dass beide Partner ihren eigenen Interessen nachgehen und eigene Freunde haben, damit sie, wenn sie zusammen sind, viel Gesprächsstoff haben. Sie werden dann auch ihre eigene Identität behalten, statt in einer gemeinsamen Identität zu verschmelzen.

Ein weiterer Pluspunkt ist der, dass sie neue Freunde finden, die dann eingeladen werden, den Partner kennen zu lernen.

Gemeinsame Aktivitäten könnten ein Tanzkurs sein oder die Mitgliedschaft in einem Wanderverein, der jedes Wochenende für ein paar Stunden Ausflüge in die Umgebung unternimmt.

Gesundheit

Beginnen Sie mit einer gründlichen medizinischen Untersuchung und stellen Sie sich dann mit Hilfe von Büchern über die besten Essgewohnheiten für Ruheständler einen Speiseplan zusammen. Wenn Sie Übergewicht haben, sollten Sie sich beraten lassen, wie Sie die überflüssigen Pfunde loswerden. Heutzutage gibt es eine Vielzahl von Trainingsprogrammen. Walking ist ausgezeichnet, aber Sie könnten auch tanzen, schwimmen oder Rad fahren. Für körperliche Bewegung braucht man Zeit, aber die haben Sie ja reichlich! Je mehr Sie sich körperlich betätigen, desto länger werden Sie leben und desto besser wird Ihre Lebensqualität sein.

Sportliche Aktivitäten

Der Ruhestand bietet vielen Männern die Möglichkeit, auf die Jagd zu gehen oder andere Sportarten wie Golf, Angeln oder

Boccia auszuprobieren, für die das räumliche Denken wichtig ist.

Das trifft auch auf Bogenschießen, Bowling oder den Schießsport zu – Sportarten für die körperlich weniger Aktiven.

SPIELEN SIE GOLF?
NEIN, ICH HABE NOCH SEX.

Ehrenamtliche Tätigkeiten

Solche Aktivitäten sind für viele Ruheständler sehr befriedigend und vermitteln ihnen ein enormes Selbstwertgefühl. Sie sind der Schlüssel zum Erhalt der Selbstachtung des Mannes, denn sein größtes Bedürfnis ist es, Ansehen zu genießen. Wenn ein Mann aus dem Arbeitsleben ausscheidet, verliert er einen Teil seiner Identität und seiner Rolle im großen gesellschaftlichen Gefüge und fühlt sich nicht mehr wichtig. Dieser Identitätsverlust muss möglichst rasch ausgeglichen werden.

Welchen Beruf ein Mann auch ausgeübt haben mag, er erforderte sicherlich Fertigkeiten, die andere nutzen oder lernen möchten. Dabei könnte es sich um Kenntnisse in einem bestimmten Handwerk, um Computerkenntnisse oder Sachverstand in Finanzangelegenheiten handeln.

All sein Wissen und seine Erfahrung – ob in Bezug auf Gartenarbeit, Instandhaltungsarbeiten im Haus, Malen, Sammlungen anlegen – können an andere weitergegeben werden. Darüber hinaus gibt es viele kirchliche Wohltätigkeitsorganisationen, die dringend Unterstützung brauchen, und unzählige Organisationen, die sich der Sammlung von Spendengeldern und der Unterstützung Bedürftiger verschrieben haben.

Spirituelle Themen

Einem Engagement in einer religiösen Gemeinschaft liegt oft schon ein Glaubenssystem zu Grunde. Wenn Sie nicht auf einen Glauben festgelegt sind, beschäftigen Sie sich mit Glaubensrichtungen, die zu Ihrer Lebensphilosophie passen, oder üben Sie sich in Meditation oder Yoga.

Sex

Ein glückliches, erfülltes Leben sollte ein erfülltes Liebesleben mit einschließen. Männer und Frauen, die in einer Beziehung leben, sollten sich Zeit für den Sex nehmen, vor allem, wenn besondere Umstände vermehrte Vorsorge erforderlich machen. Rezeptpflichtige Medikamente ermöglichen es viel mehr Männern – und Frauen –, die Liebe auch noch in reiferen Jahren zu genießen. Sind Sie Single, gibt es sogar noch mehr Grund, Freundschaften zu schließen und vor engen Beziehungen nicht zurückzuscheuen.

Albert, 75, erhob sich eines Abends im Speisesaal des Altenheimes von seinem Stuhl und betrachtete die Gruppen der Frauen beim Abendessen. »Hey!«, brüllte er. »Die Lady, die errät, was ich in der Hand habe, darf heute Abend mit mir schlafen!«
Es herrschte Totenstille. Schließlich rief eine ältere Dame zurück: »Ein Haus!«
Albert sah sie an. »Ja!«, brüllte er, »das ist nah genug dran!«

Finanzplanung

Hier gibt es zwei Möglichkeiten. Sie können die mit dem geringeren Einkommen verbundenen Einschränkungen akzeptieren und sorgfältig planen, wie Sie mit Ihrem Geld auskommen, oder Geld zusätzlich verdienen. Viele Männer gründen nach dem Rentenbeginn erfolgreiche Unternehmen, während andere leichte Tätigkeiten annehmen, bei denen ihre Kenntnisse, ihre Erfahrung und ihre Fertigkeiten gefragt sind.

Tagesablauf

Zu einem wohl geplanten Lebensabend gehört auch ein geregelter Tagesablauf. Bevor Sie in Rente gehen, bestehen etwa 90 Prozent Ihres Tages aus sich wiederholenden, strukturierten Aktivitäten. Wenn Sie arbeiten, brauchen Sie nicht bewusst zu entscheiden, um 6.30 Uhr aufzustehen, zur Arbeit zu fahren und um 8 Uhr zu beginnen – Sie tun es einfach. In Ihrem Job mögen Sie es mit unterschiedlichen Problemen zu tun haben, aber die Herangehensweise wird stets dieselbe sein. Im Großen und Ganzen läuft alles routinemäßig ab, und Sie fühlen sich sicher und haben das Leben unter Kontrolle.

Im Ruhestand haben die alten Gewohnheiten keine Gültigkeit mehr. Nun müssen Sie entscheiden, ob Sie morgens nach dem Aufwachen aufstehen oder nicht. Wenn Sie aufstehen, müssen Sie beschließen, was Sie als Nächstes tun, selbst wenn es nur darum geht, ob Sie zum Geschäft um die Ecke spazieren und eine Zeitung kaufen, wieder nach Hause kommen, Kaffee kochen und die Zeitung lesen. Und dann ist es im Handumdrehen Zeit zum Mittagessen. Nach dem Mittagessen müssen Sie sich vielleicht entscheiden, ob Sie ein Buch lesen oder ein Nickerchen machen, falls nichts Wichtigeres ansteht.

Tun Sie diese Dinge in den ersten dreißig Tagen Ihres Ruhestandes, werden sie sich zu Gewohnheiten entwickeln, die nur schwer zu verändern sind. Das ist der Zeitpunkt, zu dem ein überwältigendes Gefühl der Wertlosigkeit einsetzt.

Wenn Sie jedoch planen, zu einer bestimmten Zeit aufzustehen, eine halbe Stunde spazieren zu gehen und anschließend jeden Tag, und zwar den ganzen Tag, bestimmten Aktivitäten nachzugehen, wird dies zu Ihrer neuen Gewohnheit werden. Sie brauchen dann nicht mehr zu entscheiden, was Sie als Nächstes tun. Ihr Leben hat eine Struktur, und Sie werden, falls Sie Ihre Aktivitäten sorgfältig gewählt haben, eine neue Identität und neue Ziele finden und Ihr Leben als erfüllt empfinden. Es ist nie zu spät, neue Dinge zu lernen. Vielleicht haben Sie Lust, ein Buch zu schreiben, Lehrer zu werden oder mit einer neuen Sportart zu beginnen. Vielleicht werden Sie Leiter oder Mitarbeiter einer Wohltätigkeitsorganisation oder rufen eine neue Organisation oder einen Klub ins Leben und ernten Anerkennung als ihr Gründer. Oder Sie haben sogar Lust, als Aktmodell zu arbeiten. Alles ist möglich, wenn man es gut plant.

Die Vorstellung, unter Palmen zu sitzen und den Rest des Lebens nichts zu tun, ist ein Mythos, den Rentenversicherer und Lotterien propagieren. Sie werden dabei lediglich dick und stumpfsinnig und bekommen obendrein einen Sonnenbrand. Die meisten Männer halten das nur ein paar Wochen aus, dann werden sie entweder verrückt oder von ihren Frauen umgebracht.

Fallbeispiel: Paul und Dana

Als Leiter der Buchhaltung hatte Paul immer einen vollen Terminkalender. Er war davon ausgegangen, dass er mit 65 in Rente gehen würde. Als er 57 war, wurde seine Firma jedoch von einem Konkurrenten übernommen, und Paul wurde nach Jahren treuer Dienste über Nacht arbeitslos. Als er erfuhr, dass die neuen Firmenbesitzer die Buchhaltungsabteilung ausgliedern wollten und ganz andere Vorstellungen hatten als er, wurde ihm bewusst, dass ein neuer Lebensabschnitt begonnen hatte.

Seine Partnerin Dana war drei Jahre zuvor in Rente gegangen und freute sich auf Pauls Ruhestand. Sie genoss ihren eigenen sehr, denn sie hatte nun für viele Dinge Zeit, von denen sie immer geträumt hatte, und sie wollte ihr neues Glück mit Paul teilen.

Paul aber bedrückte seine Arbeitslosigkeit sehr. Er trank zu viel und wurde depressiv. Das Trinken machte die Depressionen noch schlimmer, Paul trank noch mehr und baute sehr schnell ab.

Dana beschloss, professionelle Hilfe in Anspruch zu nehmen. Sie überzeugte Paul, einen Berater für Ruheständler aufzusuchen, der einen sehr guten Ruf hatte. Der Berater half Paul, seine Lage zu überdenken, und zeigte ihm, wie er mit seiner neuen Lebensphase fertig werden konnte.

Als Erstes sollte er sich einer gründlichen medizinischen Untersuchung unterziehen und einen Finanzberater aufsuchen, anschließend zur Entspannung mit Dana in Urlaub fahren und mit ihr den Lebensabend planen.

Die medizinische Untersuchung ergab, dass Paul gesund war, aber neun Kilo Übergewicht hatte. Außerdem hatte er einen leicht erhöhten Blutdruck und einen zu hohen Cholesterinspiegel. Paul ging zu einem Heilpraktiker, der ihn über gesunde Essgewohnheiten aufklärte und ihm ein Übungsprogramm gab.

WENN DEINE RÜCKENWIRBEL HÄUFIGER RAUSGEHEN ALS DU UND DEINE ZÄHNE IN EINEM STEAK STECKEN BLEIBEN, DANN BIST DU ALT.

Der Finanzberater beruhigte Paul. Als Erstes half er ihm und Dana, einen detaillierten Haushaltsplan aufzustellen. Dann erklärte er ihnen, dass Pauls Abfindung zusammen mit einigen Ersparnissen und Rücklagen sowie beider Renten für ihren Lebensunterhalt ausreichten. In zehn bis 15 Jahren würde der Verkauf ihres Hauses mehr als genug einbringen, um die restlichen Jahre in einer Seniorenwohnanlage zu verbringen, wenn sie das wollten.

Paul hatte das Gefühl, dass ihm eine große Last von den Schultern genommen wurde. Er und Dana fuhren guten Mutes in Urlaub. Sie hatten begonnen, ihre Reise zu planen – eine Reise, die 25 Jahre oder noch länger dauern sollte.

Die nächste Herausforderung war größer. Sie mussten beschließen, was sie mit dem Rest ihres Lebens anfangen wollten. Sie brauchten einen Plan, der ihre individuellen und gemeinsamen Ziele einschloss.

Sie änderten ihre Essgewohnheiten, kauften neue Kochbücher und ernährten sich ab sofort auf gesunde Weise. Dann einigten sie sich, jeden Tag eine Dreiviertelstunde lang stramm spazieren zu gehen. Außerdem wurden sie Mitglieder in einem Wanderverein und machten mehrmals im Monat ausgedehnte Wanderungen. Das hatte zusätzlich den Vorteil, dass sie neue Leute kennen lernten. Sie meldeten sich zu einem Tai-Chi-Kurs an, da Freunde, die diese Art der Gymnastik betrieben, entspannt und ausgeglichen wirkten und ihnen die Übungen gut taten. Dana spielte bereits einmal pro Woche Tennis und war im Klubvorstand. Sie war auch in einer Patchwork-Gruppe und wollte ein Buch schreiben. Paul hatte einige Male Golf gespielt, doch obwohl es ihm Spaß gemacht hatte, nie die Zeit gefunden, es regelmäßig zu tun. Er hatte einen Satz Schläger und beschloss, es noch einmal zu probieren.

Paul und Dana hatten genug Geld für ihren Lebensunterhalt, konnten sich aber keine Extravaganzen leisten. Deswegen stellte Paul einen Haushaltsplan auf und berechnete, was sie pro Monat ausgeben konnten.

Damit blieb noch ein Bereich, den es zu planen galt – die Gemeindearbeit oder karitative Arbeit. »Was haben wir in unserem Leben getan, das wir an andere, die nicht so viel Glück hatten wie wir, weitergeben könnten?«, fragten sie sich. »Welche Gruppe liegt uns am meisten am Herzen?«

Sie kamen zu dem Schluss, dass ihre größte Leistung ihre vier glücklichen, erfolgreichen und gut erzogenen Kinder waren. Paul war schon immer das Wohlergehen von Teenagern wichtig gewesen, und er und Dana verstanden die Probleme, die von der Familie allein gelassene Teenager hatten. Deshalb beschloss Paul, sich zum Jugendberater ausbilden zu lassen.

Das Paar schrieb den Plan auf und setzte sich einen Zeitrahmen. Als sie sich anschließend ihren Plan in Ruhe anschauten, waren sie so aufgeregt, dass sie es kaum abwarten konnten, ihn in die Tat umzusetzen.

Heute sind Paul und Dana gesund und glücklich. Sie genießen das Leben, haben Freude daran, anderen zu helfen, und sind so beschäftigt, dass sie einen Terminkalender führen müssen. Der Ruhestand erweist sich als die schönste Zeit ihres Lebens.

DANKSAGUNG

Wir würden gerne den folgenden Menschen danken, die direkt, indirekt und manchmal ohne ihr Wissen an diesem Buch mitgearbeitet haben.

Unser Team, das die Lasten dieses Vorhabens mitgetragen hat: Ruth und Ray Pease, Dorie Simmonds, Sue Williams und Trevor Dolby.

Bill und Beat Suter, Adam Sellars, Melissa, Cameron und Jasmine Pease, Mike und Carol Pease, Len und Sue Smith, Fiona und Michael Hedger, Diana Ritchie, Dr. Desmond Morris, Prof. Alan Garner, Gary Skinner, Dr. Dennis Waitley, Mark Victor Hansen, Dr. Themi Garagounas, Bert Newton, Geoff und Sallie Burch, Tony und Patricia Earle, Debbie Mehrtens, Deb Hinckesman, Dorreen Carroll, Andy und Justine Clarke, Kerri-Anne Kennerley, Frank und Cavill Boggs, Graham und Tracey Dufty, John Allanson, Sandra und Loren Watts, John Jepworth, Esther Rantzen, Ray Martin, Kaz Lyons, Victoria Singer, Graham und Josephine Rote, Emma Noble, Yvonne und Barrie Hitchon, Richard Cranium, Ivor Ashfield und Helen Richardson.

LITERATURVERZEICHNIS

Alder, Harry: *NLP in 21 Days*. London 1999.

Allen, L. S., Richey, M. F., Chai, Y. M. und R. A. Gorki: »Sex Differences in the Corpus Callosum of the Living Human Being«. *Journal of Neuroscience* 11 (1991), S. 933–942.

Amen, Daniel G.: *Change Your Brain, Change Your Life*. New York 2000.

Andreae, Simon: *Das Lustprinzip. Warum Männer und Frauen doch zusammenpassen*. Berlin 2002.

Arons, Harry: *Hypnosis in Criminal Investigation*. Springfield 1967.

Aurelius Augustinus: *Die Lüge und gegen die Lüge*. Hrsg. v. Paul Keseling. Würzburg 1953.

Bailey, Francis Lee und Harvey Aronson: *The Defense Never Rests*. New York 1972.

Bailey, Francis Lee: *For the Defense*. New York 1976.

Bandler, Richard und John Grinder: *Neue Wege der Kurzzeit-Therapie. Neurolinguistische Programme*. Paderborn 1981.

Barry, Dave: *Dave Barry's Complete Guide to Guys*. New York 2000.

Bart, Benjamin: *The History of Farting*. London 1995.

Beatty, W. W. und Truster, A. I.: »Gender Differences in Geographical Knowledge«. *Sex Roles* 16 (1987), S. 565–590.

Beatty, W. W.: »The Fargo Map Test. A Standardised Method for Assessing Remote Memory for Visuospatial Information«. *Journal of Clinical Psychology* 44 (1988), S. 61–67.

Belli, Melvin: *My Life on Trial*. New York 1977.

Benbow, C. P. und Stanley, J. C.: »Sex differences in Mathematical Reasoning Ability. More facts«. *Science* 222 (1983), S. 1029–1031.

Berenbaum, S. A.: »Psychological Outcome in Congenital Adrenal Hyperplasia«. *Therapeutic Outcome of Endocrine Disorders. Efficacy, Innovation, and Quality of Life*. Hrsg. v. B. Stabler und B. B. Bercy. New York 2000, S. 186–99.

Berne, Eric: *Spiele der Erwachsenen. Psychologie der menschlichen Beziehungen*. Reinbek 1967.

Black, H.: »Amygdala's Inner Workings«. *The Scientist* 15 (2001).

Block, Eugene B.: »Voice Printing. How the Law Can Read The Voice Of Crime«. *US Supreme Court Reports* (1995).

Bok, Sissela: *Lügen. Vom täglichen Zwang zur Unaufrichtigkeit*. Reinbek 1982.

Botting, Kate und Douglas: *Sex Appeal*. London 1995.

Brasch, Rudolph: *How Did Sex Begin?* Sydney/London 1973.

Budesheim, T. L. und Depaola, S. J.: »Beauty or the Beast? The Effects of Appearance, Personality, and Issue Information on Evaluations of Political Candidates«. *Personality and Social Psychology Bulletin* 20 (1994), S. 339–348.

Buss, David: *Die Evolution des Begehrens. Geheimnisse der Partnerwahl*. München 1997.

Buss, David und Kenrich, D. T.: »Evolutionary Social Psychology«. *The Handbook of Social Psychology*. Bd. 2. Hrsg. v. D. T. Gilberts, S. T. Fiske and G. Lindzey. Boston 1998, S. 982–1026.

Carper, Jean: *Wundernahrung fürs Gehirn. Steigert den IQ, optimiert die geistige Kraft, stoppt Alterungsprozesse*. München 2000.

Castellow, W. A., Wuensch, K. L. und C. H. Moore: »Effects of Physical Attractiveness of the Plaintiff and Defendant in Sexual Harassment Judgements«. *Journal of Social Behavior and Personality* 5 (1990), S. 547–562.

Chang, K. T. und J. R. Antes: »Sex and Cultural Differences in Map Reading«. *The American Cartographer* 14 (1987), S. 29–42.

Cole, Julia: *After the Affair. How to Build Love and Trust Again*. London 2000.

Cox, Tracey: *Hot Sex. In jeder Beziehung*. München 2000.

Crick, Francis: *Was die Seele wirklich ist. Die naturwissenschaftliche Erforschung des Bewusstseins*. München 1994.

Dawkins, Richard: *Der blinde Uhrmacher. Ein neues Plädoyer für den Darwinismus*. München 1987.

Dawkins, Richard: *Das egoistische Gen*. Berlin 1978.

De Angelis, Barbara: *Männer. Was jede Frau wissen sollte*. München 1992.

Dedopulos, Tim: *The Ultimate Jokes Book*. Bristol 1998.

Downs, A. C. und Lyons, P. M.: »Natural observations of the Links Between Attractiveness and Initial Legal Judgements«. *Personality and Social Psychology Bulletin* 17 (1990), S. 541–547.

Eagly, A. H., Ashmore, R. D., Makhijani, M. G. und L. C. Longo: »What is Beautiful is Good But ... A Meta-Analytic Review of Research on the Physical Attractiveness Stereo-Type«. *Psychological Bulletin* 110 (1991), S. 109–128.

Eibl-Eibesfeldt, Irenäus: *Die Biologie des menschlichen Verhaltens. Grundriss der Humanethologie*. München 1984.

Ekman, Paul: *Weshalb Lügen kurze Beine haben. Über Täuschungen und deren Aufdeckung im privaten und öffentlichen Leben*. Berlin 1989.

Ekman, Paul und Friesen, W. V.: *Unmasking the Face*. Lexington 1975.

Everhart, D. E. u. a.: »Sex-Related Differences in Event-Related Potentials, Face Recognition, and Facial Affect Processing in Prepubertal Children«. *Neuropsychology* 15 (2001), S. 329–341.

Farrell, Warren: *Women Can't Hear What Men Don't Say. Destroying Myths, Creating Love*. New York 1999.

Fast, Julius M.: *Körpersprache*. Reinbek 1971.

Ferris, Stewart: *How to Chat-Up Women*. Chichester 1996.

Fisher, Helen: *Anatomie der Liebe. Warum sich Paare finden, sich binden und auseinandergehen*. München 1993.

Fisher, Helen: *Das starke Geschlecht. Wie das weibliche Denken die Zukunft verändern wird*. München 2000.

French, Scott und Paul Van Houten: *Never Say Lie. How to Beat the Machines, the Interviews, the Chemical Tests*. Boulder 1987.

Fromm, Erich: *Märchen, Mythen und Träume. Eine Einführung zum Verständnis von Träumen, Märchen und Mythen*. Konstanz/Stuttgart 1957.

Garner, Alan: *Conversationally Speaking*. Los Angeles 1997.

Glass, Lillian: *He Says, She Says*. New York 1992.

Gray, John: *Mars und Venus. Was Frauen wollen und Männer nicht verstehen. Beziehungskrisen überwinden und Paarkonflikte lösen*. München 1999.

Gray, John: *Mars, Venus & Eros. Männer lieben anders, Frauen auch*. München 1996.

Greenfield, Susan: *Journey to the Centers of the Mind.* New York 1998.

Grice, Julia: *Das Geheimnis der erotischen Ausstrahlung. Was Frauen wirklich sexy macht.* Bergisch Gladbach 1990.

Gron, G. u. a.: »Brain Activation During Human Navigation. Gender-Different Neural Networks as Substrate of Performance«. *Nature Neuroscience* 3 (2000), S. 404–408.

Grotius, Hugo: *Drey Bücher vom Rechte des Krieges und des Friedens.* Leipzig 1707.

Gur, R. C. u. a.: »An FMRI Study of Sex Differences in Regional Activation to a Verbal and a Spatial Task«. *Brain and Language* 74 (2000), S. 157–170.

Gur, R. C. u. a.: »Sex Differences in Brain Gray and White Matter in Healthy Young Adults. Correlations with Cognitive Performance«. *Journal of Neuroscience* 19 (1999), S. 4065–4072.

Hammersmith, D. und Biddle, J. E.: »Beauty and the Labor Market«. *American Economic Review* 84 (1994), S. 1174–1194.

Harrelson, Leonard: *Lie Test. Deception, Truth and the Polygraph.* O. O. 1998.

Heisse, John W. Jr.: *Simplified Chart Reading.* Burlington, Vermont 1974.

Heisse, John W. Jr.: »The 14 Question Modified Zone of Comparison Test«. *Stressing Comments* 7 (June 1975). International Society of Stress Analysts, Bd. 3, S. 1–4.

Heisse, John W. Jr.: *Audio Stress Analysis. A Validation and Reliability Study of The Psychological Stress Evaluator (PSE).* Burlington, Vermont 1976.

Heisse, John W. Jr.: *The Verimetrics Computer System. A Reliability Study.* Burlington, Vermont 1992.

Hodgson, D. H.: *Consequences of Utilitarianism.* Oxford 1967.

Holden, Robert: *Shift Happens,* London 1998.

Holden, Robert: *Laughter. The Best Medicine,* London 1993.

Horvath, Frank: »Detecting Deception. The Promise and the Reality of Voice Stress Analysis«. *Journal of Forensic Sciences* 27/2 (1982), S. 340–351.

Hoyenga, Katharine Blick und Kermit, T.: *Gender-Related Differences. Origins and outcomes.* Boston 1993.

Inbau, Fred E. und John E. Reid: *Truth and Deception. The Polygraph (»Lie Detector«) Technique.* Baltimore 1969.

Johnson, Gary: *Monkey Business. Why the Way You Manage Is a Million Years Out of Date.* Aldershot 1995.

Juan, Stephen: *Unser merkwürdiger Körper. Was Sie schon immer darüber wissen wollten.* München 2000.

Kant, Immanuel: Über ein vermeintliches Recht, aus Menschenliebe zu lügen. *Werke in zehn Bänden.* Bd. 7. Hrsg. v. Wilhelm Weischedel. Darmstadt 1956, S. 635–643.

Kenton, Leslie: *Ten Steps to a Young You.* London 1996.

Kinsey, Alfred Charles, Pomeroy, Wardell Baxter und Clyde Eugene Martin: *Das sexuelle Verhalten des Mannes.* Berlin/Frankfurt 1955.

Knapp, Mark L.: *Nonverbal Communication in Human Interaction.* New York 1978.

Kreeger, K. Y.: »Yes, Biologically Speaking, Sex Does Matter«. *The Scientist* 16/1 (2002), S. 35–36.

Kriete, R. und Stanley, R.: *A Comparison of the Psychological Stress Evaluator and the Polygraph.* (Presented at the First Annual Seminar of the International Society of Stress Analysts). Chicago 1974.

Kulka, R. A. und Kessler, J. R.: »Is Justice Really Blind? The Effect of Litigant Physical Attractiveness on Judicial Judgement«. *Journal of Applied Social Pyschology* 4 (1978), S. 336–381.

LeVay, Simon: *Keimzellen der Lust. Die Natur der menschlichen Sexualität.* Heidelberg/Berlin 1994.

Lewis, David: *Konventionen. Eine sprachphilosophische Abhandlung.* Berlin/New York 1975.

Liebermann, David J.: *Halt mich nicht für blöd! So schütze ich mich vor Lügen aller Art im Berufs- und Privatleben.* München 2000.

Lippold, O.: »Physiological Tremor«. *Scientific American.* 224/3 (1971), S. 65–73.

Lorenz, Konrad: *Das sogenannte Böse. Zur Naturgeschichte der Aggression.* Wien 1963.

Lorenz, Konrad: *Er redete mit dem Vieh, den Vögeln und den Fischen. Tiergeschichten.* Wien 1958.

Maccoby, Eleanor E. und Carol N. Jacklin: *Psychologie der Geschlechter. Sexuelle Identität in den verschiedenen Lebensphasen.* Stuttgart 2000.

Marshall, Hillie: *The Good Dating Guide*. Chichester 1998.

Maynard, Smith J.: *The Theory of Evolution*. New York 1993.

McKinlay, Deborah: *Lügen der Liebe. Was Männer nicht wissen und Frauen niemals zugeben würden*. Bergisch Gladbach 1996.

Miller, Gerald R. und Stiff, James B.: *Deceptive Communication*. Newbury Park 1993.

Moir, Anne und David Jessel: *Brain Sex. Der wahre Unterschied zwischen Mann und Frau*. Düsseldorf 1990.

Moir, Anne und Bill: *Why Men Don't Iron*. London 1999.

Morris, Desmond: *Körpersignale*. München 1986.

Morris, Desmond: *Der nackte Affe*. München 1975.

Morris, Desmond: *People Watching*. London 2002.

Nierenberg, Gerald, I. und Calero: *How to Read a Person Like a Book*. New York 1971.

O'Neill, W. C.: *Report of the Special Hearing Officer of the Secretary of State of Florida, Regarding Public Hearings of the Department of State of Florida. Psychological Stress Evaluation*. Tallahassee 1974.

O'Toole, George: *The Assassination Tapes. An Electronic Probe into the Murder of John F. Kennedy and the Dallas Cover up*. New York 1975.

Pease, Allan und Barbara: *Warum Männer nicht zuhören und Frauen schlecht einparken. Ganz natürliche Erklärungen für eigentlich unerklärliche Schwächen*. München 2000.

Pease, Allan: *The Ultimate Book of Rude and Politically Incorrect Jokes*. London 1999.

Pease, Allan: *Signals. How to Use Body Language for Power, Success and Love*. New York 1984.

Pease, Allan und Alan Garner: *Talk Language. How to Use Conversation for Profit and Pleasure*. London 1998.

Pease, Raymond und Ruth: *My Secret life as a Gigolo*. Sydney 2002.

Penny, Alexandra: *Mein Mann geht nicht fremd. Wie man Männer monogam hält und wie sie auf seine Empfindsamkeiten eingeht, ohne sich anzupassen oder zu unterwerfen*. Zürich 1990.

Platt, Vanessa Lloyd: *Secrets of Relationship Success*. London 2000.

Pittman, Frank: *Angenommen, mein Partner geht fremd*. Stuttgart 1991.

Quilliam Susan: *Geheimnis der Körpersprache erkennen und verstehen.* Niedernhausen 1995.

Quilliam Susan: *Die Körpersprache der Sexualität. Ein Buch zum Verständnis unserer Körpersprache vom ersten Blickkontakt bis zur sexuellen Erfüllung.* München 1992.

Reid, John E., Inbau, Fred E. und Joseph B. Buckley: *Criminal Interrogation and Confessions.* Baltimore 1986.

Reinisch, June Machover u. a. (Hrsg.): *Masculinity, femininity. The Kinsey Institute Series.* New York 1987.

Ringer, Robert J.: *Winning Through Intimidation.* Los Angeles 1973.

Roffman, Howard: *Presumed Guilty.* New York 1976.

Roger, Lesley J.: *The Development of Brain and Behaviour in the Chicken.* Wallingford 1995.

Rogers, Lesley: *Sexing the Brain.* London 1999.

Samenow, Stanton E.: *Inside the Criminal Mind.* New York 1984.

Shaywitz, B. A. u. a.: »Sex Differences in the Functional Organization of the Brain for Language«. *Nature* 373 (1995), S. 607–609.

Staheli, Lana: *Triangles. Facts You Need to Know about Affairs. Plus, How to Affair-Proof Your Marriage.* Seattle 1995.

Stein, D. G.: »Brain Damage, Sex Hormones and Recovery. A New Role for Progesterone and Estrogen?«. *Trends in Neuroscience* 24 (2001), S. 386–391.

Stewart, J. E. II: »Defendant's Attractiveness as a Factor in the Outcome of Trials«. *Journal of Applied Social Psychology* 10 (1980), S. 348–361.

Tannen, Deborah: *Das hab' ich nicht gesagt! Kommunikationsprobleme im Alltag.* Hamburg 1992.

Tannen, Deborah: *Du kannst mich einfach nicht verstehen! Warum Männer und Frauen aneinander vorbeireden.* München 1993.

Tannen, Deborah: *Ich mein's doch nur gut. Wie Menschen in Familien aneinander vorbeireden.* München 2002.

Tannen, Deborah: *Job-Talk. Wie Frauen und Männer am Arbeitsplatz miteinander reden.* Hamburg 1995.

Thomas von Aquin: *Summe der Theologie.* Hrsg. v. Joseph Bernhart. 3 Bde. Stuttgart 1985.

Tucker, Nita: *How Not to Stay Single*. New York 1996.

Whiteside, Robert: *Face Language II*. Hollywood 1988.

Wilson, Glenn D. und David Nias: *Erotische Anziehungskraft. Psychologie der sexuellen Attraktivität*. Frankfurt 1977.

Wolf, Naomi: *Der Mythos Schönheit*. Reinbek 1991.

BILDNACHWEIS

Advertising Archives: S. 237
Bridgeman Art Library: S. 240, S. 244, S. 246 (1), S. 259
Empics: S. 287 (2)
Getty Images: S. 237, S. 246 (2), S. 248 (1), S. 258, S. 253, S. 244, S. 280, S. 288
Hulton/Getty: S. 245 (3)
Kobal Collection: S. 227, S. 241, S. 252
Panos Pictures: S. 245 (1), S. 287 (1), S. 250 (1)
Peter Newark's Pictures: S. 29
Picture Bank: S. 242 (unten)
Popperfoto: S. 234
Rex Features: S. 245 (2), S. 250 (2), S. 274, S. 281, S. 283, S. 285, S. 288
Robert Harding Photo Library: S. 249, S. 251
Ronald Grant Archives: S. 247 (2), S. 248 (2)
Ripswear Inc.: S. 273